DICTIONNAIRE DES MÉDECINES DOUCES POUR VOS ENFANTS PETITS ET GRANDS

DOROTHÉE KOECHLIN DE BIZEMONT
MARIE-EGLÉ GRANIER-RIVIÈRE

DICTIONNAIRE DES MÉDECINES DOUCES POUR VOS ENFANTS PETITS ET GRANDS

Collection « ÉQUILIBRE »

ÉDITIONS DU ROCHER
28, rue Comte-Félix-Gastaldi - Monaco

© Éditions du Rocher, 1982.
ISBN 2-268-00446-5

A nos enfants : THOMAS,
              JEAN-MAXENCE,
              FLORENT,
              ANNE,
              GILLES,
              GWENAELLE,
              ELEONORE.

Et à nos maris, sans lesquels ce
livre n'aurait pu voir le jour.

Sommaire

Introduction

« Médecines douces... » en 1976, personne ne savait ce que c'était ! Lorsque Marie-Eglé et moi-même avons entrepris ce livre, nous avons eu l'idée d'associer ces deux mots en pensant aux « énergies douces », celles qui rendent service à l'homme sans le violenter.

En effet, la chimie et l'électronique nous font payer assez cher leurs cadeaux. Dans une première époque, triomphaliste, on ne voyait pas que le Progrès, avec un grand « P », et la Science, avec un grand « S », n'apportaient pas seulement des bienfaits. Aujourd'hui, la balance entre les avantages et les inconvénients se déséquilibre, et le public en est conscient.

A nous deux, Marie-Eglé et moi, nous avons sept enfants : nous ne voulions pas qu'ils fassent les frais des trouvailles hasardeuses des grands laboratoires chimiques. Thalidomide, Chloramphénicol, Clioquinol, ça ne vous dit rien ? Ils ont été retirés du marché après avoir fait des milliers de morts ou d'handicapés. Merci !... Nous, ne voulions pas de ces risques. Nous avons pensé qu'il devait exister des « médecines douces » c'est-à-dire des médecines qui guériraient nos enfants sans les intoxiquer. La médecine officielle, certes, guérit... mais le malade rechute de plus belle, et sous une autre forme, car la chimiothérapie a détruit ses défenses naturelles.

En quoi les *médecines douces diffèrent-elles de la médecine classique* (officiellement enseignée en Faculté) ?

Leur point de vue sur le malade et la maladie est radicalement différent.

Le médecin classique, ou traditionnel, s'intéresse essentiellement à l'agresseur : le microbe. Il ne connaît que la maladie.

11

Le médecin de médecine naturelle s'intéresse essentiellement au « terrain ». C'est-à-dire au malade.

Le médecin classique considère une furonculose, une poussée de fièvre, une crise d'asthme, comme des manifestations à supprimer avant tout.

Le médecin de médecine naturelle considère ces réactions comme des manifestations de la Nature qui défend l'organisme. Il cherche à connaître comment le malade « fait la maladie ».

Devant ces manifestations qu'il juge « contre nature », le médecin classique bouscule l'organisme en donnant des médicaments violents, et mène lui-même le combat à la place de la Nature.

Au contraire, devant les manifestations de la Nature, le médecin de médecine naturelle considère l'organisme comme engagé dans sa défense. Il essaie alors de l'aider dans son combat.

Le médecin officiel peut détruire les microbes, mais il n'a pas d'armes contre leurs déchets, leurs toxines.

Le médecin de médecine naturelle, lui, possède des « biothérapiques » fort efficaces pour rendre la vie impossible aux microbes et pour éliminer les toxines *.

Ces « médecines douces » sont éprouvées depuis des siècles : phytothérapie, acupuncture, hydrothérapie, etc. sont de très vieilles dames. Pas d'aventures ! Sécurité avant tout : il s'agit de nos enfants. Mais nous ne refusons ni la science, ni le progrès : il faut savoir qu'à l'heure actuelle un très grand nombre de chercheurs se penchent sur ces médecines que leurs travaux ont tirées de l'oubli, rajeunies, adaptées à notre époque.

En somme, Marie-Eglé et moi, nous voulions les bienfaits de la médecine sans les inconvénients. Et bien, c'est possible avec les « médecines douces ».

Nous n'avons jamais regretté ce choix : nos enfants sont superbes, beaux, pleins de vitalité. Les problèmes de santé avec eux, quand il en survient, s'arrangent très vite. Nous sommes navrées de voir les autres enfants traîner interminablement leurs grippes et leurs rhumes !

Avec tous nos lecteurs et lectrices, nous souhaitons partager ce bonheur d'avoir des enfants bien portants.

* Ces lignes sont empruntées au R.P. Jean Jurion, qui défendit toute sa vie les « médecines douces » (voir Bibliographie).

1
Les médecines douces

1. — ACUPUNCTURE

Si l'ancienneté était un gage d'efficacité, l'acupuncture aurait largement fait ses preuves. Elle remonte à la plus haute Antiquité : en 4000 av. J.-C., l'empereur de Chine, Houang-Ti, écrivit le premier livre d'acupuncture. Six mille ans plus tard, elle parvint, enfin, à s'implanter en Europe, grâce aux travaux de Soulié de Morand (1934) : *Précis de la vraie acupuncture chinoise* et du Dr de La Fuÿe.

L'acupuncture agit sur l'équilibre interne qu'elle cherche à rétablir, au moyen d'aiguilles placées sur les lignes de points nommés « méridiens ». Cet équilibre dépend de la juste répartition des deux forces vitales, le Yin négatif et le Yang positif. Pour le médecin chinois, ce principe de l'équilibre entre deux forces régit l'univers entier.

La rupture de l'équilibre provoque la maladie : un excès sera une maladie Yang ; un manque une maladie Yin.

La piqûre des aiguilles de métal (or, argent, molybdène, acier) va redonner de l'énergie ou calmer un excès d'énergie.

L'acupuncture complète parfaitement l'homéopathie, et guérit des douleurs récidivantes rebelles à toute autre thérapeutique.

15

L'enfant, après une première séance (de préférence en l'absence de la mère), supportera parfaitement la légère douleur de l'aiguille.

Pour les tout-petits, on peut également masser la peau au lieu du point chinois.

C'est une médecine préventive ; bien comprise, elle devrait être une médecine d'entretien.

Très efficace dans les otites, algies dentaires, constipations, elle convient parfaitement aux maladies infantiles.

Dans les troubles psychiques et psychologiques, elle peut être considérée comme une psychothérapie.

Elle est remboursée par la Sécurité sociale.

2. — AROMATHÉRAPIE

Celle-ci soigne avec les essences naturelles aromatiques (ou huiles essentielles, naturelles).

Obtenues par distillation des plantes aromatiques : lavande, romarin, thym, citron, genévrier, etc., elles sont depuis toujours à la base des parfums. Dans l'Antiquité, on connaissait déjà leurs propriétés médicinales extraordinaires, en particulier comme désinfectants. Les huiles essentielles sont, en fait, de remarquables antibiotiques naturels !

Dans un village du Languedoc, une amie nous disait : « Dans ma jeunesse, il y avait à Corconne une usine qui distillait la lavande. Tout le village sentait bon, et les gens n'avaient jamais ni grippe, ni rhume, ni angine, ni épidémie de quoi que ce soit. Ils trouvaient ça naturel ! Un jour, l'usine a fermé. Et deux ans après, les villageois ont fait connaissance avec les rhumes, les bronchites, toutes sortes de maladies... Ils étaient très étonnés ! »

Aujourd'hui, les médecins de l'école du Dr Valnet utilisent ces essences pour combattre et guérir un grand nombre de maladies : cette technique, appelée

16

aromathérapie, connaît un succès mérité : outre leurs propriétés bactéricides, les huiles essentielles sont anti-parasitaires, anti-allergiques, anti-toxiques, cicatrisantes, etc. On n'en finirait pas de vanter leurs mérites. Leur emploi simple et agréable en fait une thérapeutique extrêmement pratique pour soigner les enfants. Leur effet est durable et il n'y a pas de phénomène d' « accoutumance » comme avec les produits de synthèse. Elles sont assimilables par l'organisme par voie externe ou par voie interne (gouttes ou solution alcoolique).

Qu'est-ce qu'une huile essentielle ?

Nous emprunterons au Dr Jean Valnet, auteur du livre *L'Aromathérapie*, sa définition : « Produit huileux volatile et odorant que l'on retire des végétaux, soit par distillation à la vapeur, soit par expression, soit par simple incision du végétal ou bien parfois par séparation à l'aide de la chaleur ou par solvant. »

Autrefois, les huiles essentielles, ou essences, étaient « vraies » : elles étaient extraites de plantes par des procédés traditionnels. Aujourd'hui, une grande partie des essences sont synthétiques, ce qui veut dire qu'elles sont fabriquées avec des produits chimiques combinés pour imiter la nature.

Malheureusement, ce n'est pas du tout pareil : ces essences synthétiques imitent quelquefois assez bien les parfums naturels — mais elles n'ont absolument pas les mêmes effets au point de vue de la santé : elles provoquent souvent des allergies et des accidents inattendus. Ce n'est pas étonnant du tout : les produits chimiques n'ont pas la même « structure moléculaire » que les produits naturels,

17

c'est-à-dire que leurs atomes sont disposés différemment. Si bien que l'essence synthétique de fraise, par exemple, sentira peut-être aussi bon (ou presque aussi bon) qu'une essence naturelle, mais n'aura pas sur la peau l'effet bienfaisant de la fraise naturelle. Ce sont des produits trafiqués et malfaisants. Les médecins aromathérapeutes ne soignent jamais avec des essences synthétiques ; ils n'utilisent que des essences entièrement naturelles.

3. — CHROMOTHÉRAPIE

Pourquoi ne pas avoir recours, avec nos enfants, aux effets thérapeutiques des couleurs ?

Le bleu adoucit, le rouge excite, le vert est calmant, etc.

Les locutions populaires dans ce domaine rejoignent les observations scientifiques, très développées actuellement aux U.S.A.

La chromothérapie donne des résultats certains. Elle est utilisée depuis l'Antiquité dans certains pays (Chine, par exemple). On ne s'explique pas encore comment agissent les radiations colorées sur le corps humain... mais on en a constaté les résultats.

Ne vous privez pas de l'arc-en-ciel : songez-y en habillant vos enfants, en choisissant les meubles, en tapissant leurs chambres, toutes les pièces où ils jouent et vivent.

Un exemple convaincant : après avoir vêtu de rouge et tendu son lit à barreaux de couvertures également rouges, la rougeole d'un de nos fils (4 ans) s'est déroulée sans histoire et plus rapidement que la moyenne : en quatre jours, tout était terminé, y compris la convalescence.

4. — PHYTOTHÉRAPIE

Elle soigne par les plantes, appelées autrefois
« simples » (en grec *phyto* : plante). Le développement de la chimie de synthèse nous les avait
fait oublier. Quelle injustice ! Les plantes ont guéri
jadis les hommes pendant des millénaires. Si les
hommes étaient malades, victimes d'épidémies et
de malformations, cela n'est pas une preuve de
l'inefficacité des plantes (nous avons des preuves
historiques et scientifiques du contraire) ! C'est
parce que l'information circulait mal.

Autrefois, on savait que l'oignon guérissait les
néphrites, l'arnica les bleus, les pâquerettes les
plaies, mais on ne savait pas pourquoi. Aujourd'hui,
un grand nombre de travaux scientifiques ont repris
l'étude des plantes, et on connaît mieux leur mode
d'action. Les travaux des chercheurs modernes
confirment les découvertes pratiques des siècles
passés.

L'aromathérapie, par exemple, est fille de la
phytothérapie : elle soigne plus particulièrement
avec les plantes aromatiques.

Bien des gens croient qu'un traitement par les
plantes, c'est long ! Mais non, pas toujours. Certaines plantes soulagent immédiatement. S'il s'agit
d'un traitement de fond, la cure de plantes dure
au minimum 21 jours... mais la guérison est de
très bonne qualité (ni complications, ni réaction
allergique, ni rechutes). Alors que c'est généralement
le cas avec les médicaments de synthèse chimique,
qui violent notre nature profonde.

« Les plantes, c'est dangereux ! » disent les gens.
Dans nos pays, il y a très peu de plantes dange-
reuses : il suffit de les connaître (voir EMPOISON-
NEMENT). En revanche, nous avons à profusion

d'excellentes plantes médicinales. Rien n'est plus facile que de se faire une infusion ou une décoction (voir p. 27). En phytothérapie, on utilise autant les plantes cultivées que les plantes sauvages. On mélange souvent plusieurs plantes : le résultat est meilleur : leur action se renforce mutuellement sur l'organisme. Et lorsqu'une plante a un goût amer (ce qui est d'ailleurs relativement rare parmi celles que nous employons couramment), il est facile de la mélanger à d'autres pour que l'enfant n'en sente plus l'amertume (verveine, romarin, fleur d'oranger, lavande plaisent beaucoup aux jeunes amateurs).

5. — OLIGO-ÉLÉMENTS

Les minéraux, à doses infinitésimales, agissent en qualité de catalyseurs sur les réactions de notre corps. Bien des maladies (dépressions nerveuses, cancers, etc.) seraient dues à une carence de ces minéraux. Normalement, nous trouvons ces éléments dans notre alimentation. Celle-ci étant souvent déficiente, on peut corriger ces carences en employant des oligo-éléments sous forme d'oligosols. Les plus courants sont le cuivre, le zinc, le nickel, le cobalt, l'or, le manganèse, etc. (« oligo » = peu nombreux, en grec. Parce que ces métaux et métalloïdes sont nécessaires en très petites quantités, parfois même seulement à l'état de « traces » non mesurables).

Ils s'inscrivent parfaitement dans la médecine de terrain en stimulant l'autodéfense de l'organisme par une accélération du métabolisme. Ils sont d'un emploi facile par voie perlinguale.

A titre d'exemple : le cuivre dans les infections, les inflammations (grippe, rhume), le manganèse (asthme), le fer (anémie), le soufre dans les rhumatismes et angines, etc. (travaux des docteurs Ménétrier et Picard).

Certaines civilisations antiques et encore aujourd'hui certains peuples primitifs étaient « mangeurs de terre », c'est-à-dire d'argile. Ils se procuraient ainsi les minéraux dont ils avaient besoin pour leur santé. L'usage du sel vient probablement de cette habitude.

6. — AURICULOTHÉRAPIE

Méthode mise au point par le Dr Nogier, de Lyon, depuis une dizaine d'années.

Le Dr Nogier avait remarqué que l'oreille externe avait la forme d'un fœtus, tel qu'il se présente dans l'utérus de sa mère (tête en bas). Partant de cette intuition, il avait émis l'hypothèse qu'on pouvait soigner tout le corps en piquant l'oreille : en mettant une aiguille sur les terminaisons nerveuses du pavillon, on peut agir sur tous les organes.

Cette méthode est à la fois un excellent moyen de diagnostic par l'auriculogramme (on promène sur toute l'oreille un « détecteur de points électronique », qui indique par un signal lumineux ou un bruit la perturbation de tel ou tel organe). A partir de ce moment, on peut traiter celui-ci. Ce n'est pas pour lui tirer les oreilles que l'auriculothérapeute se saisira de celle de votre enfant !... Expliquez-lui, il se prêtera plus volontiers à l'examen, qui n'est d'ailleurs pas douloureux.

L'auriculothérapie est en somme une application moderne de l'acupuncture due à l'intuition de génie d'un chercheur français et de son équipe.

7. — HYDROTHÉRAPIE

Ici, le grand médicament est l'eau.
Toute bête, toute simple ? Pas tant que ça.

21

Il y a l'eau chaude, l'eau froide, l'eau de mer, l'eau thermale... Et aussi, malheureusement, l'eau lourde et l'eau polluée... !

Nous reparlerons des bains (page 31) de Sébastien Kneipp, et des Romains. Ceux-là, c'étaient les as de l'hydrothérapie, ils ont lancé toutes nos stations thermales... Et ils avaient l'œil pour repérer les bonnes sources (que les Gaulois d'Astérix connaissaient bien eux aussi).

L'hydrothérapie est certainement l'une des médecines les plus efficaces qui soient, à la fois comme soulagement immédiat et comme traitement de fond. Les bains que vous donnez chez vous à votre enfant s'alimentent en eau du robinet... Le « château la pompe » n'étant pas toujours des meilleurs crus, vous pouvez l'améliorer avec de l'argile, des plantes, du sel, etc. Mais pour faire les choses de façon vraiment efficace, il faut emmener votre enfant à la cure : là, sur place, vous bénéficierez d'excellents spécialistes, d'un climat non pollué, et surtout d'une eau spécialement adaptée au cas de votre enfant : eau soufrée, sulfatée, chlorurée, bicarbonatée, sodique, calcaire, etc., ou eau de mer.

Les eaux thermales sont liées au volcanisme ; réchauffées ou enrichies au fond de la terre par la géothermie, elles sont radio-actives, et riches en oligo-éléments [1]. A vrai dire, le mystère reste grand : on ne sait pas comment elles agissent sur notre santé. Mais les résultats sont là. Nous l'avons expérimenté sur un de nos enfants, Gilles, 8 ans, éternellement bronchiteux, angineux, grippé, enrhumé pendant au moins neuf mois d'hiver parisien... Après trois semaines de cure thermale à Amélie-les-Bains, cet enfant maigre et sans appétit était devenu quel-

---

1. Maison du Thermalisme, 32, av. de l'Opéra, 75002 Paris ; Syndicat national des établissements thermaux de France, 10, rue Clément-Marot, 75008 Paris.

qu'un d'autre : teint frais, mine rebondie, pleine forme. Nous l'avons emmené en cure trois ans de suite et l'amélioration persistait plusieurs mois, jusqu'au jour où il a enfin été tout à fait guéri.

Les cures marines (ou thalassothérapie) ont le même effet.

8. — HOMÉOPATHIE

Similia similibus curantur. Ce n'est pas du latin de cuisine, mais la base même de toute l'homéopathie. Déjà, le lointain Hippocrate y pensait, lorsqu'il soignait « les semblables par les semblables ». Cette théorie fut reprise et érigée en médecine homéopathique par son inventeur, Hahnemann, au xixe siècle. Elle s'oppose radicalement à la médecine officielle, qui s'appuie sur la formule inverse : « Que les contraires soignent les contraires. » Dans la loi de similitude, il s'agit de trouver le remède produisant chez l'homme sain les mêmes symptômes que ceux que l'on voit chez le malade. Par exemple, on sait que le café donne des insomnies. Eh bien, si l'homéopathe prescrit 2 granules de « Cofféa » à un insomniaque... celui-ci dormira ! Cette loi de similitude, ainsi que celle de la dose infinitésimale (voir plus loin l'explication des « dilutions »), sont les deux grands principes de l'homéopathie.

Médecine naturelle, elle permettra aux parents d'individualiser les traitements de leurs enfants : chaque tempérament sera soigné par des remèdes spécifiques. Médecine douce, elle respectera les défenses propres de chaque organisme, les stimulant au besoin.

Elle agira particulièrement bien sur le bébé et le petit enfant, non encore intoxiqué.

Enfin, elle est d'un emploi facile : les médicaments homéopathiques se mélangent parfaitement à l'eau du biberon, ou se placent sans difficulté sous la langue. Son action est rapide et l'on ne risque jamais aucune intoxication médicamenteuse.

Les remèdes homéopathiques se présentent sous forme de granules (petits grains ronds et blancs) contenues dans des tubes, et de teintures mères.

Pour une bonne utilisation :

— Prévoyez une petite armoire à tiroirs pour ranger vos tubes de granules par ordre alphabétique : Arnica, Aestus, Biothérapiques, etc.

— Placez le nombre de granules que vous allez donner à l'enfant dans le petit bouchon du tube prévu à cet effet : ne touchez jamais les granules avec vos doigts, le principe actif étant à l'extérieur (le reste n'est que du sucre). Placez-les directement sous la langue de l'enfant, qui les sucera.

Ces granules existent en tubes granules ou en tubes doses, celles-ci se prenant généralement d'un seul coup. Prenez les granules à jeun ou loin des repas, une heure avant ou une heure après.

Sachez que même si l'enfant avale tout le tube, c'est sans danger : ce qui ne veut pas dire que ce soit inefficace.

Qu'est-ce qu'une teinture-mère ? C'est la macération d'une plante pendant trois semaines environ dans de l'alcool (teinture mère d'arnica, par exemple).

Qu'est-ce qu'une dilution homéopathique ? Le « CH » que vous remarquez sur vos tubes d'homéopathie indique le numéro de la dilution selon le procédé hahnémanien.

C'est assez simple à comprendre. Imaginez que vous prenez une goutte de teinture-mère de la camomille par exemple, vous la mélangez à 99 autres gouttes d'alcool : vous avez une dilution à la 1re centésimale (2x). Ainsi de suite : 3 x, 4 CH, 5 CH, etc. jusqu'à la trentième.

Abstenez-vous de prendre de la menthe, du thé ou du café lorsque vous vous soignez à l'homéopathie. Supprimez radicalement les bonbons à la menthe de vos enfants et donnez-leur des pâtes dentifrices homéopathiques ou faites-les se laver les dents au gros sel ou à l'argile.

9. — GEMMOTHÉRAPIE

On désigne sous ce nom un peu barbare la technique qui consiste à utiliser les bourgeons des plantes comme médicaments.

On les cueille au printemps, au maximum de la poussée de la sève, ce qui augmente l'efficacité de la plante.

La gemmothérapie est en somme une branche (ou bourgeon) de la phytothérapie.

Comment faire ?

COMMENT FAIT-ON UNE INFUSION ?

Eh bien, comme on fait le thé, la verveine-menthe ou la camomille de la tante Camille... C'est tout bête : on fait bouillir de l'eau dans une casserole, on met des plantes fraîches ou sèches dans une théière. Quand l'eau bout, on la retire du feu et on la verse dans la théière, sur les plantes. On couvre la théière, et on attend que cela « infuse », c'est-à-dire repose, pendant en général dix minutes, parfois une demi-heure ou une heure, parfois plus. Les feuilles et fleurs, fraîches ou séchées, ne demandent pas plus de dix minutes d'infusion, surtout si elles sont fortement aromatiques. Les tiges, les racines, les baies, plus dures, doivent infuser plus longtemps, ce qui leur donne quelquefois une couleur surprenante : par exemple, l'infusion de romarin qui devient rouge si on la laisse attendre quelques heures (ce qui, pour une plante verte, étonne assez !).

COMMENT FAIT-ON UNE DÉCOCTION ?

Les plantes les plus dures demandent à être bouillies pendant dix à trente minutes. Cette opération appelée « décoction » n'a de savant que le nom, comme la précédente. Si vous faites bouillir trois carottes dans une casserole d'eau claire, le jus contenu dans cette casserole sera une décoction !

COMMENT NE PAS S'EMBROUILLER DANS LES DOSAGES

— Si l'infusion (ou la décoction) est à « usage externe », c'est-à-dire qu'elle se met sur la peau, sans être avalée, les dosages n'ont pas besoin d'être précis. Donc, pas de panique, d'autant plus que les plantes indiquées dans ce livre ne sont pas dangereuses.

— Si, au contraire, l'infusion ou la décoction sont à usage interne, c'est-à-dire à boire, et si la plante est dangereuse, il faut respecter un dosage précis.

— Sinon, dosez selon vos goûts : on ne s'empoisonne pas avec des tisanes de rose, de lavande, de romarin, même corsées. Lorsqu'il y a un dosage indiqué, les dangers éventuels de la plante le seront également.

Un cas très rare est l'allergie à une plante : dans ce cas, il n'est plus question de dosage du tout : supprimez cette plante.

Les allergies avec les plantes naturelles, les « simples », sont infiniment plus rares qu'avec les produits synthétiques chimiques.

Enfin, l'herboriste ou le pharmacien vous pèseront les plantes si vous le leur demandez, et vous feront le dosage s'il vous paraît trop compliqué.

QU'EST-CE QU'UNE MACÉRATION ?

Encore un mot savant pour une chose très simple. Macérer veut dire laisser tremper une plante dans un liquide, qui peut être de l'huile, du vin, du vinaigre, de l'alcool, de l'eau...

Exemple : si vous gardez tous les fonds de théière de thé au réfrigérateur pendant trois jours, vous aurez une macération de feuilles de thé (très utile pour décongestionner les yeux gonflés !).

Les macérations à l'eau n'ont pas la vie longue, parce que l'eau finit par fermenter — même au réfrigérateur !

D'autre part, une macération se fait toujours, en principe, à froid ; si on doit chauffer, ce sera une « digestion » !

Enfin, dernier détail important : ne laissez rien macérer dans un récipient en aluminium, en fer, en cuivre, ou en plastique. Prenez des bouteilles en verre ou de la porcelaine.

COMMENT FAIRE UNE POUDRE

Autrefois, l'esclave domestique ne valait pas cher... On l'installait donc devant un mortier et un pilon, pour broyer pendant des heures les plantes et les minéraux dont on avait besoin. Aujourd'hui encore en Afrique du Nord, vous verrez souvent une petite grand-mère agenouillée devant son mortier, pilonnant ces poudres magiques multicolores qu'on rencontre sur les souks.

Si vous avez perdu l'endurance des grand-mères, ayez recours au moulin à café électrique : coupez les plantes séchées en brindilles, mettez dans le moulin à café, et pressez sur le bouton... (Ce n'est pas très écologique ! Enfin, tant pis !)

LES CATAPLASMES SONT FACILES
A PRÉPARER

Le cataplasme idéal a la consistance d'un fromage blanc ou d'une purée de pommes de terre bien ferme. Il peut être fait avec n'importe quoi, c'est selon la prescription (certains peuples font même des cataplasmes de bouse de vache !). Si vous avez été trop vite, par manque de temps vous avez mis trop d'eau : c'est une catastrophe, ça coule partout et c'est raté ! Recommencez alors plus calmement. Certains cataplasmes s'emballent dans un torchon propre, d'autres se mettent à même la peau, comme les cataplasmes d'argile. Ils peuvent s'appliquer à chaud ou à froid, selon les cas. Les cataplasmes s'utilisent en médecine traditionnelle depuis que le monde est monde. Par exemple, un coup de soleil aussi douloureux que disgracieux disparaîtra avec un cataplasme de chou... Dans ce cas, le chou doit être amolli : il suffit de l'écraser avec une bouteille pour l'attendrir, ou encore de l'ébouillanter, de le hacher et d'en faire une pâte.

Il ne faut pas plus de trois minutes pour préparer la plupart des cataplasmes et c'est vraiment l'un des traitements les plus efficaces qui soient. L'effet d'un seul cataplasme se voit tout de suite. Si vous répétez l'opération plusieurs jours de suite, le résultat vous surprendra.

LES COMPRESSES

De la même famille que les cataplasmes, elles sont destinées à mettre la peau en contact prolongé avec un produit. En général, on prend du coton hydrophile, ou un linge parfaitement propre, que l'on imbibe d'un liquide : une teinture-mère (arnica ou calendula, par exemple), ou bien une infusion ou une décoction de plantes, un alcool, de l'eau chaude ou froide, une solution d'huiles essentielles — ou quelques gouttes de celles-ci. Vous maintiendrez la compresse un certain temps (une demi-heure à deux ou trois heures) grâce à quelques morceaux de sparadrap.

COMMENT PRÉPARER UN BAIN

Très efficaces également, non seulement pour la beauté, mais aussi pour la santé profonde dont dépend la beauté.

Les Romains avaient poussé le bain à un grand degré de raffinement : les thermes comportaient des étuves (les bains de vapeur), des bains chauds, tièdes et froids, des salles de gymnastique, de repos, des bibliothèques... Le hammam d'Afrique du Nord continue cette tradition, comme la sauna finlandaise et le bain traditionnel japonais. Dans celui-ci, on commence par masser énergiquement les baigneurs, les rincer, puis on les jette tous ensemble tout nus dans un bassin d'eau brûlante.

Depuis le XVIIᵉ siècle, en France, on avait perdu le secret du bain. On ne se lavait plus beaucoup, on avait peur de l'eau ! La baignoire était un objet de grand luxe un peu choquant, et rarissime. Même les quelques privilégiés qui en possédaient une n'osaient pas s'en servir plus d'une fois par mois ; le reste du temps, on recouvrait la baignoire d'une planche avec des plantes vertes dessus ! La seule excuse admise pour se baigner était médicale : les cures thermales. On se baignait dans les « villes d'eau », souvent construites sur d'anciens thermes romains.

31

Puis, à la fin du XIXe siècle, on a commencé à redécouvrir l'eau, grâce à l'abbé Kneipp. Dans un langage naïf et charmant, il disait des choses pleines de bon sens : « La main bienfaisante du Tout-Puissant a mis à notre disposition un remède tout spécial, qui guérit de nombreuses infirmités de notre pauvre nature déchue : c'est l'eau. Ne voyez-vous pas que les animaux eux-mêmes recherchent l'eau comme remède à leurs maladies ? »

Et il se mit à guérir des milliers de gens par une méthode toute bête et toute simple : des bains, des douches, des affusions, des marches nu-pieds le matin dans l'herbe humide !... L'Europe entière vint le voir à Wörishoffen.

Une baignoire est plus indispensable qu'un poste de télé, une cocotte-minute ou une machine à laver la vaisselle : on peut soulager d'un grand nombre de maux avec seulement un bon bain — à condition de le prendre comme il faut.

Il faut savoir que :

— Les *bains très chauds* (30 à 40°) accélèrent la transpiration, donc le travail du cœur. Ils font maigrir, mais il ne faut pas en abuser — et jamais plus de vingt minutes. Le bain chaud doit toujours se terminer par une douche froide. Ensuite enveloppez-vous, sans vous essuyer, dans un peignoir de bain et allongez-vous quelques minutes. Ils soulagent les coliques néphrétiques, les bronchites, les rhumatismes, les angines, l'épilepsie, etc.

— Les *bains froids* (de 10 à 20°) sont toniques, mais difficiles à supporter pour les gens qui ont le foie fragile et des rhumatismes. Ils font baisser la fièvre, sont indiqués dans la déshydratation, l'insolation, etc.

Chaque mère doit trouver la température du bain qui convient à son enfant, sans jamais forcer. Les bains chauds du soir sont un excellent somnifère, tandis que les bains froids du matin mettent en forme pour la journée.

Un bain très froid ne doit pas durer plus de quelques secondes.

Comment préparer un bain de plantes

Le bain peut avoir une action très différente suivant ce qu'on met dedans. Le bain « de plantes » est merveilleusement efficace. Il y a plusieurs méthodes :

— La plus simple (et la plus chère !) est de mettre dans le bain quelques gouttes d'huiles essentielles de plante aromatique, par exemple, de lavande, de citron, de romarin (suivant le résultat qu'on veut obtenir).

— La plus économique, qui n'est d'ailleurs pas bien compliquée, est de préparer une décoction de plantes et de la jeter dans le bain. Faites bouillir des plantes, fraîches ou sèches, dans une grande marmite pendant un quart d'heure à une demi-heure suivant la plante, puis jetez cette décoction dans la baignoire. Il faut au moins que la marmite fasse 4 ou 5 litres. Pour éviter que les plantes ne bouchent le trou de la baignoire, versez le tout dans une passoire de cuisine au-dessus du bain.

Tout cela n'est pas bien long : il suffit d'y penser un quart d'heure ou une demi-heure à l'avance. Ce n'est pas plus compliqué que de faire bouillir quelques pommes de terre pour préparer un repas !

Gardez tous les fonds de tisane au réfrigérateur pendant plusieurs jours, dans une bouteille avec de l'eau. Puis versez le tout dans le bain, dans ce cas vous n'aurez absolument rien à préparer.

Il faut environ 250 à 500 grammes de plantes par bain, mais surtout évitez de vous compliquer

33

la vie avec les dosages, pour les plantes sans danger utilisées dans ce livre.

Les bains partiels

L'abbé Kneipp insistait beaucoup sur les bains partiels, localisés à une partie du corps : bains de siège, bains de pied, bains de bras et d'avant-bras, bains d'yeux. Par exemple, le bain de bras bouillant soulage énormément l'angine à son début... Le bain de pieds froid soulage l'entorse, etc.

La durée des bains partiels : très froids, sept à dix minutes. Très chauds : un quart d'heure à une heure.

COMMENT FAIRE UN ENVELOPPEMENT

Très pratique à réaliser, presque plus que le bain chez le petit enfant, il est surtout utile dans l'élimination de la fièvre et des toxines qui l'accompagnent.

A. — *Enroulez* l'enfant préalablement déshabillé dans un linge humide et froid, le recouvrant parfaitement de la tête aux pieds.

B. — *Roulez-le* dans un tissu plastique (toile cirée peu épaisse) pour éviter de tout mouiller.

C. — *Terminez* par une bonne grosse couverture de laine qui emballera le tout.

D. — *Mettez* votre petit saucisson au lit et laissez mariner une vingtaine de minutes.

Passée la première réaction de froid, au contact du tissu mouillé, une bonne chaleur s'installe qui va aider à décongestionner certains organes.

Restez auprès de l'enfant si celui-ci a l'impression de se sentir prisonnier : mais d'habitude il demeurera calme.

L'humidité agit au niveau de la peau dont elle ouvre les pores, permettant ainsi une bonne élimination des toxines. Vous constaterez que le drap utilisé sent mauvais et est souillé. Ne le réutilisez pas sans le laver.

COMMENT FAIRE UNE INHALATION

Dans toutes les pharmacies, vous pouvez acheter un « inhalateur », petit récipient simple et bon marché. A défaut d'inhalateur du commerce, prenez un grand bol d'eau bouillante. Installez l'enfant au-dessus, la tête recouverte d'une grosse serviette éponge. Ajoutez à l'eau du bol des essences que vous aurez choisies : l'*eucalyptus*, le *pin*, etc. qui traitent les affections des voies respiratoires. Faites respirer ces vapeurs balsamiques à l'enfant en lui disant de prendre garde à ne pas se brûler, la vapeur devant être très chaude. Prenez soin, pendant tout le temps de l'opération, de rajouter un peu d'eau chaude à mesure de l'évaporation (ou bien réchauffez le liquide). Demandez à l'enfant de faire cette inhalation pendant une dizaine de minutes. Au besoin, qu'il recommence plusieurs fois de suite.

COMMENT FAIRE UN SINAPISME

Très utile pour décongestionner un organe.

Prenez un grand morceau de gaze ou de tissu propre que vous tremperez dans l'eau chaude. Mettez-le à plat sur une surface lisse, et versez-y la farine résolutive de votre choix (farine de *lin* ou *moutarde*). Celle-ci au contact de l'eau de la compresse se transformera en pâte. Appliquez-la ensuite sur l'endroit choisi (poumon, dos, pied) et maintenez jusqu'à l'apparition de picotements. L'application ne doit pas dépasser un quart d'heure.

Si la peau rougit trop vite ou que le picotement est trop intense, réduisez la durée d'application.

DOSAGES

1 cuillerée à café rase
d'eau : 5 g (ou encore 5 cl, ou 0,50 dl) ;
de farine : 3 g ;
de sel : 6 g ;
de sucre en poudre : 4 g.

1 cuillerée à soupe pleine
d'eau : 20 g ;
de farine : 12 g ;
de sel : 25 g ;
de sucre en poudre : 18 g.

1 verre à liqueur
d'eau : 25 g.

1 verre à moutarde
d'eau : 100 g ;
de farine : 80 g ;
de sel : 200 g ;
de sucre en poudre : 120 g.

1 bol d'eau
500 g, soit un demi-litre (facile à vérifier avec les bouteilles d'un litre du commerce).

Vous aurez intérêt à acheter un verre gradué pour la cuisine (dans n'importe quel bazar).

Où trouver ?

L'ARGILE

Entre l'argile et le corps humain, il y a une affinité mystérieuse : la Bible dit que l'Homme a été fait du limon de la Terre, c'est-à-dire de l'argile. Or, depuis des siècles, celle-ci est utilisée comme médicament et comme produit de beauté. Tous les grands médecins grecs de l'Antiquité en ont parlé : l'argile était pour eux un médicament essentiel, et les travaux actuels confirment tout à fait ses propriétés. L'argile est désinfectante, cicatrisante, adoucissante, radio-active, etc., bref, on n'en finit pas d'énumérer les bienfaits de l'argile !

Dans notre enfance, on nous disait souvent : « Ne jouez pas avec la terre, c'est sale ! » Chacun sait que les enfants, au contraire, n'aiment que ça, jouer dans la boue. Ils sentent instinctivement que l'argile leur fait du bien.

Son action thérapeutique est spectaculaire. L'argile s'utilise par *voie interne* (en boisson, diluée dans un peu d'eau), ou par *voie externe*, c'est-à-dire en cataplasmes, en shampooings, en bains, en dentifrices, en lessives... et vous ne pourrez plus vous en passer ! Mais où trouver l'argile ?

A. — *En boutique de diététique*, vous demanderez

37

donc cette fameuse ARGILE VERTE concassée en morceaux, qui est très économique (marque : France-Argile», distribuée par Dipronat, 93290 Tremblay-lès-Gonesse). Elle se vend par paquets de plusieurs kilos, pour un prix très bas : dans un sac de trois kilos, on a bien une vingtaine de bains, au moins autant de masques, plusieurs shampooings et un nombre indéfini de cataplasmes. L'argile verte en morceaux fond assez vite dans un bol d'eau (quelques minutes), en donnant une pâte... à condition de ne pas mettre trop d'eau.

B. — *En pharmacie et en herboristerie*, on vend de l'ARGILE COLLOIDALE. Catastrophe ! Elle ne fond pas, et se transforme en grumeaux gélatineux qui flottent à la surface de l'eau ! Il faut les ramasser à la petite cuiller pour éviter de boucher la baignoire.

En revanche, les pharmaciens vendent de l'ARGILE VERTE EN POUDRE, utilisable pour les soins de beauté — mais elle revient beaucoup plus cher que l'argile brute en morceaux.

C. — *Dans les bazars d'importation exotique, chez les forains des grands boulevards, et dans les épiceries des quartiers à clientèle nord-africaine*, vous trouverez l'ARGILE BRUNE ou « RASSOUL », utilisée comme shampooing par les belles d'Afrique du Nord. Le rassoul fond presque immédiatement dans un bol d'eau. Il est doux et onctueux et lave les cheveux sans les brutaliser. Les prix sont variables suivant les quartiers, mais ce n'est jamais très cher.

D. — *Enfin, dans la nature*. Si vous avez chez vous un gisement d'argile, demandez à un laboratoire de vous l'analyser pour s'assurer qu'elle ne contient pas de substances polluantes ou toxiques (c'est surtout très important pour l'argile à usage interne — et si vous la mettez sur une plaie

38

ouverte)., *Très important* : assurez-vous que votre argile ne contient aucun bacille de Nicolaïer (bacille du tétanos).

LES HUILES ESSENTIELLES OU ESSENCES

Vous trouverez de vraies huiles essentielles aux adresses suivantes :

— *A La Diététique*, B.P. 117, 06140 Vence, tél. : (93) 58-20-47.

— Dans les magasins de la chaîne *La Vie claire* (il en existe dans chaque département).

— Dans les grandes parfumeries de la ville de Grasse (Molinard, etc.).

— Aux *Laboratoires marins*, B.P. 23, 45300 Pithiviers, tél. : (38) 02-00-13.

— *Pour la Belgique et la Suisse* : Dans les magasins de *La Vie claire* et les pharmacies homéopathiques.

— *Arche de Vie*. Brain-sur-Allonnes, 49650 Allonnes, tél. : (41) 52-03-20.

— *Huiles essentielles Botanicus*, vendues par *Vitagermine*, B.P. 33140, Villenave-d'Ornon.

Ces huiles se trouvent dans la plupart des boutiques de diététique.

— *Laboratoires Biokosma France*, 2, rue des Lilas, 39000 Lons-le-Saunier ; en Suisse : 9642 Ebnat-Kappel.

Attention, l'huile essentielle « Codex », c'est-à-dire celle qui est au Codex des pharmaciens, n'est pas toujours entièrement naturelle, ce qui peut provoquer des allergies ou réactions violentes. Allez donc voir de préférence un pharmacien homéopathique, et précisez-lui bien que vous voulez une essence absolument naturelle.

Les vraies huiles essentielles coûtent cher — encore que les prix soient très variables suivant les espèces de plantes. Mais pas cher du tout dans la mesure où ce sont des huiles très concentrées : une seule goutte suffit à chaque usage ! Un tout petit flacon d'huile essentielle de lavande, par exemple, dont le prix varie autour de 25 francs, durera plusieurs mois, vous servira de déodorant, de désinfectant pour une plaie — vous pourrez en faire de la tisane, en parfumer un bain, ou le mettre sur la tête de vos enfants comme insecticide antipoux ! Donc, finalement, ce n'est pas plus cher qu'un produit de parfumerie courante.

LE SEL

Producteurs de gros sel gris naturel et parfumé :
— *Groupement des producteurs de sel de la presqu'île guérandaise Trégaté*, 44740 Batz-sur-Mer, tél. : (40) 23-91-70.
— *Coopérative agricole des producteurs de sel de l'Ouest de la Charente-Maritime à Ars-en-Ré* (Charente-Maritime).

FRUITS ET LÉGUMES

Il existe maintenant dans tous les départements des *coopératives d'agriculteurs biologiques,* où vous pourrez vous procurer facilement fruits et légumes non traités et pour un prix assez bas. Pour savoir leur adresse, voyez les guides édités par « Nature et Progrès », Association européenne d'agriculture et d'hygiène biologiques, 53, rue de Vaugirard, 75006 Paris, tél. : 222-89-99 : *Guide de la vente directe, agriculteurs et coopératives,* mis à jour chaque année, et vendu à un prix modeste.
Si vous habitez la région parisienne, où il est plus difficile de se procurer fruits et légumes bio-

logiques, voyez, édité par la même association :
Aliments biologique, guide des points de vente en Ile-de-France.

En Belgique :
— *Produits Lima,* E. Gevaertdreet 10-9830, Saint-Martens-Latem.
— *Spillebeen, Biologische Centrum,* Berkenhof, 21 Beekstraat, 8550 Zwevegem.
— *Centre de diététique naturelle,* 6 Herrwege, 1090 Jette.

HUILES, CORPS GRAS ANIMAUX ET VÉGÉTAUX

Les petits guides ci-dessus, et les centres de vente belges vendent d'excellentes huiles d'olive vierge, de première pression à froid, de l'huile d'amandes douces, etc.

VINAIGRE ET ALCOOLS

Faites-les vous-même, à partir de vins biologiques (voir adresse ci-dessous).

Il n'est pas difficile du tout de faire son vinaigre soi-même (voir *Guide de l'anticonsommateur,* p. 287, Livre de Poche).

Edmond Hérail, vins biologiques du Languedoc, Domaine de Saint-Crescent, avenue du Général-Leclerc, 11100 Narbonne.

Jean Lavillier, vins biologiques de Bourgogne, 6, rue Charles-Giraud, 21190 Meursault.

Etc.

41

MIELS

Il existe dans toute la France beaucoup d'apiculteurs « biologiques ».

Voir les deux guides cités plus haut, édités par l'association d'agriculture et d'hygiène biologiques, « Nature et Progrès », 53, rue de Vaugirard, 75006 Paris.

FARINES

Pour les enfants, une maison s'est spécialisée dans les farines pour les enfants, blé, millet, orge, avoine, et même châtaignes :
Favrichon et Vignon, 42470 Saint-Symphorien-de-Lay, tél. : (77) 04-70-04, qui prépare des crèmes de maïs, de froment, de riz, bien pratiques pour les bébés, des farines de pois verts, du riz soufflé, etc. Et le tout est biologique.

(Mais vous pouvez aussi moudre la farine vous-même dans un moulin à café électrique !) Voir le *Guide de l'anticonsommateur*, Livre de Poche, p. 251.

LE SON

En boutique de diététique. Marque : *La Diététique* à Saint-Paul-de-Vence.

LES PLANTES MÉDICINALES SÉCHÉES

Dans toutes les boutiques de diététique, vous en trouverez (plus ou moins « fraîches »).
Bien sûr, dans toutes les *herboristeries*.

Vous trouverez dans l'annuaire téléphonique de votre département la liste des herboristeries. Cherchez celle qui est la plus proche de votre domicile.

Des *grands magasins* ont ouvert un rayon d'herboristerie : *Le Bon Marché* à Paris, par exemple.

Savez-vous aussi que sur les marchés bihebdomadaires de votre quartier, passent souvent des *herboristes forains ?*

Pensez aussi aux *épiciers*, qui vendent des... épices ! (muscade, clous de girofle, anis, cumin, etc.).

Algues marines séchées : Plamersol, Etablissements Georges Barbier, 53290 Grez-en-Bouère.

LES PLANTES FRAICHES

Vous avez un magasin à portée de la main : la nature, votre jardin, la campagne. Profitez-en...

Ramassez vos plantes médicinales vous-même, que vous pourrez utiliser fraîches ou sèches.

Quelques conseils :

— Le meilleur moment de la cueillette est le matin tôt.

— Les plantes du Midi ont bien plus de saveur et de force à cause de l'ensoleillement.

— Ne mélangez pas les différentes espèces dans vos paniers, et ne les étouffez pas dans des sacs en plastique.

— Ne cueillez JAMAIS dans des jardins ou des champs traités aux pesticides. Ni sur les bordures des routes, polluées par les voitures.

— Cueillez loin des villes, dans les forêts, les montagnes, les landes...

— Achetez un guide de botanique avec photos (voir Bibliographie), c'est indispensable.

— Pour faire sécher vos plantes : étalez-les sur une planche propre, dans un endroit très sec et à l'ombre (un vieux grenier, ou au-dessus des radia-

43

teurs si vous habitez un appartement. Vous pouvez aussi les suspendre en petites bottes la queue en l'air à des poutres de plafond. Durée du séchage : entre quinze jours et un mois. Au bout d'un an, la plupart des plantes médicinales ne valent plus grand-chose, il faut recommencer la cueillette.

2
Les maladies infantiles
de A à Z

A

ABCÈS
ACÉTONE
ACUPUNCTURE
ADÉNITE
ADOPTION
AÉROPHAGIE
ALBUMINE
ALIMENTATION
ALLERGIE
AMAIGRISSEMENT
AMIBES
AMPOULES
AMYGDALES
ANÉMIE
ANGINE
ANGIOMES
ANGOISSES
ANIMAUX
ANOREXIE
ANTHRAX
ANTIBIOTIQUES
ANXIÉTÉ
APHTE
APPENDICITE
APPÉTIT

ARÊTES DE POISSON
ARGILE
AROMATHÉRAPIE
ASPHIXIE
ASTHME
ASTIGMATISME
AURICULOTHÉRAPIE
AUTISME

ABCÈS

Infection locale, qui se manifeste par un gonflement rouge, avec formation de pus blanc à l'intérieur. Normalement, l'abcès mûrit, puis crève en libérant le pus. La douleur est ressentie comme un élancement, ou battement douloureux.

L'abcès accompagne un certain nombre de maladies : il est comme une sorte de soupape d'évacuation des toxines, qui ne passent plus par les chemins habituels.

Il existe toutes sortes d'abcès, avec ou sans fièvre :
— Pour le traitement des abcès externes, voir FURONCLE et PANARIS.
— Pour les abcès dentaires, voir DENTS.
— Pour les abcès à la lèvre, ou sur les parties génitales, voir HERPÈS.
— Les abcès internes sont impossibles à voir. Le plus connu est l'abcès au foie, qui se soigne comme un ictère — mais vous ne pouvez pas le détecter si vous n'êtes pas spécialiste.

De façon générale, n'ouvrez jamais vous-même un abcès, vous risqueriez d'éparpiller les microbes, extrêmement contagieux (staphylocoques et streptocoques).

ACÉTONE

Cette odeur tenace, que l'on sent dans les classes enfantines, qui vous saute au nez quand l'enfant vous saute au cou, vous la reconnaîtrez facilement : c'est une odeur de pomme pourrie. Fréquente chez les petits hépatiques, l'acétone est due à une intoxication alimentaire.

A QUELS SIGNES LA RECONNAITREZ-VOUS ?

Crise grave : Hoquet, vomissements. L'enfant est abattu, prostré, son nez est pincé. Il a de la fièvre. Dans les cas extrêmes de déshydratation rapide, l'enfant peut tomber dans le coma.

Crise bénigne : Renvois, c'est-à-dire hoquets avec odeur d'acétone. Haleine acide et désagréable. L'enfant a le teint pâle, les traits tirés, des cernes marqués sous les yeux ; il manque d'entrain.

Ne pas s'affoler. Ces crises peuvent se répéter fréquemment, surtout chez l'enfant entre 5 et 10 ans.

Les crises d'acétone n'existent pratiquement jamais chez le tout-petit.

CAUSES

L'acétone est souvent due à une mauvaise diététique : excès de friandises (bonbons, chocolat...) et de féculents (riz blanc, pain blanc, nouilles industrielles, pommes de terre... en somme, le régime des cantines scolaires) ! L'intoxication provoquée par la vie citadine y est aussi pour quelque chose. L'acétone se rencontre plus souvent chez les petits nerveux et les gosses à problèmes. Attention, il peut se compliquer de diabète (voir ce mot) ou d'hypoglycémie *(idem)*.

QUE FAIRE EN URGENCE ?

Si la crise est grave, appelez le médecin. **En attendant, mettez absolument l'enfant à la *diète*. Ne lui donnez aucun aliment solide, mais seulement à boire un peu d'eau de Vichy légèrement sucrée.**

TRAITEMENT DE FOND

A. — *Régime alimentaire :* C'est par lui qu'il faut commencer, mais auparavant, deux jours de jeûne supprimeront la crise (donnez seulement de l'eau à boire, à volonté). Ensuite, le troisième jour, donnez à boire des *jus d'orange*, des *jus de poireaux* (biologiques) froids et très salés, des *jus de carottes* (*idem*). Mettez l'enfant au régime.

Supprimez :
Charcuterie ;
Viandes en sauce ;
Fritures ;
Fromages fermentés ;
Féculents (riz blanc, nouilles, pâtisseries industrielles).

Donnez :
Viandes grillées, poissons maigres ;
Légumes verts frais, salades ;
Fruits frais ;
Fromages maigres.

51

Evitez le lait et les œufs pendant la période aiguë.

Habituez l'enfant à un *régime végétarien*, qui est le traitement le plus indiqué dans ce cas (et n'empêche pas la croissance, contrairement au préjugé populaire).

B. — *Traitement par l'argile :* Une cuillerée à café d'*argile verte*, dissoute dans de l'eau, à boire (goût bien supporté par les enfants).

C. — *Traitement par les plantes.* Au choix :

— 3 à 4 jus de *citron* par jour.

— Le matin, une infusion d'*ail* et de *menthe*.

— Une cuillerée à café d'*huile d'olive vierge* avec du citron. Remplacez le beurre sur les tartines par de la très bonne huile d'olive. Frottez le pain grillé avec de l'ail.

— Un cataplasme de *feuilles de chou* sur le foie (s'il est douloureux). Ecrasez la feuille de chou au rouleau à pâtisserie, et posez-la sur la peau, sous un linge chaud. Laissez une demi-heure.

D. — *Traitement homéopathique : Acetonum* 4 CH, 2 granules une fois par vingt-quatre heures. *Senna* et *Belladonna* 4 CH, 2 granules en alternant toutes les quatre heures.

ACUPUNCTURE (voir première partie)

ADÉNITE (GANGLIONS ou GLANDES)

C'est l'inflammation d'un ou plusieurs ganglions à l'aine, à l'aisselle, ou au cou.

Les ganglions lymphatiques sont une barrière

contre l'invasion des microbes : si vous découvrez chez l'enfant un « ganglion », c'est-à-dire une grosseur inhabituelle aux endroits cités ci-dessus, cela peut être... tout ou rien, c'est-à-dire très grave... ou bénin ! Tout dépend des symptômes. Observez-les bien.

COMMENT LES RECONNAITREZ-VOUS ?

Lorsque vous aurez découvert cette grosseur, comme une boule sous la peau des deux côtés du cou (ou d'un seul côté), sous les bras, ou dans le pli entre le ventre et la cuisse, faites attention aux signes qui l'accompagnent. Fièvre, angine, douleur au toucher, abcès dentaire, rougeur... Etat général normal ou abattu, fatigue ?... Le ganglion grossit-il de jour en jour ? Est-ce la première fois que l'enfant a des ganglions, ou cela arrive-t-il souvent ?

QUE FAIRE EN URGENCE ?

Si vous ne voyez aucun des symptômes ci-dessus, ne vous inquiétez pas, il n'y a pas d'urgence. En revanche, si le ganglion grossit à vue d'œil, consultez d'urgence un spécialiste (cancer possible).

Si le ganglion s'accompagne d'angine, soignez celle-ci (voir ANGINE).

S'il s'accompagne d'abcès ouvert ou fermé (adénite suppurée, abcès ganglionnaire), voir ABCÈS. Si les abcès sont au cou, consultez le médecin.

S'il y a de la fièvre, forte douleur, état général abattu, *appelez absolument le médecin.*

53

En attendant, mettre l'enfant au chaud, avec un *cataplasme d'argile verte chaud* sur l'endroit douloureux (ou un *cataplasme d'oignon chaud* ; il suffit de hacher quelques oignons et de les poser sous un linge).

TRAITEMENT DE FOND

Beaucoup d'enfants ont des adénites cervicales tuberculeuses (sans pour autant avoir la tuberculose). Le médecin *homéopathe* ordonnera un traitement de fond, des *oligo-éléments* (cuivre-or-argent et iode). Et sûrement des *cures thermales* ou *héliomarines*, très efficaces.

ADOPTION

N'adoptez pas un enfant unique (voir ce mot), mais prévoyez d'en adopter plusieurs : ils s'élèveront plus facilement et seront plus heureux.

Ne pensez pas que l'adoption d'un enfant puisse à coup sûr résoudre vos problèmes de couple...

— Ne cachez pas à l'enfant son origine : dites-la-lui dès le début. Si vous ne le faites pas, il y aura toujours, un jour ou l'autre, un gaffeur qui y fera allusion devant l'enfant... Et alors, quel choc pour lui !

— Dites-lui, dès qu'il est en âge de comprendre, que vous l'avez *choisi* entre mille, que vous le désiriez, et que c'est, en somme, bien mieux que beaucoup d'enfants « par le sang », qui ne sont pas désirés.

— Dites-lui aussi qu'on peut avoir plusieurs mères et pères dans la vie. Les « parents de cœur » sont souvent plus importants que les parents naturels. Seul compte l'amour.

— S'il vous agace, comme tous les enfants du monde agacent leurs parents une fois ou l'autre, ne vous culpabilisez pas. Les enfants « vrais » agacent aussi beaucoup leurs parents naturels, qui reconnaissent en eux les défauts d'un conjoint mal supporté, ou d'une belle-mère désagréable. Ne croyez pas qu'on ait davantage de patience avec un enfant de son propre sang.

— Demandez absolument l'heure précise de la naissance et l'endroit. Avec ces renseignements, faites établir un *thème de naissance* par un psychologue astrologue. Il vous dira quels sont les handicaps et les atouts de l'enfant, au point de vue physique, mental, héréditaire, etc. Vous serez surpris... Le thème peut vous apprendre bien des choses sur cet enfant, que les parents n'ont pas pu vous communiquer.

Si vous aviez la faculté de choisir l'enfant, avant l'adoption, d'après les possibilités d'entente astrologique, vous seriez sûr de pouvoir beaucoup mieux le comprendre.

AÉROPHAGIE

Le mot veut dire en grec : « action de manger de l'air ».

Cette consommation tout à fait inutile ne profite guère à l'enfant...

L'air entre dans l'œsophage et l'estomac, entraînant quelques désagréments : hoquets, vomissements, mal au ventre, nausées.

Il existe aussi des « aérophagies sans air », chez les enfants nerveux. Ils en ont tous les symptômes — en somme, ils « ont l'air » d'être aérophages — sans pour autant manger l'air...

QUE FAIRE EN URGENCE ?

A. — Traitement par la chaleur et par les plantes : Allongez l'enfant avec une *bouillotte d'eau chaude* sur l'estomac. Si la douleur ne se calme pas, préparez un cataplasme d'*oignon cru haché*, de *chou* (*idem*), et de *son* (si vous en trouvez).
A appliquer tiède, sur l'estomac, pendant deux heures.
B. — Par l'homéopathie : 2 granules d'*Ignatia 5 CH* ou *Cuprum 5 CH* (*idem*).

TRAITEMENT DE FOND ET PREVENTIF

A. — Hygiène alimentaire :
Pour le nourrisson, mettez-le en position verticale après la tétée ou le biberon, jusqu'à ce qu'il ait régurgité l'air ingéré (rototo ! ou renvoi). Pour aider la manœuvre, tapotez-lui légèrement le dos, ou levez-lui un bras. Supprimez sucettes et tétines creuses qui sont une occasion d'avaler de l'air. Pour la même raison, penchez le biberon de façon que bébé ne boive que le liquide.
Ne pressez pas bébé quand il mange, ne le gavez pas comme une oie. Laissez-lui son temps, sinon, il renvoie tout.
Pour les plus grands, veillez au calme des repas (la table n'est pas louée, disaient nos grand-mères).

Apprenez-leur à mâcher, et à ne pas boire en mangeant (mais après).

B. — *Traitement par les plantes* :
Utilisez des tisanes bénéfiques. Au choix, d'après les goûts de votre enfant :
Tisane de *carvi*, une cuiller à café de semences par tasse (*Carum carvi*) ;
Tisane d'*anis*, une cuiller à café par tasse (*Pimpinella anisum*) ;
Tisane de *coriandre*, une cuiller à café de semences par tasse (*Coriandrum sativum*) ;
Tisane à l'*estragon*, 25 g par litre d'eau (*Artemisia dracunculus*) ;
Tisane de *marjolaine*, une cuiller de feuilles par tasse (*Origanum majorana*) ;
Tisane de *menthe*, une cuiller à dessert par tasse (*Mentha*, toutes espèces).
Vous pouvez aussi mélanger toutes ces plantes, et faire boire à l'enfant une infusion du mélange (1 cuiller à café par tasse).

C. — *Traitement par les oligo-éléments : Manganèse-cobalt et soufre.*

D. — *Traitement par l'homéopathie* : Voir ci-dessus et rajouter *Kali bichromicum 5 CH*, 2 granules une fois par jour.

E. — *Traitement par l'acupuncture* : De bons résultats sont obtenus par l'acupuncture, si·les traitements précédents n'ont pas été suffisamment efficaces.

ALBUMINE

L'albuminurie est un symptôme à ne jamais négliger, lorsque vous l'aurez mis en évidence par une analyse d'urine. Cela peut devenir grave.

Cette présence d'albumine dans les urines est due à une déficience du rein.

A QUOI LA RECONNAITREZ-VOUS ?

L'urine peut être plus foncée (mais pas toujours). Seule une analyse et un dosage vous renseigneront précisément.
Vous constaterez certaines enflures, soit aux yeux, soit aux pieds. Il faut de toute façon consulter votre médecin, qui précisera le traitement.

QUELLES SONT LES CAUSES DE L'ALBUMINE ?

Elles sont diverses :
— Une infection : maladies infantiles, grippe, rhino-pharyngite ;
— Une affection cardiaque ;
— Une lésion rénale : néphrite, etc. ;
— Une fatigue intense.

TRAITEMENT

En attendant celui du médecin, vous pouvez de vous-même :
A. — *Modifier le régime de l'enfant* : Réduction du sel (assez facile chez l'enfant), supprimez la viande, les œufs, les laitages. Donnez des légumes verts, des céréales, des fruits.
B. — *Evitez* toute vaccination en période d'albuminurie.
C. — *Traitez* par le *genévrier* (*Juniperus communis*) en tisane : Bouillir 10 g pour un litre d'eau pendant un quart d'heure. En huile essen-

tielle : une goutte sur un sucre, par jour. Ou en grains : un grain de genièvre par jour, pendant un mois.

D. — *Donnez* en *oligosol* du *cuivre-or-argent*, alterné avec *manganèse-cuivre*.

E. — *N'oubliez pas* les bienfaits possibles d'une *cure thermale* à Saint-Nectaire.

ALIMENTATION

« Que l'aliment soit ton médicament », disait Hippocrate...
Une alimentation saine et équilibrée devrait normalement nous maintenir en bonne santé, comme cela se passe chez les animaux sauvages.
Malheureusement, ce n'est pas du tout le cas.
Notre alimentation est trop riche et trop copieuse :
Obsédés par la hantise de mourir de faim, les Occidentaux mangent dix fois trop ! D'où les maladies de surcharge qui les atteignent : obésité, rhumatismes, troubles cardiaques... et probablement cancer !
Les enfants eux-mêmes n'y échappent pas.
Notre alimentation est « trafiquée » :
Fruits, légumes et céréales sont cultivés dans des champs déséquilibrés par un surdosage d'engrais chimiques. Avant d'être livrés au commerce, ils sont traités aux pesticides de synthèse, qui sont des poisons violents (on commence à reconnaître leurs méfaits). Les viandes aussi sont malsaines : l'animal accumule les pesticides dans ses graisses. On le gave d'antibiotiques et d'hormones. Elevé dans des lieux concentrationnaires, il perd à la fois le bonheur de vivre... et son parfum de viande normale ! Les

conditions d'abattage industriel créent une angoisse aiguë chez l'animal, qui se charge de toxines. Ensuite la viande est débitée, conservée, grâce à des procédés discutables (colorants et conservateurs).

Que dire des conserves ? Depuis les potages de bisque de homard où pas un seul homard ne montre le bout de sa pince, jusqu'aux jus d'orange sans fruit... Un nombre croissant de médecins prennent conscience du problème et dénoncent les méfaits de cette alimentation dénaturée.

COMMENT NOURRIR SAINEMENT NOS ENFANTS ?

A. — *Le nourrisson* :

Si vous le pouvez, bien sûr, *donnez-lui le sein.* Mais cela suppose que vous soyez en bonne forme — et surtout, que vous soyez vous-même à l'alimentation biologique (voir ci-dessous). Sinon, vous donnez à boire au pauvre bébé un concentré de pesticides... et ce n'est pas la peine de l'intoxiquer dès le départ : D.D.T., Lindane, Chlordane, Parathion, etc., et autres poisons violents se concentrant dans les graisses du corps, passent de là dans votre lait ! Si vous prévoyez d'allaiter, mettez-vous à l'alimentation biologique pendant votre grossesse. Ne soyez pas culpabilisée de ne pas allaiter, si vous avez des crevasses au sein, si vous avez eu un accouchement difficile, si vous êtes épuisée, ou qu'on vous a donné des antibiotiques (tous les médicaments passent dans le lait) !

— Ne vous obsédez pas sur les horaires et sur les quantités recommandés par le docteur et par la clinique. C'est à vous de trouver le rythme de l'enfant et la quantité qui semble lui convenir. Ne laissez pas bébé pleurer de faim le biberon terminé : donnez-lui un petit « rab », même s'il dépasse la quantité de lait indiquée par le pédiatre. Inversement, si bébé s'endort content avant la fin du biberon, n'insistez pas. N'oubliez pas le « rototo » (voir AÉROPHAGIE).

— Si bébé a eu très chaud, il a parfois soif entre les repas : donnez-lui un biberon d'eau sucrée, ou mieux, d'*infusion (tilleul, thym, verveine...* assez légère). Sucrez les biberons au *miel,* ou au *sucre roux,* jamais au sucre blanc qui déminéralise l'enfant. (Il existe dans le commerce du lait sucré au miel : lait Lemiel.)

— Evitez tant que vous pouvez les petits pots pour bébé. Donnez-lui plutôt des produits frais — et biologiques — des purées et des compotes maison.

— Si vous disposez de *légumes biologiques,* faites-lui du *bouillon de légumes* en mettant dans la marmite un légume de chaque sorte que vous trouverez (1 carotte, 1 oignon, 1 tomate, 1 poireau, 1 salade, 1 artichaut, etc. en variant suivant les saisons et les jours). Vous faites bouillir le tout une heure, et vous donnez un biberon par jour de ce jus à l'enfant, à partir du deuxième mois et même deux par jour à partir du troisième. Cette recette, conseillée par les pédiatres dans les « colonies » autrefois, évite à l'enfant les infections intestinales (nous l'avons essayée avec succès lorsque nous étions nous-mêmes au Maroc, pays « chaud » où les microbes se portent bien !).

— Rien ne vous empêche de remplacer l'eau d'un biberon par une infusion de tilleul, qui parfumera le lait et aidera bébé à s'endormir paisiblement.

— Donnez à l'enfant des céréales (farines de blé, d'orge, de riz), de la farine de châtaignes [1].

B. — *Le jeune enfant :*
Ne prolongez pas éternellement l'époque du bibe-

1. Céréales Favrichon, 42470 Saint-Symphorien-de-Lay.

ron, et apprenez-lui le plus tôt possible à le tenir lui-même, puis à se servir d'une petite cuiller.

Si l'enfant mange trop, voir BOULIMIE.

S'il refuse de manger, voir ce problème à ANOREXIE.

N'insistez pas trop sur la viande. Préférez les œufs, les fromages, les laitages, les poissons, moins pollués que la viande. Les œufs sont très bien supportés quand ils viennent de poules « biologiques », c'est-à-dire élevées au grain, dans une ferme où les grains ne sont pas traités aux pesticides. Dans ce cas, vous pouvez en donner tous les deux jours.

Habituez l'enfant à ne manger ni sucre blanc, ni nouilles blanches, ni pain blanc : ceux-ci, trop raffinés, favorisent l'apparition des caries (comme plusieurs expériences sérieuses, menées en Suisse et aux U.S.A. l'ont amplement démontré). D'ailleurs, le sucre roux, le pain complet ou biologique, et les pâtes artisanales ont un bien meilleur goût que l'enfant apprécie tout à fait.

Bannissez de la maison les bonbons des supermarchés et stations d'autoroute (ni lait, ni sucre, ni fruits, on se demande comment certains fabricants osent encore les appeler « bonbons ») ! Il existe des bonbons sans colorants, au miel, et de fabrication traditionnelle qui sont meilleurs (lisez les étiquettes !).

Evitez le Coca-Cola, les aliments préemballés, les pâtisseries industrielles, les excès de Ketchup et de moutarde.

Ne vous affolez pas, il reste tout de même pas mal de choses à manger : la joie d'avoir un enfant très bien portant vaut bien la peine (légère) qu'on se donne.

C. — *Si l'enfant est malade*, voir DIÈTE, RÉGIME et JEÛNE.

62

QU'EST-CE QUE L'ALIMENTATION BIOLOGIQUE ?

Comme nous en avons souvent parlé, il est temps de nous expliquer !

Un certain nombre d'agriculteurs, d'éleveurs, et de fabricants de conserves — sans oublier les meuniers, les boulangers, les sucriers, les bouchers, etc. — ont pris conscience de la dégradation de notre alimentation.

Ils s'efforcent d'offrir au consommateur des produits sains, non pollués et non traités. Précisément : ils n'utilisent ni engrais chimiques, ni colorants, ni conservateurs, ni solvants chimiques, ni pesticides pour les végétaux, ni antibiotiques, implants hormonaux et antiparasites pour les animaux.

Ils ne mettent pas « rien », puisqu'il faut bien des engrais, et qu'il faut lutter contre les parasites, mais ils n'utilisent que des produits naturels : algues, poudre de roches, composte, fumures pour les engrais ; des insecticides naturels, extraits des plantes (d'ailleurs, dans ce système, on a beaucoup moins besoin d'insecticides). Pour les méthodes de conservation, ils n'utilisent aucun conservateur chimique, seulement la stérilisation, le sel, l'huile, les épices, etc.

Cela donne des produits bien, bien meilleurs au goût..., et aussi pour la santé. Beaucoup de mères — que nous connaissons — ont remarqué que les enfants nourris « en bio » se portaient infiniment mieux et, en particulier, passaient l'hiver sans rhumes, angines, grippes. Cela fait une différence.

Où trouver ces produits ?

Le problème est que les producteurs sont éparpillés, et produisent en petite quantité parce qu'ils sont encore peu nombreux. Aussi ne bénéficient-ils pas des prix de gros pour les transports. Conséquence : les produits « bio » sont parfois chers en ville. Mais ils ne le sont pas si vous vous adressez directement aux producteurs, et aux coopératives qui commencent à se monter un peu partout. Bien sûr, si vous habitez la province, vous êtes favorisé ! Dans les grandes villes c'est plus difficile, mais cela existe aussi. Enfin, dans les banlieues, vous trouverez facilement des voisins qui ne traitent pas leurs arbres fruitiers, et vous céderont une partie des récoltes. Ajoutons aussi que la plupart des agriculteurs « normaux », c'est-à-dire « non bio », ont pour eux et leur famille un petit carré de jardin « bio ». Pas fous... Ils savent ce qui est bon !

Pour tous renseignements :

« Nature et Progrès », association européenne d'agriculture et d'hygiène biologiques (association sans but lucratif), 14, rue des Goncourt, 75011 Paris, (tél. : 47.00.60.36), ou 53, rue de Vaugirard, 75006 Paris (tél. : 42.27.61.74). Cette association publie deux petits guides[1] bon marché pour aider le public à se procurer des aliments biologiques.

ALLERGIE

Maladie-mystère, elle frappe un nombre croissant de gens sans qu'on sache vraiment pourquoi.

Dans l'allergie se trouvent face à face un « allergène », substance qui déclenche la crise, et un être

---

1. *Guide de la vente directe des produits « bio » et Guide des points de vente en Ile-de-France.*

humain incapable de se défendre, c'est-à-dire « sensibilisé ». Loin de s'habituer à la substance allergène, il ne peut pas surmonter sa « sensibilisation », et sa réaction est de plus en plus forte à chaque contact (rougeurs, boutons, œdème, fièvre, accidents respiratoires parfois graves, migraines)...

Qu'est-ce qui peut provoquer une allergie ? Tout, ou presque, mais surtout : poussières et pollens, certains aliments, un nombre croissant de médicaments, les produits de lessive et d'hygiène, les cosmétiques, les vaccins, les tissus synthétiques (nylon, dacron, acétates...), les shampooings, les plumes et les poils, les piqûres d'insectes, également le soleil, l'eau de mer, ou une contrariété très forte...

C'est un peu affolant.

Une partie des maladies courantes traitées dans ce livre sont des manifestations allergiques (voir ANTIBIOTIQUES, APHTE, ASTHME, ECZÉMA, ÉRYTHÈME FESSIER, DERMATOSE, GOURME ou IMPÉTIGO, HÉPATITE MÉDICAMENTEUSE, MAL DES TRANSPORTS, PISCINE, RHUME DES FOINS, SINUSITE, URTICAIRE, VACCINATION)...

QUE FAIRE ? A QUI S'ADRESSER ?

A. — *La médecine classique (ou officielle) :*

Ne lui demandez pas de vous aider : elle est bien embarrassée ! Vous n'en sortirez pas (ou rarement) : on fera à l'enfant une série de tests pour trouver l'allergène responsable. Comme il existe une infinité de substances qui peuvent jouer ce rôle (voir plus haut), cela peut durer longtemps... Une fois l'allergie trouvée, commence seulement le traitement de désensibilisation. Parfois, et même souvent, on ne trouve pas l'allergène et, entre-temps, les tests peuvent déclencher une nouvelle allergie ! Ça coûte cher, et l'enfant souffre... Adressez-vous plutôt aux médecines naturelles.

B. — *L'acupuncteur :* Il peut traiter assez rapidement l'allergie.

C. — *L'homéopathe :* Il dispose de médicaments désensibilisants, en particulier *Ribes nigrum, Histaminum, Astacus,* etc. Il ordonnera aussi des *oligoéléments* pour modifier le terrain.

D. — *Le naturopathe* prescrira un régime qui peut guérir l'enfant. Il conseillera les *algues,* le *radis noir,* le *cassis,* la *myrtille...*

E. — *L'aromathérapeute* dispose également d'huiles essentielles très actives qui débarrasseront l'enfant de son allergie.

De façon générale, soyez d'une extrême prudence :

— *Vis-à-vis des médicaments :* ne donnez à l'enfant aucun médicament de synthèse chimique (ni antibiotique, ni sédatif, ni vitamine synthétique)...

— *Vis-à-vis des vaccinations :* les petits allergiques (asthmatiques, par exemple) y réagissent très mal.

— *Vis-à-vis des tissus synthétiques* (nylon, acétate), souvent allergènes.

— *Vis-à-vis des produits* d' « hygiène » : utilisez le moins possible de shampooings pharmaceutiques, préférez l'argile, les œufs battus dans de l'eau, etc. [1].

Si vous devez maquiller l'enfant pour une fête costumée, ne lui mettez pas n'importe quel cosmétique coloré sur la figure (et surtout pas de la peinture). Soyez difficile dans le choix du savon et du dentifrice [2]. Il ne sert à rien de dire : « Il faut habituer l'enfant à tout. » L'allergie, c'est justement une maladie où l'on s'habitue de moins en moins !

1. *Guide de l'anticonsommateur* (Livre de Poche), chapitre sur la beauté.
2. *Idem.*

— *Vis-à-vis des produits de lessive* : utilisez l'argile verte, ou des produits sélectionnés [1] pour leur faible toxicité (alors que les détergents courants du commerce sont extrêmement toxiques).
— *Vis-à-vis de l'alimentation* : préférez les produits biologiques [2]. Ces précautions vous éviteront la plupart des accidents allergiques.

AMAIGRISSEMENT

Vous ne ferez jamais d'une sauterelle un éléphant. Alors consolez-vous. Certains maigres le sont et le resteront, malgré vos efforts. Leur épaisseur n'a d'ailleurs rien à voir avec leur bonne santé.

Autre chose est de constater qu'un enfant maigrit : c'est une tendance anormale, signe que la croissance ne se passe pas bien.

A. — *Chez le nourrisson :* Il a tendance à maigrir dans les jours qui suivent la naissance. Il fera ensuite de louables efforts pour rattraper son poids. C'est normal. Ne vous inquiétez pas. Bébé va prendre en moyenne 25 grammes par jour : n'ayez pas l'œil rivé sur la balance. La prise de poids est irrégulière, surtout pour l'enfant nourri au sein. Cependant, devant un amaigrissement réel, consultez rapidement.

---

1. *Idem,* et aussi *Guide écologique des fournisseurs,* édité par « Nature et Progrès », 53, rue de Vaugirard, 75006 Paris, où vous trouverez les adresses de lessives réellement biodégradables, d'insecticides sans danger, etc.
2. *Guide des points de vente des aliments biologiques en Ile-de-France* et *Guide de la vente directe en France des produits biologiques,* tous deux édités par cette même association, « Nature et Progrès ».

B. — *Chez l'enfant* : Vous pouvez remarquer un manque d'appétit passager qui coïncidera avec un événement angoissant ou traumatisant de sa vie : changement d'école, de quartier, arrivée d'un petit frère. Après quelques jours sans appétit, l'enfant se remettra à manger normalement. Plus grave est l'enfant qui maigrit sans raison apparente, et en continuant à s'alimenter à peu près comme par le passé.

Interrogez-vous alors sur le genre de vie que mène l'enfant : prend-il assez d'exercice à l'extérieur, y a-t-il un équilibre entre ses activités scolaires et sportives ? Ne se fatigue-t-il pas trop en classe ? N'est-il pas anormalement anxieux ? Toutes questions que vous devez essayer d'envisager avec lui. Songez aussi à une brusque crise de croissance, qui fatigue l'enfant et qui ne lui permet pas toujours de s'étoffer en même temps qu'il grandit (voir FATIGUE, ANGOISSE).

AMAIGRISSEMENT PATHOLOGIQUE

Si cela dure et que l'enfant continue à maigrir, c'est une alerte à ne pas négliger. Quelle maladie couve-t-il ? Héberge-t-il un ver solitaire (voir ce mot). Faites-lui passer une visite médicale complète avec radio des poumons.

TRAITEMENT

En attendant le diagnostic ou l'absence de toute cause pathologique à l'amaigrissement, adoptez quelques règles d'hygiène simples :

A. — *Hygiène alimentaire :*

— La suralimentation est inutile, voire nuisible.

— La qualité des aliments est capitale. Si vous donnez à vos enfants des aliments biologiques (voir ALIMENTATION), du pain complet, des légumes sans pesticides et pas trop de viande, vous constaterez qu'ils se portent mieux et qu'ils guérissent plus vite.

— Ne donnez pas de fortifiants à tort et à travers : ils masquent la cause réelle, sans du tout la soigner.

B. — *Cures d'air :*

Un changement d'air est souvent très efficace : la mer ou la montagne, un rythme de vie régulier suffiront parfois à rétablir le métabolisme.

C. — *L'acupuncture :*

Elle peut être un facteur rééquilibrant. Les petites aiguilles font aussi grossir !

AMIBES (voir DYSENTERIE)

AMPOULES

Dues au frottement prolongé d'un outil dur ou d'une chaussure, elles ont l'aspect de cloques blanches sur la peau rougie.

Nos enfants s'en plaignent souvent, surtout l'été, faute de sandales ou d'espadrilles bien adaptées à leur pied.

QUE FAIRE EN URGENCE ?

Ne cherchez pas à percer l'ampoule. Laissez-la mûrir ou se résorber toute seule. Si elle est ouverte, protégez-la contre l'infection par un petit pansement.

Donnez à l'enfant une autre paire de chaussures ou, à défaut, laissez-le aller pieds nus quelques jours (l'air et le soleil lui feront du bien). Soignez l'ampoule, au choix :

A. — *Par les plantes :*

Posez immédiatement dessus un cataplasme de feuilles vertes et fraîches : *persil, plantain, pâquerette, chou, salade, souci, ortie blanche* (cueillies dans un endroit non pollué, loin des routes, et non traitées).

Ampoules aux pieds : jetez une poignée de *roses trémières* dans un litre d'eau bouillante, laissez bouillir dix minutes, laissez tiédir et trempez dedans le pied douloureux.

B. — *Par l'homéopathie :*

De toute façon, immédiatement : *Arnica 5 CH*, 2 granules à sucer (médicament de base que vous devez avoir toujours à portée de la main) !

Appliquez sur l'ampoule une pommade au *calendula* (souci), ou une compresse de teinture-mère de *calendula.*

Si l'ampoule est au talon, et non douloureuse, posez une compresse imbibée de *Lamium album D1*, quelques gouttes (lamier blanc ou ortie blanche).

Si elle est douloureuse, donnez à sucer 2 granules par vingt-quatre heures de *Paeonia officinalis 4 CH.*

AMYGDALES

Il fut un temps où ces petites boules spongieuses, placées au fond de la gorge, paraissaient inutiles. Les médecins en ordonnaient avec insouciance l'ablation systématique.

Et pourtant, si elles existent, c'est qu'elles ont une utilité ! Ce sont les barrières défensives naturelles contre l'invasion microbienne.

On a remarqué que les enfants à qui l'on avait enlevé les amygdales attrapaient deux fois plus souvent la scarlatine ou la diphtérie.

Malheureusement, elles ont tendance à s'enflammer beaucoup et à devenir elles-mêmes des foyers d'infection (angines, abcès...).

Evitez l'ablation, qui devrait être réservée aux seuls cas d'infection extrême — et encore...

Pratiquement les symptômes de l'amygdalite se confondent avec ceux d'une grosse angine chronique : douleurs de gorge, avec menace d'otites parfois, abcès, fièvre, maux de tête, difficulté à avaler...

QUE FAIRE EN URGENCE ?
(voir ANGINE, ce sont les mêmes médicaments)

Ne vous laissez pas impressionner par le médecin de médecine générale qui déclare : « Amygdales à enlever. » Soignez l'enfant, les angines passeront sans qu'aucune opération soit nécessaire.

ANÉMIE

Voyez l'article FATIGUE. Si malgré vos soins attentifs, celle-ci se prolonge au-delà d'un mois, et que l'enfant vous semble de plus en plus apathique, et de moins en moins « en forme », si vous n'avez pas réussi à trouver la cause de cette fatigue persistante, c'est probablement une anémie.

Il en existe différentes formes, qui n'entrent pas dans le cadre de cet ouvrage, où nous ne parlerons que des principales.

A. — *Chez le nourrisson* : Bébé n'a pas la mine brillante, il est pâlot, bouffi, avec de la graisse molle. Il n'a pas l'œil vif, ses progrès sont lents, il pleurniche beaucoup. Ses selles sont de la couleur du mastic, ou alors il a des diarrhées fréquentes. L'enfant manque probablement de fer et de vitamines, d'air..., son alimentation ne lui convient pas. Voyez le pédiatre.

B. — *Chez le jeune enfant* : Il se traîne, grogne sans arrêt, a perdu toute vivacité et ne sourit guère. Il a parfois des diarrhées chroniques, saigne souvent du nez, se plaint d'être fatigué, d'avoir mal à la tête...

L'anémie chez un jeune enfant est souvent due à une insuffisance de globules rouges, à un manque de fer. Le médecin homéopathe prescrira un traitement à base de *Ferrum metallicum, Calcarea carbonica, Aestus, Kali phosphoricum, Natrum muriaticum, Silicea*, etc., ainsi que des *oligo-éléments.*

Ne donnez aucun « fortifiant » acheté au hasard en pharmacie : vous devez savoir que certaines anémies sont déclenchées par des médicaments (sul-

72

famides, analgésiques, phénacétine, acétanilides, voire vaccins)...

D'autres anémies accompagnent des maladies très graves (cancers, leucémies, parasitoses comme le paludisme, etc.).

Un régime, un traitement (homéopathique, auriculothérapique ou aromathérapique) rétablira l'enfant, et une *cure thermale* lui rendra définitivement sa santé dans la plupart des cas, même graves. Vous devez donc absolument, en cas de fatigue prolongée, consulter le médecin et faire faire des examens : de sang, d'urine, etc.

ANGINE

C'est le grand serpent de mer que chaque marin a vu un jour dans sa vie, mais sous une forme différente !

Va du banal « mal de gorge » à l'angine à fausse membrane (ou faux croup), en passant par l'angine rouge, l'angine blanche, celle de Vincent, celle à points blancs... et il y en a d'autres !

Elles se soignent toutes de la même façon et il ne faut jamais les négliger, car elles peuvent être le signe avant-coureur d'une maladie plus grave : polio, méningite, rhumatismes articulaires aigus, etc.

COMMENT LES RECONNAITREZ-VOUS ?

Les symptômes communs à toutes ces angines sont : la fièvre, la gorge douloureuse quand l'enfant avale, le fond de la gorge très rouge (ou avec des points blancs — à voir avec une petite cuiller propre pour aplatir la langue) ! L'enfant a parfois la diarrhée, un rhume (avant ou après), mal à l'oreille éventuellement, la grippe avec, parfois, des courbatures un peu partout. Chez les enfants, la fièvre peut monter beaucoup (40° et plus).

QUE FAIRE EN URGENCE ?
(tout à la fois, si possible)

A. — *Par la chaleur* : Repos au lit au chaud, avec une écharpe en laine angora ou cachemire autour du cou. Bouillotte chaude dans le lit. Bain de bras dans l'eau très chaude, jusqu'au coude (les deux bras ensemble).

B. — *Par le chlorure de magnésium* : C'est radical — mais c'est amer si vous n'y ajoutez pas un jus de citron et beaucoup de miel.

Achetez chez le pharmacien un sachet de 20 g, à diluer dans une bouteille d'eau d'un litre. Donnez à l'enfant une cuillerée à dessert par jour en dessous de 5 ans. Au-dessus, on peut en donner un verre à liqueur quatre fois quelques jours (l'air et le soleil lui feront du par jour (ou comprimés de Delbiase).

C. — *Par l'Oscilloccinum 200* — seulement si l'angine s'accompagne de douleur à l'oreille.

D. — *Par l'eau salée* : Si l'enfant est assez grand (à partir de 4-5 ans), apprenez-lui à faire un gargarisme à l'eau salée tiède et au citron. Effet immédiat après vingt minutes : la gorge est décongestionnée et moins douloureuse. Pour bébé, qui ne peut encore se gargariser, badigeonnez-lui la gorge au jus de citron.

E. — *Par l'homéopathie* :
Si fièvre : *Belladona 4 CH*, 2 granules, deux fois par jour.
Si gorge gonflée : *Apis 4 CH, Mercurius*

74

solubilis 4 *CH*, 2 granules, deux fois par jour de l'un ou de l'autre.

F. — *Par le régime* : Ne rien donner à manger à l'enfant tant qu'il y a de la fièvre. Uniquement des tisanes (thym, lavande, romarin, serpolet, sauge, eucalyptus). Toutes les pharmacies (et mieux encore les herboristeries) vendent des tisanes toutes préparées, où vous retrouverez ces plantes).

TRAITEMENT DE FOND

(au choix, l'un ou l'autre, ou combinez-en plusieurs)

A. — *Par les plantes* :

Utilisez les vieilles formules pharmaceutiques, qui ont fait leurs preuves :

Tisane des 4 fruits pectoraux : Faire bouillir une demi-heure dans un litre d'eau 50 g du mélange suivant : dattes (non traitées à la glycérine !), raisins secs, jujubes et figues. Très agréable au goût. Vous pouvez aussi donner à l'enfant l'un ou l'autre de ces fruits à manger.

Tisane des 4 fleurs pectorales (voir CORYZA, ou demandez à l'herboriste). Achetez du *vrai sirop d'orgeat* (et non pas du sirop synthétique [1]). C'est assez cher, mais beaucoup moins qu'un sirop antibiotique qu'on achète sans ordonnance). Le sirop d'orgeat calme la douleur à la gorge. Vous pouvez, d'ailleurs très bien le fabriquer vous-même [2], c'est plus économique.

Le *lait chaud à la cannelle* est également un

---

1. « Sirops du Père Louis » dans les confiseries et magasins de régime et Hédiard.
2. Voir recette dans le *Guide de l'anticonsommateur* (Livre de Poche).

75

antibiotique naturel (deux cuillers à café de poudre dans un demi-litre de lait sucré au miel).

B. — *Par les médicaments homéopathiques :* sirop Stodal, une cuiller à soupe trois fois par jour (aucun drame si l'enfant avale toute la bouteille) ! Chlorangyl (pas avant 5 ans), une cuiller à soupe deux fois par jour. Gouttes nasales : Homéorhine.

C. — *Par les oligo-éléments :* Cuivre-or-argent et soufre.

D. — *Par l'acupuncture :* Le médecin piquera la gorge, le dessus de la main et le dos — l'angine sera finie !

E. — *Par les cures thermales,* s'il y a angine chronique : Eaux soufrées (Barèges, La Bourboule, Cauterets, Amélie-les-Bains, Enghien, Moligt, Luchon, Gréoux, etc.).

Avec tous ces remèdes, l'angine ne doit pas durer plus de deux jours chez votre enfant ! En général, elle se transforme en rhume, qui se calme en vingt-quatre heures (si vous le soignez dès le début, voir CORYZA).

ANGIOME (voir GRAIN DE BEAUTÉ)

ANGOISSE

Ne laissez pas le Grand Méchant Loup rôder le soir dans la maison... Comme la plupart des enfants expriment leur peur dans un langage que nous comprenons mal, beaucoup d'entre eux vivent des terreurs intenses qui les traumatisent gravement. L'enfant, isolé dans son angoisse, ne sait pas toujours demander de l'aide, et les adultes ne s'aperçoivent de rien.

Vous devez absolument aider votre enfant à surmonter ses angoisses.

A QUOI LA RECONNAITREZ-VOUS ?

Le tout-petit, comme l'animal, crie quand il a peur : tout le monde l'entend bien.

A partir de 2-3 ans, et ensuite, l'enfant exprime son angoisse par des gestes et des comportements caractéristiques :

— Il fait pipi au lit (après 3 ans).

— Il ronge ses petits ongles.

— Il reste dans vos jupons et a peur des visages inconnus.

— Il fait de tout petits dessins, recroquevillés, tristes, perdus au milieu de la page (il se sent isolé dans le vaste monde !) ; ou encore, ses dessins sont situés dans la moitié gauche de la page, ou encore sont cerclés d'un trait de crayon (enfant trop introverti pour dire ce qui ne va pas).

— Il range trop soigneusement sa chambre, et fait un drame dès que quelqu'un la lui dérange un peu.

— Il se catastrophe si son vêtement est déchiré ou taché.

— Il traîne le matin pour arriver le plus tard possible à l'école.

— Il est terrifié d'avoir oublié son cartable, ses crayons, son livre...

En période scolaire, il a souvent de toutes petites maladies (rhumes, petites angines, vomissements sans lendemain) qui sont en fait des soupapes d'échappement à une tension trop forte.

— Il ne parle pas, ne rit pas, ne joue pas avec les autres.

— Il a l'air triste (en particulier sur les photos) !

— Il se masturbe dès qu'il est seul.

— Il suce son pouce au-delà de 5-7 ans.

— Il refuse de donner ou de prêter ses jouets.

— Il ment...

— Il chaparde et vole !

Il y a bien d'autres manifestations de l'angoisse, ce ne sont que les plus courantes. Les crises d'angoisse fatiguent beaucoup un enfant ; elles nuisent à sa santé physique (ou s'expriment par des maladies diverses) handicapent ses progrès scolaires, son adaptation familiale et sociale, son avenir...

QUE FAIRE DANS L'IMMÉDIAT ?

Ne pas sévir impulsivement.

Ne pas donner à l'enfant des « calmants », des tranquillisants, de l'aspirine, aucune drogue allopathique, qui risque de déclencher des troubles graves (hépatites, allergies, intoxications)...

Pour le calmer, au choix :

A. — *Par les plantes :*

Mettez-le dans un *bain à la fleur d'oranger* ou à la *lavande* (quelques gouttes d'huile essentielle de l'une ou l'autre de ces plantes dans l'eau chaude du bain).

Donnez-lui une infusion à boire : 1 ou 2 gouttes d'huile essentielle de ces deux plantes dans un bol d'eau chaude sucrée au miel. (Vous pouvez aussi, bien sûr, utiliser la plante elle-même, fraîche ou sèche, comme on le faisait autrefois.)

Autres plantes calmantes, que vous pouvez utiliser soit en infusion, soit en huile essentielle, à boire ou à mettre dans un bain :

tilleul, aubépine, camomille... Comme ces plantes sont sans danger, le dosage de l'infusion et du bain n'a pas besoin d'être précis. En revanche, en huiles essentielles, et à boire, ne dépassez pas 1 ou 2 gouttes, parce que c'est vraiment très fort.

B. — *Par l'homéopathie :*
Aconitum 5 CH et *Ignatia 5 CH,* 3 granules toutes les deux heures calmeront l'enfant angoissé.
Arsenicum album 5 CH pour l'enfant déprimé, découragé, qui ne tient pas en place.

TRAITEMENT DE FOND

A. — *Par l'acupuncture :* Voyez un bon acupuncteur.

B. — *Par la psychothérapie :* Faites un examen de conscience. Pourquoi l'enfant ne se sent-il pas en sécurité dans sa famille (père violent, mère trop angoissée pour rassurer l'enfant...) ? A-t-il été traumatisé par un divorce ? Un décès ? Un déménagement ?

Essayez de parler avec lui en douceur pour voir ce qui ne va pas.

Ne le grondez pas systématiquement — mais ne soyez pas totalement « permissive » non plus Nos enfants avaient une jeune fille au pair extrêmement gentille que pourtant ils n'aimaient guère A la question : « Pourquoi êtes-vous si désagréables avec cette jeune fille ? », l'aîné des enfants (8 ans) a répondu : « Elle nous laisse faire toutes les bêtises qu'on veut... » Sous-entendu : nous ne nous sentons pas en sécurité avec elle !

L'enfant a donc besoin de s'appuyer, de se sentir protégé par une autorité douce, mais ferme.

Si vous ne parvenez pas à trouver le problème de l'enfant, consultez une graphologue (envoyez-lui des dessins et des cahiers scolaires), une psychologue spécialisée (parfois même avec une spécialisation de psycho-astrologie). Il existe dans toutes les villes des centres de psycho-pédagogie. (Demandez à la mairie de votre ville. La Sécurité sociale rembourse le traitement.)

Vous y verrez plus clair... mais bien souvent, pour guérir l'enfant, il faut faire faire une *psychothérapie des parents* ! Très souvent, c'est votre angoisse qu'il ressent et qui pèse sur lui.

C. — *Par l'ergothérapie :* La *création artistique* est un extraordinaire remède contre l'angoisse. Peinture, sculpture, musique, tissage, poterie, construction de maquettes, tricot, crochet, collages... Encouragez l'enfant, inscrivez-le dans un bon atelier. Que ces activités ne soient pas une corvée, mais quelques heures de bonheur et de liberté dans sa vie d'enfant. Ne le forcez pas.

D. — *Par la nature :* Très, très important : donnez un *animal familier* à l'enfant. L'affection et la chaleur de cette boule de poils le rassureront ! Si vous habitez la banlieue ou la campagne, donnez-lui un coin de terre à cultiver. Inscrivez-le à un groupe d'amis de la nature (sorties botaniques, zoologiques, écologiques...).

ANIMAUX

« Un chat dans la maison, quelle horreur, disait ma mère, avec tous ces microbes qu'il va nous apporter ! Et puis un animal, c'est SALE ! »

...Aujourd'hui, on pense plutôt qu'un animal tendrement aimé est un merveilleux médicament !

Les maladies ne sont pas seulement dues aux microbes, elles sont aussi la manifestation de problèmes affectifs : angoisse, solitude du cœur, manque de confiance en soi... Dans quelques hôpitaux, l'expérience a été faite de donner des animaux à des enfants retardés, débiles profonds et handicapés : à la surprise générale, ces enfants ont fait d'énormes progrès vers la guérison, et des progrès étonnamment rapides !

N'hésitez jamais à donner un animal familier à votre enfant, même si vous n'avez qu'un petit appartement. Le surcroît de travail n'est pas si terrible et l'enfant, plus heureux, trouve plus facilement son équilibre.

Avant 5 ans, il est un peu jeune pour avoir un chat, un chien ou un cochon d'Inde. Mais vous pouvez mettre des oiseaux ou des poissons rouges dans sa chambre, des poules et des tortues dans le jardin, un poney ou une chèvre si vous habitez la campagne... Quel animal choisir et comment s'en occuper ? Un livre pratique répond à vos questions : *Les Animaux de bonne compagnie*, de Marie-Louise Vidal de Fonseca [1] (pour les oiseaux et petits animaux).

Quant aux inconvénients dus à leur fréquentation, se reporter aux mots : CONTAGION, GRIFFES de CHAT, MORSURES.

Ne croyez pas que l'animal, chien ou chat, acheté très cher dans un cheneil de luxe, soit forcément en bon état physique. Il vaut mieux aller le chercher à la S.P.A. (où c'est quasiment gratuit), et lui faire passer une visite vétérinaire approfondie. Il y a un énorme trafic sur la vente des animaux, et malgré

1. Ed. Stock.

la réglementation, les garanties sont loin d'être proportionnelles aux prix. Ne vous laissez pas tromper !

ANOREXIE (REFUS DE MANGER)

C'est souvent l'inexpérience de la jeune mère, par son comportement angoissé, qui favorise l'anorexie.

L'anorexie peut être extrêmement grave chez un adolescent ou un adulte (elle est alors le signe d'une névrose grave). Rien de tel chez un nourrisson ou un petit enfant.

1. — *Bébé n'a pas faim.*

Essayez d'abord de changer le lait ; sortez-le davantage, mettez-le à l'air et au soleil. Ne vous énervez pas pendant les biberons, ne soyez pas trop pressée : si bébé sent une atmosphère trop tendue, ça lui coupe l'appétit, c'est normal.

Il est possible qu'il couve une maladie : le refus de manger est le premier symptôme d'une constipation, d'un problème de foie ou de reins, d'une anémie, d'une colibacillose... si le manque d'appétit persiste quelques jours, appelez le pédiatre.

2. — *Toto refuse de manger sa soupe.*

Toto a 1 an, 2 ans, 3 ans... En pleine forme, il vous regarde par en dessous en rigolant du coin de l'œil. Et vous... vous paniquez jusqu'à l'os ! Le repas se transforme en épreuve de force, et vous en sortez épuisée.

Ce petit drame domestique atteint de préférence le premier enfant d'une mère très consciencieuse et un peu angoissée. Pour les frères et sœurs suivants, vous êtes débordée de travail, vous vous en occupez moins... et tout se passe bien !

Première erreur : vous avez essayé de forcer Toto à manger. Lui, malin, a compris que vous attachiez une importance extrême à cette affaire de nourriture. Au poil, se dit Toto, je vais la faire marcher !

Deuxième erreur : vous insistez, vous y mettez une question de principe, qui, en fait, cache mal votre angoisse à l'idée que Toto pourrait mourir de faim...

Comment régler le problème ? En commençant par vous.

Sachez que Toto ne risque pas de mourir pour si peu. Il est capable de supporter sans dommage trois jours de jeûne. (N'ayez crainte, il n'ira pas jusque-là ! Et ensuite, il se rattrapera !)

Posez l'assiette devant Toto. S'il refuse la becquée (ou de manger lui-même s'il est assez grand) dites-lui : « Très bien, je vois que tu n'as pas faim ; ça n'a aucune importance. » Vous retirez l'assiette, et vous la donnez au chien (au chat, aux poules, à la poubelle...). Toto sera vexé. Il recommencera la fois d'après, mais si vous ne vous laissez pas impressionner, vous verrez qu'il ne vous fera pas le coup plus de deux jours de suite !

... Sacré Toto !

Ne mêlez *jamais* aucune morale à cette histoire de manger. Ne dites jamais : « C'est mal, tu n'as pas mangé ta soupe », ou « C'est bien, tu l'as mangée. » Soyez honnête, est-ce que vous-même vous sentez plus ou moins coupable de vous abstenir d'un repas, ou de ne pas aimer la soupe ? Alors, pourquoi y aurait-il une morale spéciale pour les enfants (et particulièrement oppressive) ? Dans la vie d'adulte, ça n'a aucune importance morale ou sociale d'aimer l'aile ou la cuisse, alors ?

Gardez votre prestige moral pour les affaires plus sérieuses.

Autre cas : Toto veut bien les nouilles et le

saucisson, mais refuse les fruits et les légumes. D'accord, cela fait un régime très déséquilibré et Toto risque d'être constipé, faute de légumes.

Raréfiez nouilles et saucisson dans votre menu, et servez davantage de fruits et légumes agréablement présentés : Toto s'y habituera, après quoi, vous reprendrez un régime normal.

Aidez-le en lui lisant un petit livre d'histoires. Si vous faites semblant de ne pas vous apercevoir de ce qu'il mange ou ne mange pas, il ne fera pas d'histoires lui non plus.

Il peut arriver enfin que Toto refuse de manger parce qu'il couve une maladie. Dans ce cas, c'est pareil : pourquoi le forcer à manger ? Vous voyez bien que c'est la Nature qui parle. D'ici quelque temps, vous verrez apparaître les autres symptômes, et vous serez fixée.

ANTHRAX (voir FURONCLE)

ANTIBIOTIQUES

— Toutes vos médecines naturelles, dit notre gentille voisine, c'est parfait quand tout va bien, quand les enfants n'ont rien de grave, mais quand ils ont un gros pépin, vous êtes bien contente de trouver les antibiotiques !

... Miraculeux antibiotiques, la trouvaille de génie, la gloire de la science moderne, l'arme absolue qui guérit tout !

C'est vrai, MAIS...

La pénicilline découverte par Fleming était extraordinairement efficace :

— parce que c'était à l'époque un médicament naturel extrait d'un champignon microscopique ;

— parce que les microbes ne s'y attendaient pas, et l'effet de surprise était donc total...

Et puis beaucoup d'eau a coulé depuis cette époque (avant la Seconde Guerre mondiale). Les choses ont bien changé :

— Les microbes, s'habituant à tout, résistent maintenant aux antibiotiques (d'où la nécessité d'augmenter les doses, jusqu'à plusieurs millions d'unités).

— Enfin, les antibiotiques vendus aujourd'hui en pharmacie sont des produits de synthèse chimiques, et plus du tout le médicament naturel découvert par Fleming. Or, plusieurs écoles de médecins sérieux, tant en France qu'aux U.S.A., estiment à l'heure actuelle que l'introduction dans le corps de molécules de synthèse est responsable de désordres graves (cancer, allergies, maladies fonctionnelles)...

Résultat : LES ANTIBIOTIQUES TUENT AUSSI.

De plus en plus d'accidents graves sont dus aux antibiotiques qui provoquent une violente réaction, pouvant aller jusqu'à la mort.

L'antibiotique démolit les défenses naturelles du malade sans pour autant démolir définitivement le microbe. Celui-ci revient à l'attaque de plus belle, dans un corps affaibli. D'où maladies chroniques.

Vous connaissez sûrement de ces enfants qui font angine sur angine, et bronchite sur bronchite, malgré ces merveilleux antibiotiques ! Si merveilleux, d'ailleurs, que les médecins honnêtes et informés hésitent de plus en plus à les prescrire pour des affections courantes.

Exemple type: le chloramphénicol [1], médicament

1. Voir *50 Millions de consommateurs*, n° 37, janvier 1974.

très connu sous des appellations diverses (tifomy-cine, campho-pneumine, thiophénicol, chloramphéni-col, chlorazoline, etc.). Ordonné massivement pour toutes les affections bénignes (angines, acné, coque-luche, bronchite légère, rhumes...), ce médicament a causé un nombre de morts assez important pour que le Sénat américain ordonne une enquête... Le remède miracle était un poison violent... (En France aussi, il a fait des morts !)

NOTRE ATTITUDE A L'ÉGARD DES ANTIBIOTIQUES

Nous pensons qu'on ne doit les utiliser que dans des cas exceptionnels et gravissimes. La *plupart* des maladies graves ou moins graves se soignent par-faitement grâce à l'homéopathie ; l'aromathérapie et la phytothérapie ; l'acupuncture et l'auriculothéra-pie ; les oligo-éléments ; l'hydrothérapie...

En particulier, l'aromathérapie dispose d'antibio-tiques naturels : les huiles essentielles extraites de plantes, extrêmement efficaces contre les infections. Les oligo-éléments ont également un effet antibio-tique très fort (cuivre-or-argent).

Ces médecines naturelles ont une action préventive sur le terrain, elles atténuent la gravité des mala-dies, diminuent les risques, et évitent même les crises aiguës (que la médecine classique est obligée d'opérer) !

LES ANTIBIOTIQUES DE SYNTHESE N'ONT PAS LEUR PLACE DANS NOTRE ARMOIRE A PHARMACIE.

ANXIÉTÉ (voir ANGOISSE)

APHTE

Beaucoup d'enfants souffrent d'une petite ulcération de la langue ou d'une gencive. C'est à peine visible, et l'état général de l'enfant n'est pas inquiétant (aucune fièvre, aucun autre symptôme).

Dans ce cas, vous pouvez régler très vite ce petit problème :

Par les plantes :

Sucer une feuille de *sauge* (*Salvia officinalis*), fraîche ou sèche. Le goût est agréable, et la sauge pique légèrement, juste ce qu'il faut pour soulager.

Mâcher des feuilles de *basilic* (*Ocimum basilicum*), fraîches à la belle saison, sèches en hiver.

En été et au début de l'automne, avant les gelées, votre petit coureur des bois peut mâcher des *prunelles* vertes, très acides. Montrez-lui un prunellier et ses fruits (le long des chemins creux de campagne).

Chez certains enfants, les noix provoquent parfois l'apparition d'aphtes. Abstenez-vous de leur en donner s'ils y sont allergiques.

En cas d'extension des symptômes voir STOMATITES et GINGIVITES.

APPENDICITE

A QUOI LA RECONNAITREZ-VOUS ?

Votre perspicacité de mère est rudement mise à l'épreuve. Un « J'ai mal au ventre » veut tout dire, dans un espace compris quelque part entre le menton et les cuisses !

A quels signes reconnaît-on une appendicite ? Il y en a cinq, parmi les plus importants :

— La douleur survient brutalement du côté droit du ventre, dans la fosse iliaque. Vous trouverez le point exact en tirant un trait de la pointe d'une hanche au nombril. Au milieu, et en dessous de cette ligne se trouve l'appendice douloureux. En principe, du côté droit, mais il arrive (rarement) que cet organe se trouve à gauche.

— La température se situe aux environs de 38°.

— L'enfant vomit, mais ce n'est pas obligatoire.

— Il peut y avoir diarrhée, suivie de constipation.

— L'enfant se couche en position de fœtus, en repliant ses jambes contre le ventre.

Si l'un de ces signes manque, en particulier la fièvre, l'enfant a peut-être une colique hépatique, un calcul rénal, mais pas forcément l'appendicite.

QUE FAIRE EN URGENCE ?

En attendant le médecin (voir ci-dessous quel type de médecin vous pouvez appeler), couchez l'enfant sur le côté.

— Ne lui mettez pas dans ce cas de bouil-

lotte chaude, mais une *vessie pleine de glace*.
Surtout, ni suppositoires ni lavements.

— Mettez-le à jeun : aucun aliment solide !
Mais donnez-lui à boire aussi souvent qu'il le
demandera : *eau de fleur d'oranger*, eau bicarbonatée, *eau sucrée* avec du miel.

— Faites-lui un cataplasme *d'argile verte
épaisse*, froid. Laissez-le deux heures au
moment de la crise.

Quel type de médecin appeler ?

A. — Le *médecin acupuncteur* : En Chine,
cela se soigne aux petites aiguilles, l'opération
n'est pas systématique. L'acupuncteur (qui est
un vrai médecin) essaiera, surtout si l'état
général interdit une opération (voir ce mot).

B. — Le *médecin classique* : Il vous proposera presque toujours une intervention chirurgicale. Cela résout un problème immédiat et
vous enlève une inquiétude pour le futur
(vacances loin de tout secours médical, croi-
sière, etc.). Mais le problème général n'est pas
forcément aussi réglé que vous l'assure le
chirurgien... L'appendice est un petit organe
en forme de ver de terre, sensible à l'infection. Si on ignore encore à quoi il sert, il est
plus que probable qu'il a un rôle protecteur
encore inconnu (au même titre que les amygdales, par exemple, dont on ignorait l'utilité
il y a quelques années).

C. — Le *médecin aromathérapeute, naturopathe, ou phytothérapeute* : Utilisant les antibiotiques naturels que sont les huiles essentielles et les oligo-éléments, il peut éviter l'opération à l'enfant.

TRAITEMENT PRÉVENTIF

On n'y prête pas attention, jusqu'au jour où l'appendice s'infecte et fait mal. Quels sont les causes de cette infection ?

Il y a d'abord une prédisposition naturelle, et héréditaire (pas obligatoire). Une constipation opiniâtre, les infections gastro-intestinales, les corps étrangers dans l'appendice et les vers intestinaux : autant de causes qui peuvent provoquer la crise aiguë.

L'essentiel de la prévention réside dans le *régime alimentaire* : surveiller le foie, et réduire les farineux, les graisses, les viandes, les charcuteries.

Très important : moins manger, ne pas surcharger l'appareil digestif.

Un régime végétarien (avec poissons) évite les crises.

La PERITONITE est une complication grave de l'appendicite. Il est hors de question de la diagnostiquer et de la traiter vous-même. L'opération s'impose.

APPÉTIT (voir ANOREXIE)

ARÊTE DE POISSON
(voir INGESTION DE CORPS ÉTRANGERS)

ARGILE (voir première partie)

AROMATHÉRAPIE (voir première partie)

ASPHYXIE

Manque d'air pouvant entraîner la mort : la respiration ne peut plus se faire, et le cœur s'arrête. Attention, chaque minute compte.

A QUELS SIGNES LA RECONNAITREZ-VOUS ?

L'enfant est pâle, respire difficilement ou ne respire plus, a mal à la tête, mal au cœur, parfois le visage congestionné, qui vire au bleu noir (cyanose).

CAUSES

Mauvais réglage d'un appareil de chauffage (gaz ou charbon) ou mauvais état de votre tuyau à gaz (cuisinière ou chauffe-eau). Aérez toujours une pièce où se trouve un appareil de ce type et ne faites jamais dormir l'enfant la fenêtre fermée.

— *Asphyxie par compression de la cage thoracique* ou le manque d'air : *bébé étouffe* sous son matelas ou sous un oreiller. Pour les plus grands, ce peut être consécutif à un jeu idiot : s'étouffer sous un coussin, se rouler dans un tapis ;

— *Asphyxie par « fausse route »* : le lait, au

lieu de passer dans le tube digestif, s'engage dans la trachée : secouez bébé par les pieds, la tête en bas, jusqu'à ce que lait sorte ;

— *Asphyxie consécutive à une maladie* : croup ou faux croup, coqueluche (voir ces mots) ;

— *Asphyxie par piqûres de guêpes* dans la gorge ou le cou (voir PIQURE).

QUE FAIRE EN URGENCE ?

Mettez l'enfant à l'air, libérez son cou et son thorax de vêtements qui serrent. Appelez immédiatement les pompiers, la gendarmerie, qui fera venir les S.A.M.U., équipes d'urgence ; ou le Centre antipoisons de l'hôpital Fernand-Widal : 205-63-29 (Paris). En attendant, pratiquez la respiration artificielle si vous savez le faire.

COMMENT ÉVITER L'ASPHYXIE ?

Veillez à la bonne aération des pièces où vit bébé. Songez à vérifier deux fois l'an vos cheminées et vos tuyaux à gaz. Faites correctement le lit de bébé et ne le laissez pas seul tant qu'il est petit. Donnez-lui à boire lentement ou arrêtez le biberon du petit glouton qui s'étranglera immanquablement.

Lorsque vos enfants se baignent au bord de la mer, ou dans une piscine, surveillez-les ; soyez très fermes sur les règles de sécurité (pas de bain après les repas, pas de bains sans surveillance, etc.). La noyade est une mort par asphyxie.

ASTHME

Le dictionnaire nous parle de « névrose de l'appareil » respiratoire. On ne saurait mieux dire, car ce dérèglement de l'organisme qui développe sa défense en dépassant son but, n'est pas seulement physique mais confirme un dérèglement névrotique. L'individu tout entier participe à cette maladie : c'est le type même de l'affection psychosomatique.

Généralement héréditaire, liée à un terrain allergique et à un mauvais fonctionnement hépatique, l'asthme est une maladie redoutable par sa chronicité.

A QUELS SIGNES LA RECONNAITREZ-VOUS ?

L'asthme succède à un rhume, avec de pauvres petits yeux larmoyants, et ne fait que remplacer très souvent autre chose : urticaire, crises d'acétone ou d'eczéma.

La crise survient généralement la nuit : l'enfant suffoque par manque d'air, ses lèvres bleuissent, il transpire, tousse... Il a de grandes difficultés à expirer l'air : celui-ci entre, mais à du mal à ressortir. Les poumons comprimés laissent sortir une respiration sifflante, accompagnée de toux. La fièvre n'est guère élevée : 38°.

QUE FAIRE EN URGENCE ?

Si c'est la première fois qu'a lieu la crise, et que vous n'en avez aucune habitude, appelez le médecin. Vous risqueriez de vous affoler, ce qui aggravera l'état de votre petit malade.

En attendant le médecin ou si vous avez

93

l'habitude des crises, aidez l'enfant à les surmonter.

A. — *Par la chaleur et les huiles essentielles :*

Asseyez-le dans son lit, bien calé par des oreillers, dans une ambiance chaude, mais pas surchauffée. Ne le couvrez pas trop.

— Massez-lui le dos, qui vous paraîtra extrêmement contracté et tendu, avec quelques gouttes d'*huile essentielle de romarin, hysope, ail, pin...*

— Faites-lui un cataplasme humide, le plus chaud possible, imbibé d'une *infusion* des plantes ci-dessus (ou quelques gouttes d'huile essentielle de celles-ci dans un bol d'eau bouillante).

— Plongez les petits pieds dans de l'*eau bien chaude* (mais pas brûlante) additionnée, selon les bons vieux préceptes de Kneipp, d'une poignée de *gros sel marin,* et d'une autre de *cendres de bois.*

B. — *Quelques vieux trucs efficaces, au choix :*

— Une *tasse de café noir,* fort et bien glacé, à boire.

— Quelques gouttes de *teinture d'ail* sur un sucre, à sucer.

— Inhalation : chauffez quelques cuillerées d'*alcool à 90°,* mettez dedans 4 ou 5 gouttes d'*essence de menthe,* à respirer.

Le médecin classique, qui ignore les vertus des médecines naturelles, proposera une piqûre à base de théophylline ou de corticoïdes : étant donné le danger de ces produits, mieux vaut éviter. De toute façon, l'enfant ne meurt pas d'une crise d'asthme.

TRAITEMENT DE FOND

Le traitement classique repose sur la recherche minutieuse de l'agent responsable, ou allergène, qui, malheureusement, peut varier à l'infini (poussières, odeurs, médicaments, tissus, etc.). Cet allergène enfin démasqué, il faudra procéder à une longue période de désensibilisation, laquelle se fait par piqûres (c'est horriblement long, et les enfants ont horreur de ça !).

D'autre part, durant la période où l'on fait les recherches, on risque de vous sensibiliser à un autre allergène (sans compter les phénomènes d'allergie croisée, qu'on connaît encore très mal).

Ne prenez pas ces risques, n'imposez pas à l'enfant un traitement pénible et long, voyez plutôt les médecines naturelles (au choix l'une ou l'autre).

A. — *Les plantes :*

Tisanes :

Infusion de thym ;

Infusion de *lierre terrestre* (*Glechoma hederacea*) : 10 g de plantes sèches par litre d'eau ; infuser dix minutes ;

Infusion de *lavande* (*Lavandula officinalis*), une cuiller à dessert de fleur par tasse d'eau ;

Infusion de *romarin* (*idem*) ;

Tisane antispasmodique : ajouter une demi-cuiller à café de *fenouil* moulu à un quart de litre de lait (*Foeniculum dulce*) ;

Ou un mélange d'*ache* (*Apium graveolens*), de *bardane* (*Lappa major*), de *chiendent* (*Agropyrum repens*), d'*aunée* (*Inula helenium*), de feuilles de *capillaire* (*Adiantum capillus veneris*), de *marrube* blanc (*Marrubium*), d'*hysope* (*Hysopus*), de *fenouil* (*Foeniculum dulce*) ;

Infusion de *mauve* (*Malva officinalis*), 15 g par tasse d'eau bouillante.

B. — *L'homéopathie :*

En attendant le traitement de fond du médecin homéopathe :

Chamomilla 5 CH, Sambucus nigra 4 CH Ipeca 4 CH, Belladona 4 CH : 2 granules de chacun en alternance.

C. — *L'acupuncture :*

Très efficace dans cette affection allergique et nerveuse. Votre acupuncteur piquera l'enfant soit à des points du corps soit, s'il connaît l'auriculothérapie, au pourtour de l'oreille où il existe des localisations bien précises relatives aux phénomènes allergiques.

D. — *L'argile :*

Mettez à l'enfant un cataplasme d'*argile verte* sur le foie et l'estomac, tous les soirs avant de se coucher. Le cataplasme partira dans la nuit, une fois durci, cela n'a pas d'importance (ne tache pas les draps, bien au contraire, l'argile verte est un détachant naturel !).

A boire, également, une cuiller à café d'argile tous les matins dans un verre d'eau, pendant une semaine.

E. — *La gemmothérapie :*

Ce traitement par les bourgeons de plantes peut également soulager :

Ribes nigrum DI, 10 gouttes tous les jours ;

Viburnum lantana DI (*idem*) ;

Rosa canina, 40 gouttes tous les jours.

F. — *La psychothérapie* est très efficace, l'asthme étant une maladie des plus psychosomatiques.

G. — *Traitement par le régime alimentaire :*

L'asthme peut aussi avoir une origine alimentaire chez les enfants.

Une modification de régime pourra mener à la guérison.

Supprimez thé, chocolat, café, pain blanc, viandes grasses, etc.

Insistez sur les jus de fruits, les bouillons de légumes, les compotes, le miel, le pain complet, les aromates et tous les fruits.

H. — *Traitement par les cures thermales :*
Un séjour en montagne est souvent recommandé (1 000 m).

Stations climatiques spécialisées : La Bourboule, Le Mont-Dore, etc.

NE FAITES JAMAIS VACCINER UN ENFANT QUI A DE L'ASTHME : les réactions peuvent être violentes, inattendues et désastreuses.

ASTIGMATISME (voir YEUX)

AURICULOTHÉRAPIE (voir première partie)

AUTISME

L'enfant autiste ne parle pas. Il est complètement replié sur lui-même, fermé comme une coquille sur sa vie intérieure très intense.

Il ne communique pas avec autrui : il est incapable de s'insérer dans un groupe, et complètement détaché de la vie extérieure.

C'est une névrose grave, due soit à l'hérédité, soit à une psychose familiale, soit à l'abandon de l'enfant quand il était petit. Il faut le confier à un spécialiste (voir les travaux de Maud Mannoni).

Un conseil : donnez un *animal* à l'enfant. L'amitié de cette petite boule de poils ou de plumes l'aidera à communiquer avec le monde extérieur.

B

BAIN (voir première partie)

BAINS DE MER

Depuis que l'impératrice Eugénie les a mis à la mode au siècle dernier, on n'imagine plus comment on a pu s'en passer !

Quelques *précautions* pourtant :

— Pas de bains sur une digestion (on compte deux heures environ).

— Gare à l'hydrocution, coup de froid qui étourdit l'enfant... Celui-ci perd pied, à la suite d'un malaise, ou il perd ses moyens.

— Attention aux mers polluées, tellement chargées de déchets, de vieux mégots, bouteilles en plastique, immondices et épluchures que ce n'est plus de l'eau, mais une bouillie de microbes. Il y a bien des plages dangereuses. Reportez-vous aux articles qui ont été écrits là-dessus par les revues *Que choisir*, *Le Sauvage*, etc. Si vous vous baignez n'importe où, votre enfant se réveillera avec une hépatite, une sinusite, une otite, une conjonctivite, une colibacillose, etc.

— Attention aux OURSINS, POISSONS VENIMEUX, MÉDUSES, etc. (voir ces mots).

— Ne laissez JAMAIS l'enfant se baigner tout seul.

— Quelques dangers, particuliers à certaines plages :

Les *requins* (timides et rarissimes en France, mais les dents de la mer sévissent sur certaines plages de Méditerranée orientale, sur les côtes du Maroc, etc.). Renseignez-vous.

Les *lames de fond* : lames très violentes qui peuvent emporter l'enfant.

Les *plages en pente brusque* : l'enfant perd pied subitement (trous d'eau).

Les *marées* : enfant imprudent qui se retrouve tout seul sur son rocher entouré d'eau, tandis que la mer monte... Achetez un annuaire des marées !

Les *sables mouvants* (baie du Mont-Saint-Michel par exemple). Le danger mortel d'enlisement peut être évité si l'on se renseigne auprès des gens du pays, pour éviter les « lises », ou sables mous.

En vacances au bord de la mer, emportez *le Petit Guide des rivages* (éditions de Fleurus).

BAINS DE SOLEIL (voir INSOLATION)

B.C.G. (voir TUBERCULOSE et VACCINATION)

BEC-DE-LIÈVRE

Malformation congénitale de la bouche. Elle est visible dès la naissance : ne vous culpabilisez pas et ne vous désespérez pas non plus. Cela se guérit très bien.

A QUELS SIGNES LE RECONNAITREZ-VOUS ?

La lèvre supérieure et parfois le palais sont fendus. L'enfant tète avec difficulté (lui donner à boire à la petite cuiller). Plus tard, il aura du mal à parler.

TRAITEMENT

Essentiellement chirurgical, il donne d'excellents résultats. Consultez suffisamment tôt pour que le chirurgien vous fixe la date optimale de l'intervention et que vous ayez le temps de vous y préparer (voir OPÉRATIONS).

BÉCÉGITE

Les autres livres de vulgarisation médicale n'en parlent pas.
Nous, nous osons.

La bécégite, plus fréquente qu'on ne le croit, est une réaction consécutive à une vaccination par le B.C.G.

A QUOI LA RECONNAITREZ-VOUS ?

Abcès froid (ne suppure pas) ou abcès qui suppure à l'endroit où l'enfant a été vacciné. Celui-ci se sent, et se dit, très fatigué, manque d'appétit et d'entrain. Il peut même avoir de la fièvre.

Il se traîne d'angine en angine, de rhume en bronchite, et maigrit.

TRAITEMENT

L'*homéopathe* le sortira de là : *Tuberculinum 7 CH*, 1 dose.

Dilution homéopathique de *B.C.G.*, 1 dose.

Drosera rotundifolia 7 CH, 1 dose (méthode du Dr Chavanon).

Thuya 7 CH, 1 dose (permet l'élimination des toxines).

Traitement local par les plantes, voyez ABCÈS.

L'acupuncteur pourra aider à redresser le terrain, si la vaccination a déclenché chez l'enfant un état chronique (infections O.R.L.).

Homéopathe et acupuncteur conseilleront des cures thermales et en montagne.

TRAITEMENT PRÉVENTIF

Abstenez-vous du B.C.G. surtout pour les enfants de type « tuberculinique » : fragiles de la gorge et des bronches, terrains allergiques (asthmatiques, eczémateux, etc.) (voir VACCINATION).

BÉGAIEMENT

Cela n'a pas empêché Démosthène et Jouvet de passer à la postérité... Pour le premier, personne n'a pu vérifier, mais pour le second, nous savons où ça l'a mené !

QUE REMARQUEZ-VOUS, ET QUAND ?

Ce trouble de la parole n'apparaîtra pas avant trois ans, âge où l'enfant s'exprime parfaitement. Avant trois ans, ce ne sont que des lacunes dans l'apprentissage du langage.

L'enfant bute, trébuche sur les mots, redouble les syllabes sans pouvoir aller plus loin. Pourtant, il fait un gros effort pour aller jusqu'au bout de sa phrase. Ne vouvous dédédésespépérez papapas !

Cela passe presque toujours, si c'est bien soigné.

LES CAUSES DU BÉGAIEMENT

Il n'y a aucune altération physique des organes de la parole. Mais l'hérédité, un tempérament émotif, une atmosphère d'anxiété et de tension autour de l'enfant, souvent un défaut de « latéralisation » (gaucher contrarié) amènent l'enfant à hésiter sur les syllabes.

TRAITEMENT

— *Rééducation* de la parole par un spécialiste, qui réapprendra à l'enfant à bien respirer.

— *Psychothérapie :*
Lui apprendre à chanter pour lui donner confiance en lui (les bègues ne bégaient pas en chantant !).
— L'inscrire à un groupe de théâtre ou d'expression corporelle.
— Punir les méchantes moqueries des autres. Ne pas les tolérer.
— Les bègues sont timides et manquent de confiance en eux : ne soyez pas oppressif, mais au contraire très souple et tolérant.

BILLES
(voir INGESTION DE CORPS ÉTRANGERS)

BIOLOGIQUE (voir ALIMENTATION)

BLESSURES, ÉCORCHURES, COUPURES, PLAIES OUVERTES

Elles sont l'apanage de l'enfance et leur guérison du ressort de toutes les mères ! En elles-mêmes, la plupart des blessures ne sont pas graves, mais il faut éviter qu'elles ne s'infectent.

QUE FAIRE EN URGENCE ?

A. — *Séchez les larmes :* Il faut toujours et d'abord consoler.

106

B. — *Faites saigner* : En appuyant au besoin sur la blessure, le sang entraînant les saletés au-dehors.

C. — *Nettoyez* : L'*alcool*. Cela pique, mais c'est radical. A défaut, *eau bouillie très salée (sel marin)*, une cuiller à soupe par quart de litre d'eau. Arrosez aussi de *jus de citron* : désinfectant et hémostatique, si le sang ne s'arrête pas de couler.

— Attention au tétanos : si l'objet qui a provoqué la plaie est sale ou rouillé ou s'il s'agit d'une épine de rose, vérifiez les dates de vaccinations antitétaniques. Si celles-ci ont été oubliées, faites faire un sérum antitétanique.

D. — *Pansez* : La nature a bien fait les choses qui met à votre disposition un lot important de plantes vulnéraires. Au choix et suivant la région et la saison :

— *Cataplasme d'oignon haché* : Appliquez sur la plaie de l'*oignon* frais que vous aurez finement écrasé. A maintenir par une compresse. Renouvelez.

— *Cataplasme de pâquerettes (Bellis perennis)* : Cueillez, hachez au hachoir et appliquez sur la plaie. Cela donnera une cicatrice bien lisse et d'aspect propre et rose.

— *Cataplasme de feuilles de plantain (Plantago)* ou de *Millepertuis (Hypericum perforatum)*. Voir procédé ci-dessus.

— Vous aurez également recours à un excellent produit d'hygiène, le *Dermatol* [1], mélange d'huiles essentielles, ou au *Tégarome* [2], excellents cicatrisants.

---

1. Dermatol : Laboratoires d'aromatologie appliquée, 15, rue du Panorama, 95370 Montigny-lès-Cormeilles.
2. Tégarome : Laboratoires marins, B.P. 23, 45300 Pithiviers.

Vous pourrez également utiliser les propriétés antiseptiques et cicatrisantes de l'*argile*. Faites un emplâtre d'*argile verte* achetée en pharmacie que vous placerez directement sur la plaie. Renouvelez-le jusqu'à guérison. Ne vous inquiétez pas de l'aspect « vilain » de la blessure. Cela n'a pas d'importance. Au contraire, la cicatrisation n'en sera que plus rapide et esthétique.

E. — *Aidez à cicatriser* : On peut aider la nature à se refaire une beauté.

Cataplasme d'*argile blanche*, que vous laisserez deux heures en place.

Compresses à l'*eau de mer* (si vous trouvez une eau de mer non polluée).

Compresses de *jus d'ortie (Urtica urens)*. Cueillez des orties et faites-les passer eu presse-légumes Braun multipresse.

L'huile de *lavande* et l'huile de *millepertuis (Oleu rougé)* sont cicatrisantes.

F. — *Soulagez la douleur* : la plupart des plantes citées ci-dessus (pâquerettes, oignon, plantain, millepertuis) soulagent la douleur.

Donnez de l'*arnica* par voie interne (3 granules d'*Arnica 4 CH* homéopathique).

TROUSSE D'URGENCE DANS VOTRE ARMOIRE A PHARMACIE

Mieux que le mercurochrome :
— Un tube d'*Homéoplasmine* (pommade homéopathique).
— Le *Dermatol* cité plus haut.
— Le *Tégarome*.
— *Huile rouge*, ou huile de millepertuis. Dans un litre d'huile d'olive, laissez mariner quatre jours 500 g de fleurs fraîches de millepertuis, toutes jaunes. Ajoutez un bon demi-litre de vin blanc de

qualité. Après quatre jours, faites bouillir le tout, au bain-marie, jusqu'à ce que le vin s'évapore. Filtrez, et mettez en bouteille : l'huile est rouge !

BLEUS (voir COUPS)

BOULIMIE

Le Petit Poucet s'est transformé en Ogre... Il mange, mange, mange, redemande toujours un « rab » de nouilles, visite à fond le réfrigérateur et termine le goûter des autres !

POURQUOI MANGE-T-IL TANT ?

S'il vient d'être malade, c'est normal, il récupère.

S'il a toujours faim, et maigrit pourtant, c'est peut-être le VER SOLITAIRE (voir ce mot). S'il a des cauchemars, se gratte, a les yeux cernés, ce sont peut-être d'autres vers (voir VERS).

Attention, il a peut-être du DIABÈTE, ou une insuffisance hépatique (voir FOIE).

Enfin, il y a certainement un aspect affectif : l'enfant mange pour s'occuper, pour se consoler, se désangoisser. Si cette boulimie le fait grossir exagérément, voir OBÉSITÉ.

BOUTONS

Entre la pustule, la vésicule, la papule, la macule et l'animalcule... vous naviguez dans la brume. Voici un petit aide-mémoire pour vous aider à prendre le bon cap.

S'IL Y A DE LA FIÈVRE

— Tout petits points roses ou rouges, en plaques. Commencent par la figure, (votre enfant a l'air d'une fraise des bois) et couvrent ensuite le corps. Fièvre, rhume de cerveau, yeux assortis à la fraise et larmoyants. La toux ne fait qu'augmenter. L'enfant ne se gratte pas (voir ROUGEOLE).

— Même scénario, avec moins de fièvre, pas de rhume de cerveau, et pas d'yeux rouges mais, parfois, des glandes (ou ganglions) (voir RUBÉOLE).

— Sales petits boutons vésiculeux, qui se transforment en cloques pleines de liquide jaune. Quand ils crèvent, il se forme une croûte sur le dessus. L'invasion commence bille en tête, puis descend sur le reste du corps. Ils mûrissent et crèvent les uns après les autres, dans l'anarchie, d'où l'affreux tableau d'un pauvre enfant couvert à la fois de vésicules rouges, de cloques roses et de croûtes jaunes ! (voir VARICELLE).

— Tout petits boutons rouges, groupés en peu sympathiques tribus sur l'emplacement du caleçon, ainsi qu'au creux des genoux et des coudes. Fièvre et mal à la gorge (celui-ci, facultatif) (voir SCARLATINE).

— Affreuse plaque rouge sur la figure, espèce de

bouton géant (chez l'enfant sur la figure, chez le nourrisson au nombril). Les bords de la plaque sont enflés (voir ÉRYSIPÈLE).

— Plaques boutonnantes, rouges et bleues, douloureuses, avec fièvre et courbatures apparaissant sur le devant des tibias (voir ÉRYTHÈME NOUEUX).

AVEC OU SANS FIÈVRE

— Un gros bouton tout seul comme un grand, qui commence par une enflure rouge (voir ABCÈS, FURONCLE, ANTHRAX, CLOU).

— Plaques rouges (avec ou sans petits boutons) (voir ÉRYTHÈME SOLAIRE).

Lorsque le coup de soleil a été très fort, il y a fièvre. Lorsqu'il fait très chaud, les bébés ont souvent des « boutons de chaleur » sur le cou et les épaules qui ne les dérangent pas beaucoup et passent tout seuls. Les boutons de chaleur sont roses, entourés de rouge. Il y a parfois de petites cloques. C'est dû à une intolérance du foie. Donnez une cuillerée d'argile verte en poudre dans le biberon et mettez l'enfant à l'ombre. Donnez-lui un bain supplémentaire (voir CHALEUR).

S'IL N'Y A PAS DE FIÈVRE

Pensez aux piqûres d'insecte : moustiques, puces, guêpes (voir PIQURES).

La malheureuse victime se gratte furieusement. Les piqûres de moustiques donnent des boutons isolés, ou groupés par trois ou quatre... aux endroits où la peau est exposée à l'air (visage, tête, bras et jambes, voire plante des pieds, les monstres !). En général, le coupable n'est pas loin, et se voit. Les puces, c'est moins facile à voir sauter. Quelquefois, on ne les voit pas du tout ; elles affectionnent au contraire les petits coins de peau chauds et doux à l'abri sous les vêtements. On repère le trajet de la puce en suivant les boutons, assez rouges et très grattants...

LES DERMATOSES

La plupart des boutons sans fièvre appartiennent à la triste catégorie des « dermatoses », maladies de peau d'origine plus ou moins allergique (à de rares exceptions près). Dites encore « maladies de civilisation », comme le cancer ou l'infarctus, elles touchent de plus en plus de gens — et d'enfants — sans qu'on sache exactement pourquoi (voir ALLER-GIE).

Elles seraient dues à la pollution, aux intoxications qui en dérivent (oxyde de carbone, tabac, alimentation et médicaments chimiques, etc.).

— Minuscules boutons ou points apparaissant brusquement en plaques rouges et roses, démangeant atrocement (voir URTICAIRE).

— Gros boutons isolés sur les lèvres, les narines, les organes génitaux (parfois plusieurs boutons, histoire de se tenir compagnie...). Ce sont des vésicules, c'est-à-dire qu'ils sont remplis de liquide incolore (voir HERPÈS).

— Petites vésicules alignées en famille le long du trajet d'un nerf, sur les côtes, le thorax en général. Très douloureux (voir ZONA).

— Plaques de tout petits boutons suintants, particulièrement peu appétissants. Produisent un liquide, clair ou épais, et forment parfois des croûtes. Démangent souvent (voir ECZÉMA).

— Mélange de boutons, de plaques, de traînées rouges en sillon, tout pour plaire, en somme : voyez l'horrible GALE. Et ça gratte horriblement !

TRAITEMENT GÉNÉRAL VALABLE
POUR TOUS LES BOUTONS

— Ne prenez pas l'initiative de mettre n'importe quelle pommade sur n'importe quel bouton. Il faut laisser le bouton à l'air libre, ne pas boucher la peau, qui est ici la porte de sortie des toxines.

— Ne percez aucun bouton, faites-le plutôt mûrir. Mettez de temps en temps dessus des cataplasmes d'*argile verte*, de *chou écrasé*, d'*oignon haché*, qui ont le mérite d'être antiseptiques, antidouleur et cicatrisants.

BOUTONS DE VÊTEMENTS
(voir INGESTION DE CORPS ÉTRANGERS)

BRONCHITE

Un simple rhume qui tombe sur la poitrine, une angine mal soignée, une toux négligée, peuvent se transformer en bronchite, ainsi qu'une rougeole, ou une grippe. Ne comptez pas sur les antibiotiques classiques qui transforment la bronchite occasionnelle en bronchite chronique.

Une bronchite est une inflammation des bronches. Elle peut être plus ou moins grave selon l'âge (en particulier chez les tout-petits). Ne la laissez pas dégénérer en broncho-pneumonie (voir ce mot).

A QUOI LA RECONNAITREZ-VOUS ?

Le petit malade est fatigué, il n'a pas faim, il a les yeux brillants. La fièvre n'est pas très élevée (38°), mais l'enfant tousse à n'en plus finir. Toutes les sortes de toux se retrouvent dans cette maladie : grasse, rauque, sèche, déchirante, en quintes atroces. La respiration est parfois sifflante, l'enfant a la peau sèche et chaude, il se plaint d'avoir mal dans la poitrine. Suivant le cas, il est agité ou abattu.

QUE FAIRE EN URGENCE ?
(au choix, combinez 3 ou 4 traitements)

A. — *Par le sel* : Si l'enfant est assez grand, faites-le se gargariser à l'eau chaude (pas trop) salée au *gros sel marin gris*. S'il ne veut pas, ne le forcez pas, mais donnez-lui des bains de pieds chauds salés.

B. — *Par la chaleur* : Mettez le malade au chaud, au lit, assis avec quelques jouets ou livres. Evitez les courants d'air. Mettez-lui dans le dos une *bouillotte* (ou bouteille) remplie d'eau chaude : il faut le faire transpirer. Ne lésinez pas sur les boissons chaudes (voir plus loin INFUSIONS). Cette histoire de chaleur est ici très importante.

C. — *Par l'argile* : Délayez l'*argile verte* dans de l'eau chaude, et appliquez cette pâte en cataplasme sur le dos et la poitrine, à la hauteur des bronches. Maintenez-la avec une serviette chaude. Laissez une demi-heure. Si la fièvre monte, le cataplasme sur le bas-ventre est efficace.

D. — *Par les oligo-éléments* : Pour lutter

contre l'infection : une ampoule de *cuivre* chaque jour à jeun.

E. — *Par l'homéopathie :* Celle-ci est indispensable pour empêcher la broncho-pneumonie :

Phosporus triodatus 4 CH ; Ferrum phosphoricum 4 CH ; Eupatorium tartaricum 4 CH, 2 granules en alternance toutes les heures.

Si la toux est sèche : *Chamomilla 4 CH*, 2 granules toutes les deux heures.

Si la toux est nocturne : *Hyosciamus 5 CH*, 2 granules toutes les deux heures.

F. — *Par le régime :* Mettre l'enfant à la diète.

Boissons : jus de fruits frais et biologiques (*citrons, oranges, cassis, myrtilles, framboises...*) et de légumes (*carottes*, qui ont des vertus « pectorales »), *radis noir* (mélangé à du miel, il désépaissit les glaires).

A boire : infusions des plantes ci-dessous :

G. — *Par les plantes :*

Thym (Thymus) ; *romarin (Rosmarinus officinalis), géranium rosat (Pelargonium odorantissimum), plantain (Plantago), prêle (Equisetum arvense)*. Les prendre en mélange ou une par une, en infusion. Le dosage importe peu, parce que ces plantes ne sont pas dangereuses. Elles ont des propriétés antibiotiques (surtout thym et romarin).

Le *chou* peut se boire en tisane aussi : décoction de 60 g cuits dans un demi-litre d'eau, pendant un quart d'heure. Sucrez au miel.

Les *inhalations* sont extrêmement efficaces. Achetez en pharmacie un mélange d'huiles essentielles naturelles pour inhalations. Ou mieux, faites-la vous-même en mettant quelques gouttes d'huile essentielle naturelle dans un bol d'eau bouillante (voir comment faire à CORYZA).

Un *sinapisme* peut aider beaucoup : *farine de lin ou de moutarde* à appliquer en pâte chaude sur le dos et la poitrine (à acheter chez n'importe quel pharmacien... et suivre le mode d'emploi !).

Enfin, frictions à l'*alcool camphré* (si le camphre est naturel) ou à l'*essence de térébenthine* (à condition, *idem*, que la térébenthine ne soit pas synthétique). Enfin, merveille exotique que vous pouvez acheter dans les magasins et bazars de produits importés d'Orient : le *baume du Tigre* (essentiellement fait à base de camphrier). Attention aux peaux fragiles, c'est un révulsif très fort !

Désinfection de la chambre : mettez dans l'eau des saturateurs de l'*essence d'eucalyptus ou de lavande*. Si vous n'avez pas de saturateurs, quelques gouttes sur les ampoules électriques allumées feront le même effet.

TRAITEMENT DE FOND
(POUR LES BRONCHITES CHRONIQUES)
ET TRAITEMENT PRÉVENTIF

A. — *Cures de chlorure de magnésium :* Extrêmement efficace, mais malheureusement il a un goût très amer. Vous pouvez le donner à l'enfant sous forme de pilules de *magnésium* enrobé dans des pastilles (dans les pharmacies). Mieux vaudrait le préparer ainsi : 20 g par litre d'eau, en boire à petits verres toutes les six heures. Bien sucrer pour atténue le goût amer. Contre indication : mauvais fonctionnement des reins.

B. — *Cures thermales* : En principe, trois ans de suite (Cauterets, Amélie-les-Bains, Luchon, La Bourboule...). Les stations pyrénéennes ont l'avantage d'un climat plus doux et ensoleillé (*eaux sulfureuses*).

C. — *Oligo-éléments* : *Cuivre, manganèse-cuivre* (une ampoule tous les jours ou tous les deux jours, pendant deux ou trois mois).

D. — *Homéopathie* : Traitement de fond personnalisé, adapté à chaque enfant, et donné par l'homéopathe en début d'hiver, à la rentrée scolaire.

— *Pas de B.C.G.* sur des enfants sensibles des bronches et sujets aux angines. Un de nos enfants a souffert pendant trois ans de bronchite et d'angines chroniques à la suite d'un B.C.G. mal supporté. Le cas est fréquent.

BRONCHO-PNEUMONIE (voir POUMONS)

BRULURES

Au début du siècle, on racontait aux petits enfants de langue allemande la « très triste histoire de Pauline aux allumettes ». Restée seule à la maison, Paulinchen avait mis le feu à sa robe... Et la dernière image montrait deux chats, Minz et Maunz, pleurant sur un petit tas de cendres, tout ce qui restait de la jeune Pauline... (Dans les célèbres histoires du Struwwelpeter.)

Sans aller jusque-là, votre enfant jouera sûrement un jour ou l'autre avec les allumettes, c'est inévitable... Et tout peut arriver !

117

QUE FAIRE EN URGENCE ?

De façon générale, pour toutes les brûlures, quel qu'en soit le degré : appliquez immédiatement dessus une *épaisse couche d'argile verte,* soit en tube (utilisation très facile et rapide), soit de l'argile verte « concassée » que vous aurez mélangée à de l'eau pure (bouillie, ou eau minérale en bouteille) jusqu'à en faire une pâte facile à étaler sur la brûlure.

Lorsque ce cataplasme d'argile est sec, rincez-le doucement à l'eau bouillie, et renouvelez-le (toutes les deux heures environ).

Résultats miraculeux : suppression de la douleur, désinfection par l'argile, cicatrisation rapide.

Autres méthodes :

A. — *Brûlures au premier degré,* sans cloques ni vésicules, uniquement une rougeur très douloureuse. Au choix, selon ce que vous aurez sous la main :

— Appliquez des *glaçons* sur la brûlure, ou trempez-la dans l'*eau glacée* : soulagement immédiat.

— Posez dessus un cataplasme : soit de *pomme de terre crue râpée,* soit de fleurs de *souci (Calendula)* pilées ou écrasées au rouleau, ou encore une feuille de *chou* écrasée, ou des feuilles de *plantain (Plantago).*

— Compresses de *Dermatol* (1 cuillerée à café pour 1 tasse d'eau tiède).

B. — *Brûlures avec cloques ou vésicules pleines de liquide :*

— Ne crevez pas les ampoules.

— Cataplasme au *miel,* ou au *blanc d'œuf battu.*

— Pansement avec des pommades homéopathiques : *Homéoplasmine* et *Boribel.*

Donnez à l'enfant, à sucer, 2 granules toutes les heures de *Cantharis 4 CH.*

La cloque s'ouvrira : soignez-la comme une BLESSURE (voir ce mot).

C. — *Brûlures très graves :*
C'est-à-dire étendue sur une large partie du corps. Ce n'est pas une question de profondeur de la brûlure, mais de surface de peau brûlée : lorsqu'un dixième de celle-ci est endommagée, l'état est grave, c'est-à-dire que le malade risque de mourir par asphyxie (la peau étant un organe respiratoire).

Appelez les pompiers qui savent ce qu'il faut faire, ou la gendarmerie qui fera venir les S.A.M.U. (réanimation d'urgence).

Ne déshabillez pas vous-même l'enfant, vous risqueriez de le blesser davantage.

En attendant l'hospitalisation, *donnez à boire (eau citronnée, thé chaud et salé).*

Traitement interne homéopathique :
Apis mellifica 4 CH, Urtica urens 4 CH, Biothérapique pyrogénium 5 CH, Cantharis 4 CH, Rhus toxicodendron 5 CH, Echinacea 4 CH. Donnez à l'enfant 2 granules de chaque médicament, l'un après l'autre, tous les quarts d'heure.

D. — *Brûlures par produits chimiques :*
— Brûlure causée par un acide (chlorhydrique, par exemple) : 2 cuillers à soupe de carbonate de soude (« cristaux ») ou de bicarbonate de sodium dans deux litres d'eau, et laver la brûlure.

— Brûlure causée par la chaux vive : eau sucrée ou huile comestible, à mettre sur la peau.

— Brûlure causée par un alcali (eau de Javel, ammoniaque, potasse, soude...) : vinaigre en compresses, coupé à moitié d'eau (même usage externe).

TRAITEMENT PRÉVENTIF (à lire absolument)

— N'habillez pas vos enfants dans du nylon et autres tissus synthétiques. Habillez-les seulement de laine, lin, vrai cuir, coton. Les fibres naturelles se consument mal, ou lentement, tandis que les textiles synthétiques flambent en quelques secondes, transformant l'enfant en torche vivante (cas que nous avons connus). Méfiez-vous particulièrement des tabliers de classe trop brillants. Éventuellement, décousez une poche, et faites-la flamber, pour voir si le tissu se consume vite ou non. Dans les brûlures, quelques secondes comptent entre la vie et la mort. Dans les accidents d'avion, et les incendies les plus récents et les mieux étudiés par les experts, on a constaté que les gens succombaient d'asphyxie aux émanations de plastique et de nylon fondu. Mettez plutôt aux enfants des bas de laine, que des collants nylon : pas de sous-pulls en nylon non plus, des bottes en cuir ou en toile.

— Enfin, cachez les allumettes.

— Ne laissez pas le jeune enfant tout seul dans la cuisine lorsqu'il y a quelque chose sur le feu.

— Ne posez jamais les casseroles pleines sur le fourneau, la queue à l'extérieur : l'enfant cherche à les attraper, et se renverse la soupe bouillante sur le bras : c'est classique.

— Cachez tous les détergents et les médicaments dans une armoire hors de sa portée (Javel, lessive, acide chlorhydrique, débouche-W.C., etc.). Le mieux est encore de n'avoir que très peu de ces produits...

C

CANCER
CATAPLASME
CAUCHEMARS
CHALEURS
CHATS
CHEVEUX
CHIENS
CHOLÉRA INFANTILE
CHROMOTHÉRAPIE
CLOU
CLOUS DE FER
CŒUR
COLÈRE
COLIBACILLOSE
COLIQUE
COLITE
COMPRESSES
CONGESTIONS PULMONAIRES
CONJONCTIVITE
CONSTIPATION
CONTAGION
CONTUSION
CONVULSIONS
COQUELUCHE
CORPS ÉTRANGERS

CORYZA
COUPS (ECCHYMOSES, TRAUMATISMES, CONTUSIONS)
COUPS DE SOLEIL,
COUPURES,
COXALGIE,
CREVASSES,
CROISSANCE,
CROUP ET FAUX-CROUP,
CROUTES DE LAIT,
CYSTITE

CANCER

Peste de notre temps, il serait plus logique de parler des « maladies cancéreuses », tant il revêt de formes variées. Tous nos organes ne sont-ils pas susceptibles un jour ou l'autre d'en être atteints ? Tous nos enfants seraient-ils des cancéreux en puissance ? Sans être pessimistes à outrance, nous pensons que le problème concerne chacun de nous. (Et plus que par notre simple participation à une quête sur la voie publique !) Nous souhaitons tous, dans ce domaine, une information claire et mise à jour.

Existe-t-il des tests de dépistage précoce du cancer ?

Où en est-on du point de vue de la prévention ?

Y a-t-il des traitements spécifiques des divers cancers ? Et guérissent-ils ?

Nous nous posons tous ces questions — qui restent pour la plupart sans réponse (sauf en ce qui concerne le traitement « officiel », radiothérapique, chimiothérapique et chirurgical).

Peut-être alors notre demande n'est-elle pas assez précise. Lorsqu'un de nos enfants présente l'une ou l'autre forme de cancer, nous serions en droit, parents, d'être tenus au courant de toutes les techniques disponibles pour venir à bout de la maladie. Car sinon, que de tergiversations, d'inquiétudes, de temps perdu ! Nous voilà sans défense face au corps médical dont nous mettons pour une fois en doute les compétences.

Il serait souhaitable :

1. — De savoir exactement ce qu'il en est : forme de la maladie, probabilités d'évolution, déroulement des diverses phases du traitement.

2. — De pouvoir calmement discuter ce traitement et de ne pas s'entendre traiter de criminel si l'on refuse telle ou telle intervention (heureusement, un médecin homéopathe ou naturopathe n'aura pas l'optique oppressive du médecin officiel).

3. — De faire participer l'enfant à son traitement : sans lui révéler toute la gravité de son mal, lui faire comprendre tout de même que c'est grave et qu'il peut par sa volonté de vivre, son équilibre moral maintenu, participer à sa guérison.

QUE SE PASSE-T-IL POUR QUE LE CANCER AIT PRIS UNE TELLE EXTENSION ?

Maladie réservée aux vieillards, il n'épargne aujourd'hui ni adultes ni enfants. Il résulte d'une lutte souvent inégale d'un organisme qui réagit avec des défenses amoindries contre des forces extérieures pathogènes. Celles-ci, de plus en plus nombreuses, étaient presque inconnues il y a quelques années, et même insoupçonnées. Par exemple :

— Air ambiant pollué (fumées, gaz, mazout, goudrons) ;

— Eau de plus en plus impure et dénaturée (détergents, déchets de l'industrie) ;

— Sols vidés de leur teneur en oligo-éléments (magnésium essentiellement), produisant une agriculture dénaturée (engrais chimiques, pesticides, fongicides) ;

— Aliments trafiqués par la course effrénée à la production (pesticides, colorants, conservateurs, antibiotiques).

Il faudrait très tôt pouvoir dépister l' « état cancérinique », c'est-à-dire cette propension à développer un jour ou l'autre un cancer. Certains tests non classiques existent, qui peuvent donner de précieuses indications.

QUAND ET COMMENT POUVONS-NOUS RECONNAITRE UN CANCER ?

— Chez l'enfant on n'y pense guère et le cancer est souvent pris pour autre chose : ganglion lymphatique, douleurs musculaires aiguës, fatigue due à la croissance, constipation, fièvre chronique, etc. Les parents en tout cas ne posent jamais ce genre de diagnostic... refusant d'envisager cette affection si grave et si inquiétante.

— Souvent il n'y a aucune douleur apparente, ce qui retarde l'intervention du médecin et la mise en place du traitement. Il faut également savoir que la tumeur n'est décelable qu'au stade où elle pèse 1 gramme et mesure 1 centimètre de diamètre. Pour en arriver là, il lui a fallu trois à cinq ans d'existence.

— Ou encore les manifestations sont brutales : douleurs aiguës dans une articulation, au ventre, état général perturbé, accidents cutanés, hématomes ou petites taches rouges à la surface de la peau, hémorragies externes (gingivites et saignements de nez), pâleur très anormale, signe d'un état anémique avancé, tumeurs abdominales (cancer du rein), ganglions anormaux.

QU'AVONS-NOUS A NOTRE PORTÉE POUR AIDER NOTRE ENFANT A SE DÉFENDRE ?

Nous savons peu de chose quant à l'*origine* du cancer (héréditaire, acquise), et son *développement* (la cellule maligne existe-t-elle d'emblée et n'attend-elle que le moment favorable pour entreprendre sa progression dramatiquement géométrique ?).

Nous sommes mal informés du *traitement* de la maladie (appliquera-t-on la meilleure technique ?). Cependant, outre les moyens que nous proposera la médecine officielle, nous pouvons agir à la fois préventivement et curativement.

A. — *L'eugénisme prénatal* (voir le livre de Jenny Jordan [1]) : Admis et pratiqué par les homéopathes et les naturopathes, consiste en une action désensibilisante sur le fœtus. On donnera à la mère, pendant la grossesse, des doses qui débarrasseront le futur bébé des toxines héréditaires et mettront la cellule dans la meilleure des formes possibles.

B. — *Le régime alimentaire* : Soit préventif, soit curatif lorsque la maladie est dépistée. Il est un facteur déterminant de notre équilibre biologique et physiologique. Vous serez récompensée de vos efforts à bien nourrir votre petite famille : l'organisme de vos enfants sera capable de se défendre si l'ennemi pointe son nez ! N'oubliez jamais que les aliments sont aussi des médicaments.

Veillez à leur *qualité* (voir ALIMENTATION) et à leur *quantité* (voir JEUNE). Celui-ci est considéré comme un véritable traitement par certains médecins contre le cancer : en effet, si l'organisme ne s'alimente plus, les cellules cancéreuses arrêtent de se déve-

---

1. *Avant de naître*, Ed. André Bonne.

lopper, et se résorbent, « digérées » par les cellules saines. Certaines guérisons sont dues essentiellement à un jeûne. Ne jamais rien entreprendre dans ce domaine sans une surveillance médicale étroite.

Le régime consistera :

— *A réduire la viande* (*supprimez définitivement viande de porc et de cheval*), *à réduire le sucre* (sucre blanc) dont la cellule cancéreuse est friande ;

— *A choisir des fruits et des légumes biologiques* (sans pesticides, engrais chimiques, insecticides, colorants) ;

— *A renoncer aux conserves* (conservateurs, colorants, gélifiants) ;

— *A combler les carences* (en magnésium surtout, en fer, cuivre, en Vitamine B par l'*oligothérapie*, (oligo-éléments) ;

— *A adopter définitivement* pain et pâtes complets et biologiques, riz complet, farines, céréales complètes et *huile vierge non raffinée, gros sel marin* de marais salants (qui contient du magnésium, anticancer).

Le cancer est une maladie de carence. L'organisme manque de ce qui le maintiendrait en équilibre. Seule votre action parviendra à le rétablir. Et la plus importante sera sans doute cette modification des habitudes alimentaires de vos enfants.

C. — *L'homéopathie :* Un homéopathe sérieux et compétent osera intervenir dans un cas de cancer. Il adjoindra à son traitement l'*organothérapie*, l'*aromathérapie* (bains quotidiens de *Tégarome* et de *Solvarome*), les *sérocytols*, la *viscumthérapie* (*Viscum album* et *Iscador*).

D. — *L'acupuncture* réduira considérablement la douleur et agira peut-être aussi sur le fond. (Nous avons l'expérience de deux malades, qui n'ont pratiquement pas souffert durant toute la durée de leur maladie, mais la cadence de la piqûre était journalière.)

E. — *Un très bon radiesthésiste* pourra éventuellement vous aider dans le dépistage d'une localisation cancéreuse (tous les moyens sont bons pour localiser au plus tôt) et dans le choix des remèdes.

F. — *L'astrologie médicale :* Elle sera utile pour vous indiquer une probabilité de cancer, et choisir à l'avance un régime et un style de vie adéquats.

Seul conseil que nous pouvons nous permettre de donner : éviter la « cancérose », c'est-à-dire l'obsession du cancer. Sachez qu'ils se développent plus chez les anxieux et les inquiets. A chaque jour suffit sa peine... et ses joies.

CATAPLASME (voir première partie)

CAUCHEMARS (voir INSOMNIE ET RÊVES)

CHALEUR

Un été au Sahara, ce n'est pas une maladie... C'est quelquefois pire ! L'été 1976 nous a laissé quelques bien mauvais souvenirs.

Beaucoup d'enfants ne supportent absolument pas la chaleur : ils perdent l'appétit et maigrissent. Les enfants hépatiques en souffrent particulièrement. D'autre part, dans les pays chauds, le microbe prospère, et vous devez être extrêmement vigilante sur la propreté.

A. — *Les bébés :*

Ils se déshydratent très vite. Il faut absolument leur donner 1 ou 2 bains frais supplémentaires dans la journée, ainsi que quelques biberons d'eau fraîche en plus. Mettez-les à l'ombre, et ne les laissez jamais traîner au grand soleil sans chapeau. Attention aussi de ne pas les surcouvrir. Ne laissez jamais bébé tout seul dans une voiture (le soleil peut tourner, et l'enfant est sans défense contre une déshydratation *mortelle*).

Si bébé a des boutons de chaleur, voir BOUTONS.

Il n'a pas faim : n'insistez pas, on mange beaucoup moins par grosse chaleur. Des jus de fruits frais, citron surtout, sont tout indiqués. Si vous remarquez des signes de déshydratation, voir TOXICOSE.

Donnez aussi à boire à bébé tous les jours une petite cuiller d'argile verte pharmaceutique, dans un biberon d'eau.

B. — *Le jeune enfant :*

Certains supportent très mal le grand beau fixe. L'enfant perd l'appétit : n'insistez pas. A lui aussi, donnez tous les jours des bains tièdes ou froids supplémentaires et à boire autant qu'il veut (eau et jus de fruits frais, thé léger sucré au citron). Un merveilleux désaltérant, à sucer : un quart de citron saupoudré de sel ! Mais oui !

Si vous avez un jardin, mettez l'enfant sous la douche du tuyau d'arrosage (à condition qu'il s'y amuse). L'enfant hépatique a un comportement caractéristique quand il fait chaud : au bout d'une heure ou deux, il pleurniche, traîne et grognasse pour exprimer son malaise. Mouillez-le tout de suite (bain, douche ou eau de mer), ou mettez-le à l'ombre.

Coiffez tout le monde d'un chapeau. Pour les menus, ne faites pas comme ces mères inadaptées, qui servent à leurs enfants, par 40° à l'ombre, des

129

blanquettes de veau, du bœuf mode et des frites...
Proposez plutôt des salades niçoises, des soupes
froides (gazpachos), des fruits frais, des fromages...
C. — Enfin, si l'enfant attrape un coup de soleil,
voir INSOLATION.

CHATS (voir ANIMAUX et GRIFFES de)

CHEVEUX

Ornement naturel dont les chéris ne sont pas peu
fiers.

Dans toutes les familles, il y a des problèmes de
cheveux, et pas seulement chez les filles... les bruns
veulent être blonds, les frisés veulent être raides
(et vice versa), et l'homme des cavernes parle encore
très haut chez les petits Indiens qui refusent tout
ciseau...

Il faut croire que les cheveux sont un point de
fixation des problèmes affectifs. Différents malheurs
possibles :

A. — *Les croûtes dans la tête* (voir IMPÉTIGO ou
GOURME, ou CROUTES DE LAIT).

B. — *L'enfant perd ses cheveux par poignées,*
après une maladie (diphtérie...) ou un choc émotif
violent : voir le médecin (acupuncteur et homéopathe).

C. — *Des plaques sans cheveux :* C'est la pelade,
provoquée par un dérèglement hépatique, thyroïdien.
Nécessite un traitement de fond prescrit par le
médecin.

D. — *L'enfant a des points blancs dans la cheve-*

lure : Si ces objets non identifiés sont tous de la même taille et accrochés fermement sur les cheveux, ce sont des lentes (voir POUX).

E. — Si les particules blanches sont de taille différente, et plus proches du cuir chevelu, et non fixées au cheveu, ce sont des *pellicules*.

Traitement des pellicules : *jus d'ortie frais* (cueillez-les avec des gants, passez au presse-légumes, appliquez ce jus sur la tête, mélangé à 20 gouttes de *teinture-mère d'arnica*. Ne pique pas, mais poisse un peu. Répétez le traitement plusieurs jours de suite.

Autre solution : saupoudrez la tête de *sel fin*, trois jours de suite.

Puis lavez la tête au savon à l'huile de cade.

Traitement homéopathique : Il faut un traitement interne : les pellicules prolifèrent surtout sur un terrain eczémateux. Tous les jours, 2 granules d'*Arsenicum album 5 CH*, de *Petroleum 5 CH*, avec *Thallium aceticum 5 CH* et *Aurum metallicum 5 CH*.

Des *cures* (Cauterets, Moligt, Barèges, Luchon...) traiteront le terrain.

F. — *L'enfant a de la séborrhée, cheveux gras* : Cet excès de graisse à la racine des cheveux est dû à une petite glande qui s'emballe un peu trop. L'enfant a toujours l'air d'avoir les cheveux sales. Les lavages trop fréquents ne servent pas à grand-chose dans ce cas. Consultez l'homéopathe. Pour les shampooings naturels pour cheveux gras, voir le *Guide de l'anticonsommateur* [1].

G. — *Entretien des cheveux* :
Beaucoup de shampooings industriels, même pour bébés, déclenchent des allergies (boutons, intoxications diverses). Evitez-les absolument.

Remplacez-les par des shampooings naturels que

1. *Guide de l'anticonsommateur, op. cit.*

vous préparez vous-même : *œuf battu* dans un bol d'eau tiède, *argile verte* ou *brune,* décoction de *saponaire* ou de *buis,* et rinçage au *citron* ou au *vinaigre...* Attention, diluez ces derniers, pour ne pas piquer les petits yeux. Voir le détail de ces recettes dans le *Guide de l'anticonsommateur.*

H. — *Couper ou pas couper :*
Drames familiaux en perspective, aussi vifs à six qu'à seize ans... Bon courage !

Il faut trouver une coiffure qui attire le moins possible d'ennuis à l'enfant, en évitant de le singulariser à l'école (il deviendrait la risée de ses camarades).

N'y mettez pas non plus une question de principes trop stricts : la pression sociale est moins forte aujourd'hui, laissez dans ce domaine une grande liberté au petit enfant.

CHIEN (voir ANIMAUX, ENFANT UNIQUE et MORSURE)

CHOLÉRA INFANTILE

Très fréquent dans les pays autour de la Méditerranée, où la chaleur et le manque d'hygiène font prospérer les microbes intestinaux. Il existe aussi en France. Le choléra infantile n'est pas la même maladie que le choléra, mais les symptômes sont en grande partie les mêmes. Le vrai choléra est très contagieux, le choléra infantile pas.

On préfère l'appeler aujourd'hui TOXICOSE (voir ce mot).

CHROMOTHÉRAPIE (voir première partie)

CLOU (voir FURONCLE)

CLOUS DE FER
(voir INGESTION DE CORPS ÉTRANGERS)

CŒUR (MALADIES DU)

Maladies alarmantes dont les parents ne peuvent se rendre compte eux-mêmes. Ils s'en inquiètent affreusement lorsque le pédiatre (à la naissance) ou le médecin (souvent scolaire) leur annoncent une déficience cardiaque de leur enfant. Et on les comprend !

CLASSEMENT DES MALADIES CARDIAQUES

On distingue les insuffisances, les dilatations, les inflammations et les malformations congénitales. (Entre autres et sans pouvoir ici les citer toutes, les différents souffles au cœur, les communications défectueuses entre oreillettes et ventricules, les troubles du rythme, etc.)

A QUELS SIGNES LES RECONNAITREZ-VOUS ?

A moins d'être médecin vous-même, vous ne vous en douterez pas. Tout au plus votre œil averti de mère saura-t-il remarquer chez cet enfant-là de petites différences avec les autres :

— Manque de tonus, fatigue musculaire, essoufflement, moindre résistance, peut-être une certaine anxiété, difficultés à respirer, gonflement des pieds, des jambes, etc.

Signes qui ne vous conduiront pas automatiquement à penser qu'il s'agit d'une déficience cardiaque.

Le médecin, qui l'aura découverte à l'auscultation, vous le dira donc lui-même : prenez votre courage à deux mains et ne perdez pas confiance.

Il y a de fortes chances pour que les choses s'arrangent soit médicalement, soit chirurgicalement.

TRAITEMENT

Il n'y a généralement pas d'urgence sauf pour le nouveau-né cyanosé où il faut intervenir immédiatement. Plus tard, on a largement le temps de prévoir les développements de la maladie et le déroulement du traitement. Votre premier soin sera de consulter un cardiologue. Faites-vous préciser, le plus clairement possible et avec le maximum de détails, le type d'affection dont souffre l'enfant. Vous saurez alors si votre espoir est dans la médecine ou la chirurgie.

Acceptez les examens absolument nécessaires :

— L'*électrocardiogramme*, qui se pratique à tout âge (plus délicat pour les tout-petits qu'il faut empêcher de bouger) mais qui est indolore.

— Le *cathétérisme* (introduction d'une fine sonde

destinée à permettre une investigation complète).
Parfois nécessaire pour bien préciser le diagnostic
et prévoir dans le détail la future opération. Il
faut savoir que c'est une intervention excessive-
ment délicate et souvent dangereuse (le risque de
mortalité est supérieur à celui de l'opération elle-
même). Douloureuse également pour les moins de
18 mois que l'on n'anesthésie pas.

Choisissez vous-même et au mieux votre chirurgien, à qui vous ferez confiance ainsi qu'à toute son
équipe.

TRAITEMENT PRÉVENTIF

Demandez à votre homéopathe un traitement de
« mise en forme » qui aidera l'enfant à affronter
l'opération (traitement anti-hémorragique, anti-
infectieux). C'est une sage précaution qui amènera
en salle d'opération un enfant en pleine forme, le
corps débarrassé d'inutiles et dangereuses toxines et
dont un régime alimentaire adéquat et désintoxicant
aura préparé le terrain.

Avertissez l'enfant de ce qui va lui arriver. Vous
adapterez votre explication à son âge, mais s'il est
assez grand ne le prenez pas en traître : il doit
avoir en vous toute confiance.

Le médecin homéopathe vous conseillera également un médicament « antichoc opératoire ».
(*arnica*).

TRAITEMENT POSTOPÉRATOIRE

Ce sera à vous de vous en préoccuper, en dehors
des soins donnés par les infirmières (plaie, maintien
d'une électrode, etc.).

Votre homéopathe vous conseillera utilement et

vous prescrira ce qu'il faut pour accélérer la cicatrisation (externe et interne), éviter le risque d'hémorragie postopératoire, supprimer en partie la fatigue du choc opératoire (voir OPÉRATIONS).

Ne négligez pas le régime de l'enfant : essayez de vous faire entendre, si vous avez la voix forte, et améliorez vous-même le régime de l'hôpital si rien ne change (ce qui est probable) (voir RÉGIME).

Diminuez les rations de viande. Insistez sur les légumes, les céréales, les fromages et les laitages, les fruits.

Surveillance postopératoire : si tout s'est bien passé et au bout d'un mois, vous pouvez être sûre que l'opération est couronnée de succès, vous ne serez appelée pour un contrôle qu'un an après.

Il vous reste à vous féliciter d'avoir gagné la bataille et à récompenser votre courageux-petit-malade-guéri.

COLÈRE

Votre petit coq ébouriffé trépigne, hurle, tape du pied, il en suffoque, et, parfois même, s'évanouit (voir ÉVANOUISSEMENT).

COMMENT RÉAGIR ?

Gardez votre calme, ne vous mettez pas en colère vous-même, ne vous laissez pas entraîner dans l'escalade : c'est ce qu'il veut. Refusez la lutte.

— S'il est tout petit, et s'obstine dans une énorme colère, mettez-le sous la *douche* (tiède en hiver, fraîche en été). Enroulez-le dans une couverture chaude, tel quel, et mettez-le au lit dans l'obscurité. Tant pis pour les vêtements. Il s'endormira tout de suite.

— Quand l'enfant grandit, ce traitement devient plus difficile à manier ! Trouvez d'autres méthodes, mais n'essayez pas de le raisonner ou de le moraliser. Selon les différents types de colères :

— Sur une déception violente : consolez l'enfant et offrez-lui une compensation. Exemple : Gilles rentre dans sa chambre et hurle : « Qui a ravagé ma chambre pendant que j'étais absent ? » Calmez à tout prix le sentiment de frustration.

— Jalousie avec agressivité (voir JALOUSIE).

— Colère lorsque l'enfant sent son impuissance : aidez-le à exprimer sa colère et à surmonter son échec. Il ne faut pas que ce sentiment d'impuissance se développe, c'est comme cela que l'être s'aigrit.

— Vous pouvez détourner l'attention, par un repas (l'heure des drames, c'est 11 heures, midi, quand on a faim, ou le soir), ou par une distraction (promenade, télé, jeux, etc.).

— Si il y a des CONVULSIONS, voir ce mot.

LES BIENFAITS DE LA COLÈRE

Des enfants trop « bien élevés », dans une ambiance un peu oppressive, n'oseront pas se mettre en colère : cela ne se fait pas. Il ne faut pas que vous ayez une attitude systématiquement répressive envers la colère : il y a des bonnes colères. Si celles-ci ne sortent pas, l'enfant intériorisera le conflit, ce qui n'est pas toujours la meilleure solution (d'où inhibitions, crises de foie, éruptions de boutons, etc.). Celui qui n'ose pas exprimer sa fureur deviendra rancunier et lâche.

Il vaut mieux qu'un petit enfant soit soupe-au-lait

que « mule du pape » (celle-ci ayant gardé sept ans son coup de pied rentré !).

Tolérez une certaine agressivité, preuve de bonne santé.

TRAITEMENT HOMÉOPATHIQUE

S'il pique habituellement des colères brutales et impulsives, donnez-lui une dose de *Lycopodium 9 CH*, une dose tous les quinze jours, ou 2 granules sur le moment.

Autre traitement, après l'éclat : *Colocynthis 4 CH*, 2 granules ; *Chamomilla 4 CH*, 2 granules.

Evitez absolument tout sirop calmant ou tranquillisant.

COLIBACILLOSE

Présence d'un microbe (le colibacille) dans les urines, provoquant des troubles divers (constipation, cystite, néphrite, etc.). L'organisme intoxiqué laisse échapper de l'intestin les microbes qui y séjournent habituellement. Sortis de leur milieu, ils font des ravages.

A QUELS SIGNES LA RECONNAITREZ-VOUS ?

Ce sera tout un ensemble de signes digestifs (constipation, nausées), de maux de tête, de fièvre, de douleurs rénales et d'ennuis mécaniques (voir CYSTITE). Elle frappe fréquemment les familles de « coloniaux ».

QUE FAIRE EN URGENCE ?

A. — *Local* : Voir traitement de la CYSTITE.

B. — *Par les plantes* : Préparez dans deux litres d'eau, une tisane des plantes suivantes [1] : *renouée bistorte* (*Polygonum bistorta*) ou aussi *renouée des oiseaux* (*Polygonum aviculare*), 25 g ; *fraisier*, 25 g ; *grande consoude* (*Symphytum officinale*), 25 g ; *tormentille* (*Potentilla tormentilla*), 25 g ; *bouillon blanc* (*Verbascum thapsus*), 10 g ; *guimauve* (*Althaea officinalis*), 10 g ; *fleurs de tilleul*, 30 g que vous ferez boire à volonté pendant la journée. Si cela vous paraît compliqué, demandez à l'herboriste de vous faire le mélange.

C. — *Par le régime* : Supprimez la viande. Donnez en quantité du *petit lait*, des *yaourts* (qui acidifieront le milieu), des *fruits* (*citrons*, *pommes*, *myrtilles*) et des *légumes* (*concombres*, *mâche*). Complétez par un verre d'argile tous les jours (1 cuiller à café par verre.)

TRAITEMENT DE FOND

Voyez votre homéopathe ou votre naturopathe.

La cure thermale, dans les cas chroniques, sera bienfaisante (Châtel-Guyon, Contrexéville, Evian, etc.).

1. D'après le Dr Valnet : *Phytothérapie*, Ed. Maloine.

COLIQUE

Violente douleur dans le ventre, l'étiquette « colique » désigne quatre maladies — ou famille de maladies différentes.

I. — LES COLIQUES INTESTINALES

Elles ne s'accompagnent pas toujours de DIAR-RHÉES ou de GAZ (voir ces mots). L'enfant a mal au ventre, avec ou sans fièvre.

QUE FAIRE EN URGENCE ?

Si l'état général est mauvais, si l'enfant vomit, s'il a de la fièvre, une agitation extrême, on peut craindre une intoxication. Appelez le médecin d'urgence. En l'attendant, donnez à l'enfant :

A. — Pour les coliques sans diarrhée (coliques sèches) : *Chamomilla 5 CH* et *Magnesia phosphorica 5 CH*, 2 granules toutes les heures.

Si la colique est extrêmement violente : *Cuprum metallicum 5 CH*, 2 granules toutes les heures, et *Veratrum album 5 CH*, 2 granules une fois.

B. — Pour les coliques avec diarrhée, voir les traitements d'urgence à DIARRHÉE.

La colique sans diarrhée peut être aussi un signe d'AÉROPHAGIE (voir ce mot), elle peut être causée par le froid, l'émotion, un choc opératoire, une indigestion... Il est aussi parfois difficile de la distinguer d'une APPENDICITE (voir ce mot).

Bien entendu, si l'état général de l'enfant est normal, s'il n'a ni fièvre, ni douleur aiguë, ni vomissement, vous attendez que cela passe en lui posant sur le ventre un cataplasme de chou haché ou d'argile verte froide.

II. — LES COLIQUES HÉPATHIQUES (OU LITHIASES BILIAIRES)

Extrêmement douloureuses — pourtant, vous pouvez les soigner vous-même très facilement en urgence, ce qui ne vous dispense pas d'aller voir ensuite le médecin pour le traitement de fond indispensable.

A QUELS SIGNES LES RECONNAITREZ-VOUS ?

L'enfant se plaint d'une douleur à droite, sur le ventre (à l'emplacement du foie). La douleur peut être vive comme un coup de poignard (ressemblant alors à un point de côté, l'enfant n'ose plus bouger). Ou alors elle est sourde, mais toujours très gênante. Elle se prolonge parfois vers l'épaule et le cou. Pas de fièvre (ce qui permet de la distinguer de l'appendicite). Vous remarquez aussi que cette douleur survient après un choc émotif, ou après un repas riche en graisses, en sauces, etc. Votre pédiatre a dû vous dire déjà si votre enfant avait une tendance hépatique.

QUE FAIRE EN URGENCE ?

A. — *Par la chaleur* : Allongez l'enfant, la tête plus bas que le corps, au chaud. Mettez une *bouillotte* très chaude sur son ventre douloureux.

141

B. — *Traitement par les plantes :*
Dans la centrifugeuse à légumes, faites du *jus de radis noir,* que vous donnerez à boire à l'enfant. A défaut, posez un cataplasme de ce radis haché menu, sur son petit foie. Si le radis est introuvable, remplacez-le par du *chou haché* en cataplasme.

C. — *Régime alimentaire :* Rien à manger pendant une journée. Laissez la bile du foie faire son chemin, sans encombrer davantage tout le système. Si l'enfant a soif, *tisane de thym* ou *eau citronnée.*

C. — *Traitement homéopathique : Bryonia alba 5 CH et Colocynthis 5 CH, 2 granules* toutes les demi-heures.

TRAITEMENT DE FOND

La colique hépatique est due à des boues qui encombrent la tuyauterie biliaire et la vésicule. Le foie, paresseux, travaille peu, il tire au flanc... Il faut le stimuler par un régime, et alléger les charges digestives (voir FOIE et RÉGIME).

En particulier, donnez à l'enfant de l'*ail,* du *radis noir,* des *fraises,* de la *bonne huile d'olive crue...* (une cuillerée le matin, à jeun).

Jamais de café au lait, mais des tisanes de *menthe* et de *thym, lavande, romarin.*

Le médecin vous indiquera des cures thermales très efficaces.

III. — *COLIQUES NÉPHRÉTIQUES (OU LITHIASES RÉNALES)*

Ce sont des calculs (cailloux), des boues, du sable, qui gênent les conduits de l'appareil urinaire.

Rarissimes chez le nourrisson, et liés à un état de déshydratation, les « sables » se retrouvent dans les langes. Consultez le pédiatre, il faut d'abord traiter d'urgence la déshydratation, qui est un état grave. En l'attendant, mettre le bébé dans le bain, et posez sur ses reins une compresse chaude imbibée de teinture-mère de *Bryonia* et de *Berberis.*

Chez l'enfant : il se plaint d'avoir mal vaguement au bas du dos, fait pipi au lit, a mal lorsqu'il urine (voir CYSTITE). Les petits garçons ont parfois aussi mal au pénis.

QUE FAIRE EN URGENCE ?

Bain très chaud avec du gros sel de mer. Donnez à boire à l'enfant, dans son bain, du bouillon de poireaux ou de céleri. (Qu'il fasse pipi dans l'eau.)

TRAITEMENT DE FOND

A. — *Régime* : Donnez à l'enfant des plantes qui stimuleront et désinfecteront reins et voies urinaires : salades de *chou, mâche, chicorée, pissenlit, fenouil, pourpier, poireau...* Et surtout, beaucoup d'*oignon,* sous toutes les formes possibles, cuit, cru, en cataplasme, en jus, etc.

Des fruits : *cerise, groseille, raisin, figue, noix, amandes...*

Des tisanes : *chiendent* (l'herbe verte qui pousse partout !).

B. — *Traitement aromathérapique* : Une goutte d'essence de genévrier sur un sucre, tous les jours pendant un mois. Ensuite, arrêtez un mois ou deux. Recommencez si nécessaire.

En astrologie médicale, les enfants du signe de la

Balance et du Scorpion ont plus souvent que les autres des problèmes de reins.

IV. — COLIQUES DE PLOMB

C'est une intoxication au plomb, poison violent. Due autrefois aux jouets (petits soldats de plomb, jouets peints au blanc de céruse), elle vient aussi des canalisations en plomb, de l'émail plombifère de certaines céramiques à usage domestique, des mines de crayon avalées, des balles de chasseur, etc.

A QUELS SIGNES LA RECONNAITREZ-VOUS ?

Douleurs à l'estomac (coliques), mauvaise haleine, constipation.

Douleurs dans les membres inférieurs. Regardez l'intérieur des gencives inférieures : on voit un liséré gris ardoise (c'est le dépôt de plomb).

L'intoxication au plomb appelée aussi saturnisme peut être bégnine, chronique, ou aiguë (elle peut alors aller jusqu'à la mort). Dans ce cas, l'enfant a des douleurs comme des brûlures dans la gorge et l'estomac, il vomit, a une diarrhée noire (ou jaune), puis tombe dans le coma.

En cas de coliques de plomb, ajoutez aux remèdes de la diarrhée aiguë : *Plumbum metallicum 5 CH* et *Opium 5 CH*, 2 granules de chacun toutes les six heures. Appelez le médecin, et cherchez quelle peut être l'origine de cette intoxication dans votre maison (jouets, vaisselle ?...). Cette intoxication n'est pas rare sous sa forme chronique, d'autant plus que l'essence des voitures contient du plomb, que nous respirons.

COLITE, ou ENTÉRO-COLITE

Etat maladif chronique et peu confortable : tantôt l'enfant est constipé, tantôt il a la diarrhée ! (ou des gaz).
Il a souvent mal au ventre, il se fatigue vite, il n'a pas une mine brillante.

LES CAUSES

Elles sont diverses : DYSENTERIE, TYPHOIDE, PARASITES (voir ces mots), mauvais fonctionnement du FOIE, problèmes affectifs (dans ce cas voir à PSYCHOTHÉRAPIE). Il existe aussi des coliques d'origine allergiques (voir ALLERGIE). Et, de plus en plus, des colites dues aux médicaments, particulièrement aux antibiotiques et sulfamides.

QUE FAIRE EN URGENCE ?

Pour soulager la douleur : *Aloe composé 5 CH*, 2 granules trois fois par vingt-quatre heures.
Supprimez tous les médicaments de synthèse chimique, et efforcez-vous de calmer les angoisses de l'enfant (voir à ANGOISSE).
Soignez la DIARRHÉE, voir ce mot ; et la CONSTIPATION, *idem*.

TRAITEMENT DE FOND

Consultez absolument un médecin, qui ordonnera peut-être une analyse des selles et sûrement un régime.

Le traitement de l'entéro-colite est une des grandes victoires de l'acupuncture.

COMPRESSES (voir première partie)

CONGESTION PULMONAIRE (voir POUMONS)

CONJONCTIVITE (voir YEUX)

CONSTIPATION

Sénèque le disait déjà : « C'est une grande part de liberté qu'un ventre bien réglé. » L'enfant, petit tube digestif, y est encore plus sensible que l'adulte. C'est en quelque sorte le baromètre de son état de santé. A vous d'y veiller, d'éduquer au mieux ce petit ventre, ce qui évitera bien d'autres maladies dont bien souvent la constipation est le point de départ.

Cas très graves :

S'il y a plusieurs jours que l'enfant n'a pas été à la selle et qu'il éprouve une véritable gêne avec douleurs abdominales violentes, envie sans résultat : appelez le médecin. Celui-ci pratiquera une intervention (voir OCCLUSION INTESTINALE).

Cas moins graves :

Un lavement d'eau additionnée d'*huile d'olive* provoquera le rétablissement souhaité.

Un cataplasme d'*huile de ricin* (« codex » en pharmacie) chaude sur le ventre. Méthode la plus pratique : tartinez le petit ventre d'une couche épaisse d'huile de ricin. Appliquez dessus un linge de toile propre, drap ou torchon. Puis une flanelle de laine, et chauffez le tout avec une bouillotte. Laissez une heure. Puis lavez et savonnez le tout pour éliminer les sécrétions de la peau. Méthode très efficace recommandée par Edgar Cayce.

(Voir *L'Univers d'Edgar Cayce*, chez Robert Laffont)

TRAITEMENT (variable selon l'âge de l'enfant)

1. — *Le nourrisson :*

Élevé au sein, il sera rarement constipé et oscillera entre une et plusieurs selles par jour. Si cela arrive, c'est la mère qu'il faut soigner.

De plus, une ou deux cuillerées d'eau de Vals, un petit verre de jus d'orange régleront le problème. Un massage doux du ventre, dans le sens des aiguilles d'une montre, sera parfois suffisant pour réactiver le petit intestin paresseux.

Élevé au lait en poudre, c'est souvent le lait qui est responsable. Changez-en, prenez un lait non sucré ou sucré au miel (Léomiel). Vous pouvez aussi donner un biberon d'une infusion de feuilles de mauve *(Malva sylvestris)* : 10 à 20 g par litre.

Évitez de provoquer la selle en utilisant le thermomètre : c'est une mauvaise habitude qui peut être dangereuse (ulcération de la muqueuse).

2. — *Le bébé :*
Attention au régime, très important. Ne laissez pas s'installer une constipation : une selle par jour est indispensable. Donnez des bouillons de légumes, des légumes verts en purée, des jus de fruits, des compotes. Renoncez au chocolat en poudre ou en morceaux.

Mettez bébé sur le pot à heures fixes, de préférence le matin et le soir.

Donnez un verre d'eau au réveil le matin. N'utilisez pas de laxatifs qui masqueront les causes et ne rétabliront pas la fonction intestinale.

3. — *L'enfant :* Vous agirez sur deux fronts, le régime alimentaire et les bonnes habitudes d'hygiène.
A. — *Le régime :* Pain complet biologique (son), pruneaux cuits, jus de pruneaux, légumes verts, figues fraîches. Pas de légumes secs, de bananes. Ne forcez pas sur la viande : c'est une légende de penser qu'il faut en manger tous les jours. Et limitez la quantité de sucre, dont pourtant les enfants sont si friands.

Évitez absolument les remèdes synthétiques et tous les laxatifs qui foisonnent dans les pharmacies familiales.

Préférez, si c'est absolument nécessaire, les mucilages (lin, psyllium), les plantes en tisanes laxatives : églantine *(Rosa canina),* séné *(Cassia senna),* guimauve *(Althara officinalis).* L'herboriste vous fera un mélange.

Une bonne médication sera l'emploi du chlorumagène, non toxique, ne provoquant pas d'accoutumance, généralement bien toléré : une pointe de couteau diluée dans de l'eau. Vous réglerez vous-même la dose suivant les résultats.

B. — *L'acupuncture* : Si la maladie est franchement chronique et que ni régime ni plantes n'en viennent à bout, l'acupuncteur a bien des chances de réussir. C'est une aide précieuse.

ASPECT PSYCHOLOGIQUE DE LA CONSTIPATION

Chaque mère connaît l'importance de l'éducation de la propreté. La constipation est un des aspects du problème. Que la séance sur le pot ne soit pas un rite, un drame, une fixation. L'enfant pourra être amené à se retenir pour exercer un chantage sur sa mère, et cela d'autant plus qu'elle y attache de l'importance. Plus grand, la constipation pourra être consécutive à des difficultés scolaires, à la peur de l'échec. Elle sera souvent le signe d'un tempérament introverti. N'oublions pas non plus que certains enfants y sont héréditairement prédisposés : en astrologie médicale, les personnes influencées par le signe de la Vierge sont plus sensibles que d'autres à tous ces problèmes intestinaux.

CONTAGION

Depuis l'avènement des antibiotiques, le mot ne suscite plus l'affolement qu'il provoquait autrefois. On prend bien moins de précautions depuis qu'on est sûr de pouvoir guérir. Et, pourtant, chacun sait qu'il vaut mieux prévenir ! Que de rhumes évités, si l'on prenait la précaution de ne pas éternuer dans la figure du voisin ! En Chine, le port du masque est obligatoire : ce qui se perd en élégance se gagne en bonne santé...

TYPES DE CONTAGION

Cette transmission de la maladie du malade au bien portant se fait de différentes manières :
— Directement : par la salive ou tout autre contact physique ;
— Indirectement : par l'intermédiaire du vêtement, des ustensiles de cuisine, des jouets, de la nourriture partagée, des animaux, etc.

Les agents de la contagion sont soit les microbes, soit les virus. Ils se transmettent de façons variées : l'air, l'eau, les parasites porteurs de la maladie, par les autres individus malades, par les animaux également contagieux (voir *La Santé des animaux de A à Z*, Rousselet-Blanc, Ed. Stock ; et *Les Animaux de bonne compagnie*, de M.-L. Vidal de Fonseca, *op. cit.*).

MOYENS A NOTRE DISPOSITION

Nous disposons de tout un arsenal de guerre pour lutter et vaincre.

A. — *L'hygiène dans la maison* : Vivez dans une maison propre. Sans être une Madame Proprette ou une maniaque de l'aspirateur, sachez que les microbes raffolent de la saleté. Prenez soin tout particulièrement de votre poubelle, de l'endroit où vous la rangez, de vos évier et lavabo, avec un soin minutieux pour vos W.-C. Employez pour tout cela des *cristaux*, de l'*argile verte* (très antiseptique) et la bonne *eau de Javel*, bras droit de la ménagère.

B. — *La propreté du corps* : Toutes les revues féminines et enfantines y consacrent des chapitres entiers. C'est donc qu'il y a encore du pain sur la planche et que le problème n'est pas résolu ! Même si vous n'êtes pas très bien équipée sur le plan

sanitaire, votre bébé pourra toujours être propre.
Changez-le souvent ; un bébé mouillé et qui sent
mauvais grogne plus qu'un autre. Un bain par jour
n'est pas superflu : il sera d'ailleurs plus calme et
détendu (voir BAINS).

Lavez bébé au *savon de Marseille* et talquez-le
à l'argile. Prenez bien soin de ses cheveux : les
poux n'épargnent pas nos chères têtes blondes.
Sachez aussi que certaines dermatoses sont dues à
la crasse et y « profitent » mieux. Lavez aussi
soigneusement les petites mains : que cela devienne
une bonne habitude. Et lavez souvent les vêtements.
En été, le *soleil* a une action bactéricide et désinfectante. Pour les couches, l'action du *fer chaud*
sera elle aussi antimicrobienne.

C. — *L'isolement ou la quarantaine* : C'est un
traitement qu'il faut réserver aux cas très sérieux
(méningite, diphtérie). C'est bien souvent une solution difficile à appliquer.

D. — *La stérilisation, la pasteurisation* : Bien
utile pour les tétines et biberons (laissez bouillir
un quart d'heure). Quant aux aliments, s'ils y
gagnent en « hygiène », ils y perdent en taux
de vitamines qui sont annihilées d'office avec le
microbe. On ne saurait tout avoir !

E. — *La vaccination* : Voilà, dit-on, le moyen
radical d'éviter la contagion. Nous n'en discuterons
pas ici (voir à VACCINATION). Pour nous, ce n'est
pas la panacée (réserves pour polio et tétanos).

F. — *La désinfection* : Vous aurez forcément un
jour à soigner un petit contagieux (un grand nombre
de toutes les maladies d'enfant). Il vous sera facile
de désinfecter l'air de la pièce et de la maison :
presque toutes les plantes aromatiques ont des
essences bactéricides : *eucalyptus, thym, lavande,
romarin, citron, girofle, origan, géranium, ail, géné-
vrier*, etc. Vous en ferez infuser sur votre fourneau
(trois gouttes dans une casserole d'eau bouillante) ;

ou vous déposerez quelques gouttes de ces huiles essentielles sur vos lampes allumées le soir. La maison embaumera !

Pensez aussi au malade : une petite vaisselle personnelle, des draps et des couvertures bien à lui.

Pour vous-même, transformée en infirmière, enduisez-vous du *vinaigre des quatre voleurs* (voir recette dans le *Guide de l'anticonsommateur*, Livre de Poche). Vous échapperez pratiquement à tout, ces quatre-là ayant été sauvés de la peste !

CONTUSION (voir COUPS)

CONVULSIONS

Terrifiantes à voir, elles ne sont pas en elles-mêmes une maladie, mais un signe dont il faudra trouver la cause.

Elles ne surviennent jamais avant 6 mois, et rarement après 4-5 ans.

A QUELS SIGNES LES RECONNAITREZ-VOUS ?

Le tableau clinique est particulièrement affreux : l'enfant est saisi de mouvements convulsifs, brusques, involontaires et répétés. Il se raidit, et perd connaissance, les yeux révulsés ou chavirés. Ses lèvres sont bleuâtres, les mâchoires sont contractées ou bien les dents grincent. Ses membres peuvent être raides ou alors, au contraire, complètement mous : il est comme une poupée de chiffons. Parfois, il y a même coma.

Autres signes : écume aux lèvres, cris perçants, regard fixe, fièvre.

Les symptômes sont variables suivant les types de convulsions.

La crise peut durer quelques minutes... ou quelques heures.

QUE FAIRE EN URGENCE ?

— Appelez le médecin (un bon homéopathe).

— *Ne vous affolez pas.* Dans la plupart des cas, les convulsions ne laissent pas de traces et l'affaire est oubliée.

— Déshabillez l'enfant en attendant le médecin, allongez-le pour qu'il ne risque pas de se blesser.

— Préparez un *bain de tilleul* tiède, à 37°, avec quelques gouttes d'huile essentielle de tilleul (ou une très forte infusion que vous versez dans l'eau du bain : 500 g de plante pour 2 litres d'eau). Mettez l'enfant dans ce bain et laissez-le dix à quinze minutes. Enveloppez-le dans un drap de bain et couchez-le.

— Autre possibilité : *lavement d'une infusion de camomille* chaude (si vous avez l'habitude des lavements).

— Laissez reposer l'enfant dans une chambre aérée, dont vous fermez les volets pour créer une demi-obscurité. Restez avec lui, calmement.

— Si la crise est finie avant que le médecin n'arrive, ne le décommandez pas. Racontez-lui ce qui s'est passé et montrez-lui l'enfant : l'important est qu'il fasse un diagnostic de la cause des convulsions.

COQUELUCHE

Maladie rare avant trois mois, elle est dangereuse pour le nourrisson, qui risque de s'étouffer.

En revanche, entre 2 et 10 ans, elle est moins grave, mais plus fréquente.

A QUELS SIGNES LA RECONNAITREZ-VOUS ?

Cela débute par une toux lancinante (voir TOUX), répétitive, qui devient quinteuse. Si vous entendez ce qu'on appelle joliment « le chant du coq » (toux non-stop, donnant l'impression que l'enfant perd son souffle, horriblement angoissant pour la mère !) plus de doute, c'est la coqueluche. L'enfant est rouge, ses yeux pleurent, il n'a pas d'appétit.

Les quintes de toux se terminent souvent par un vomissement et ni lui ni vous ne fermez plus l'œil de la nuit.

Les accès de fièvre, peu importants, ne dépassent guère 38°.

QUE FAIRE EN URGENCE ?

Traitement homéopathique : Il est beaucoup plus efficace que le traitement allopathique. L'homéopathie ralentit considérablement la violence de la maladie. Dès le début, donnez :
— *Pertussinum biothérapique 7 CH*, 1 dose, puis *Sulfur 5 CH* (sauf si l'enfant a mal aux oreilles), 2 granules toutes les deux heures.

154

— *Bouillotte* très chaude dans le dos à la hauteur des omoplates, qui calme les crises de toux.

— *Diète* pendant deux jours (sauf tisane de thym et décoction d'ail).

— Evitez absolument l'hospitalisation : parce qu'elle terrifie l'enfant, elle aggrave les symptômes (la coqueluche est une maladie extrêmement psychosomatique, qui survient plutôt sur une crise affective).

— *Cure d'air* : La campagne améliore immédiatement les petits coquelucheux. Si vous en avez les moyens, un petit tour à 3 000 m d'altitude, dans un avion de tourisme, est radical !

TRAITEMENT DE FOND
(choisissez un ou plusieurs traitements parmi les suivants)

L'enfant sera toujours mieux assis que couché, au moment des quintes.

Dérivez son attention sur un livre d'images, qu'il regardera adossé à un gros coussin.

Ne le forcez pas à manger, mais s'il a faim, nourrissez-le en petites quantités et souvent (s'il le désire), à condition que la crise de vomissements soit passée.

A. — *Traitement par les plantes :*

— *Infusion de lavande* (*Lavandula officinalis*) : 1 cuiller de fleurs pour une tasse d'eau.

— *Infusion de drosera* (*Rotundifolia*), plante calmante et sédative : 15 g par litre d'eau, 3 ou 4 tasses par jour.

— *Infusion de serpolet (Thymus serpyllum)*, dit « thé des bergères », qui calme la toux : 10 à 20 g par litre d'eau bouillante, en boire 3-4 tasses par jour.

155

— *Infusion de coquelicot (Papaver rhoeas)* : 15 g de fleurs séchées par litre d'eau ; sucrez au miel.

— *Ail* : tartines à l'ail (que certains enfants adorent !) ou soupe à l'ail.

— *Infusion de thym et d'ail* : 50 g d'ail et 15 g de thym pour 1 litre d'eau.

— *Décoction de lierre (Hedera helix)*, en cas de quintes importantes : 200 g de feuilles de lierre cuites à feu doux dans 1 litre d'eau pendant trois heures. Bien sucrer, au miel.

— Faire manger du *radis noir* râpé *(Raphanus sativus)*.

B. — *Traitement par l'homéopathie* :

— *Pertussi-drainol*, 6 gouttes, trois fois par vingt-quatre heures, dans un peu d'eau.

— *Sirop Stodal*, contre la toux.

— *Teinture-mère de drosera*, 5 gouttes par année d'âge et par jour.

C. — *Traitement par les oligo-éléments* :

— Faire alterner : *manganèse-cuivre* et *cuivre-or-argent*, une ampoule par jour, à jeun.

D. — *Traitement par l'aromathérapie* :

— *Huile essentielle de lavande* (naturelle, et pas synthétique !), 1 goutte sur un sucre, une fois par jour.

— *Huile goménolée*, de 10 à 20 gouttes dans une infusion.

E. — *Traitement par chromothérapie* : Habillez l'enfant en *rouge*, et entourez son lit de tentures rouges. Mettez une lampe rouge dans la pièce.

LA COQUELUCHE ET LA LOI

L'enfant ne reprendra l'école qu'un mois après la fin des quintes de toux, ses frères et sœurs vingt et un jours après le début de l'isolement.

VACCINATION

Facultative... Nous avons vu des enfants attraper une coqueluche tenace et récidivante après une vaccination... Le cas est fréquent.

PRÉVENTION

Lorsque dans une famille, ou dans une école, un enfant est atteint de coqueluche, vous pouvez préserver les autres enfants (frères et sœurs) grâce aux gamma-gobulines. Parlez-en à votre médecin.

CORPS ÉTRANGERS (voir INGESTION DE)

CORYZA (RHUME DE CERVEAU)

Ils ont vaincu la lèpre, mais pas le coryza...
C'est l'une des grandes défaites de la médecine moderne ! Heureusement, les médecines naturelles en viennent à bout en vingt-quatre heures. *A la condition expresse d'agir tout de suite énergiquement !*
TOUT LE MONDE RECONNAIT UN RHUME : le nez coule « en fontaine » ou en « morve » épaisse. L'enfant a la tête lourde et une sensation de froid. Il a les yeux cernés et les traits tirés. C'est un concert d'éternuements et de reniflages ! L'enfant n'a aucune envie de se lever le matin pour aller à l'école, est de mauvaise humeur, perd l'appétit, mais « mange son rhume ». En général, il est

trop jeune pour utiliser méthodiquement ses mouchoirs. Il les perd, les oublie ou s'en sert pour tout autre chose. Les rhumes de cerveau surviennent surtout l'hiver, mais l'été aussi (au bord de la mer après un bain froid).

TRAITEMENT IMMÉDIAT

BÉBÉS :

A. — *Par le sel :* Pour le nourrisson qui est très gêné (il ne peut ni respirer ni téter), nettoyez quotidiennement les narines avec un coton imbibé d'*eau salée*.

B. — *Par les plantes :* Une vinaigrette à mettre dans le nez : *huile d'olive* et *jus de citron* en parties égales, quelques gouttes dans chaque narine.

C. — *Par l'eau chaude :* Laissez bébé vingt minutes dans un bain chaud avec une cuiller à soupe d'*algues séchées* (Bains d'Armor ; Plamersol, Laboratoires d'algues marines, etc.) ou une cuvette d'*algues fraîches* si vous êtes au bord de la mer. Si vous n'avez pas d'algues, une tasse d'*argile verte* en poudre ou concassée ou quelques gouttes d'*huile essentielle de thym ou de romarin*.

D. — *Par le chlorure de magnésium desséché :* 20 g de poudre à dissoudre pour un litre d'eau, mais c'est très amer. On vend actuellement en pharmacie des *pastilles de magnésium* enrobées de sucre, qu'un enfant peut prendre s'il est assez grand pour avaler sans croquer (comprimés Delbiase).

E. — *Par les bains chauds* (voir plus haut au chapitre BÉBÉ).

F. — *Par l'homéopathie :*
Au choix, suivant les signes que vous remar-

querez, donnez deux fois par jour 2 granules des remèdes suivants :

Si le nez est sec, *Aconit 5 CH* ;

Si l'écoulement nasal est épais et que les yeux pleurent, *Allium cepa 5 CH* et *Arsenic 5 CH* ;

Si le nez est sec et la tête douloureuse, *Camphora 5 CH* ;

Si le nez coule abondamment, *Hydrastis 5 CH* ;

Si les éternuements sont fréquents, *Mercurius corrosivus 5 CH* ;

Enduire les narines de pommade *Homéoplasmine*, trois fois par jour.

TRAITEMENT DE FOND ET PRÉVENTIF

Pour un enfant enrhumé tout l'hiver, il faut commencer le traitement à l'automne. Au choix, ou en combinant l'un ou l'autre traitement.

A. — *Par les oligo-éléments : Manganèse* et *soufre*, de préférence en oligosols, de préférence en ampoules, à jeun, une de chaque par jour en alternant.

B. — *Par la cure thermale :* Radicale (eaux chaudes soufrées, Amélie-les-Bains, Cauterets, Challes-les-Eaux, Barbotan, Gréoux-les-Bains, etc.).

C. — *Par l'homéopathie :* Voir le médecin homéopathe qui donnera un traitement de base.

D. — *Par l'acupuncture :* Le traitement est efficace. Consultez un acupuncteur.

E. — *Par le régime alimentaire :* Aliment biologique. Eventuellement, régime végétarien (les rhumes chroniques sont liés à un mauvais drainage du FOIE). Voir ce mot.

ENFANTS : Les rhumes sévissent surtout entre 2 et 10 ans. Choisissez, parmi les traitements suivants, deux ou trois qui vous paraîtront les plus pratiques :

A. — *Par le régime : Diète au bouillon de légumes, biologiques* surtout (sinon tisanes, voir plus loin). D'ailleurs, l'enfant n'a pas faim, son organisme éprouve le besoin naturel de se mettre au repos.

B. — *Par les inhalations :* Pour les plus grands, lorsque cela les amuse, c'est à la fois très efficace et très agréable. Achetez un inhalateur en pharmacie ou mettez l'enfant une serviette sur la tête le nez au-dessus d'un bol rempli du mélange suivant au choix :

— Soit d'une *infusion de thym :* 10 gouttes d'huile essentielle dans un litre d'eau bouillante ; ou faire bouillir une cuiller à soupe de thym dans un demi-litre d'eau, frais ou sec ;

— Soit d'une *décoction d'eucalyptus,* même proportion que ci-dessus, mais laissez bouillir les feuilles fraîches ou sèches un quart d'heure dans un demi-litre d'eau ;

— Soit d'une *décoction de lierre terrestre* (*Glechoma hederacea*), 25 g de plantes fraîches ou séchées par litre d'eau bouillante.

Si vous n'avez rien d'autre sous la main, allez en pharmacie commander du *Rhumarome,* du *Climarome,* ou un mélange d'huiles essentielles naturelles.

Attention : l'inhalation n'est efficace que pendant les dix premières minutes, quand le liquide est absolument bouillant : réchauffez-le sur le feu et recommencez plusieurs fois de suite.

C. — *Par les tisanes :* Utilisez une formule ancienne toujours valable : la *tisane des quatre fleurs pectorales,* délicieusement parfumées. En réalité, les quatre fleurs sont sept et ce sont les suivantes : *coquelicot (Papaver rhoeas), violette (Viola odorata), bouillon blanc (Verbascum thapsus), guimauve (Althaea officinalis), mauve (Malva sylvestris), gnaphale (Gnaphalium dioicum), tussilage (Tussilago farfara).* Achetez-les chez l'herboriste ou ramassez fraîches celles que vous connaissez (s'il en manque une ou deux à la collection ce n'est pas grave !). Mélangez à parts égales chaque espèce et faites une infusion avec 10 g de mélange par litre ; sucrez au miel.

COUPS, ECCHYMOSES, TRAUMATISMES, CONTUSIONS

Ici, le grand remède, éprouvé depuis près de mille ans, est l'*Arnica montana,* petite marguerite jaune des montagnes. Que le coup donne une contusion grave ou un tout petit bleu (hématome, ecchymose), c'est toujours le même médicament de base, à la fois en application externe, et en usage interne.

QUE FAIRE EN URGENCE ?

A. — *Traitement homéopathique :*
Imbibez un coton de *teinture-mère d'arnica,* et posez-le en compresse sur la partie contusionnée. Donnez en même temps à l'enfant de l'*Arnica 4 CH,* 3 granules à sucer toutes les heures (il est également possible d'en mettre

10 gouttes à boire dans un verre d'eau, une seule fois).

Il existe une autre plante, cousine de l'arnica, c'est le *souci (Calendula)*. Vous pouvez remplacez l'arnica par la *teinture-mère de Calendula*, et donner à l'enfant 3 granules de *Calendula 5 CH* à sucer (vous pouvez aussi combiner les deux plantes, mais l'arnica est plus énergique).

B. — *Traitement par les plantes :* En pleine nature, loin de toute pharmacie, appliquez sur la contusion un *emplâtre de pâquerettes*, écrasées et maintenues dans un mouchoir.

FAUT-IL APPELER LE DOCTEUR ?

— Si la fièvre monte, si l'enfant se plaint d'une vive douleur, s'il y a enflure, il y a peut être une FRACTURE (voir ce mot).

Coup à la tête : Peut être grave, et déclencher une encéphalite, une crise d'épilepsie, une paralysie, une surdité, etc. Evitez de déplacer l'enfant vous-même.

— Si à la suite du choc, l'enfant a des convulsions, des douleurs violentes, si le sang coule par le nez ou les oreilles, hospitalisez-le d'urgence (et donnez de l'*arnica* en attendant l'arrivée du médecin).

— Si le choc a été violent, mais que l'enfant ne saigne pas, s'il est seulement pâle ou évanoui, appelez tout de même le médecin, qui ordonnera, soit une radio, soit de mettre l'enfant « en surveillance » pendant quinze jours chez vous (ce qui veut dire : pas de soleil, pas d'école, pas de plage, pas de sport, mais repos à la chambre). Bien entendu, vous donnez *arnica* et *calendula*.

— Enfin, même un choc faible, produisant une

grosse bosse, sera réduit très vite par l'arnica. Le médecin est inutile en l'absence des symptômes ci-dessus.

Coup à l'œil : Un simple « œil au beurre noir » relève de l'*arnica* et du *calendula*, les deux à la fois, en compresses et par voie interne (2 granules par vingt-quatre heures). Appelez le docteur s'il y a hémorragie, vision trouble persistante et douleur vive.

Coup dans les reins ou dans le ventre : Dangereux, appelez le médecin et donnez *Arnica 5 CH* et *China 4 CH*, 2 granules toutes les dix minutes.

COUP DE SOLEIL (voir INSOLATION)

COUPURES (voir BLESSURES)

COXALGIE (voir TUBERCULOSE)

CREVASSES

La peau craque comme un fruit trop mûr (pourtant, les crevasses atteignent surtout les enfants en hiver !). Elles sont douloureuses, mais se guérissent normalement en deux jours.

A. — *Crevasses des lèvres* : Toto a un gros rhume.

Flemmard sur l'usage du mouchoir, il préfère reni-
fler... et la morve lui tombe sur la lèvre supérieure.
Comme on est en plein hiver, cette humidité perma-
nente lui gerce la peau. Il ne peut plus rire ni
parler sans que la peau de ses lèvres ne se craque.
Mettez-lui sur les lèvres, matin et soir, de l'*huile
d'olive*, ou de l'*huile d'amandes douces* — à défaut,
du *beurre* ! Et expliquez-lui l'intérêt très méconnu
du mouchoir.

B. — *Crevasses aux mains et aux pieds :*
Conséquence du froid et de l'humidité. Si c'est
une engelure ouverte, voir ENGELURES.

Les crevasses aux mains sont très fréquentes en
hiver (près des ongles).

Traitement local : *gants chauds fourrés, huile
d'olive* ou corps gras animal (comme ci-dessus), tous
les matins et tous les soirs.

Traitement interne : *Antimonium crudum 5 CH*
et *Petroleum 5 CH*, 2 granules quotidiens de chacun.

C. — *Crevasses du sein :*
Douloureuses pour la mère, pas fameuses pour
l'enfant, qui tète autant de sang que de lait. Il
faudra arrêter l'allaitement progressivement.

Tirez le lait avec un *tire-lait* (qui supprime la
succion humide), et mettez votre lait dans un biberon. Ensuite, mettez bébé peu à peu au lait en
poudre. Finalement, prenez trois jours une *tisane
de plantes purgatives* (en pharmacie) qui arrêtera
la lactation. Entre les tétées, badigeonnez le sein
d'*huile de millepertuis* (voir BLESSURES), ou d'un
corps gras comme l'*huile d'amande douce* ou l'*huile
d'olive vierge*. A la belle saison, *cataplasme de
consoude* (*Symphytum officinalis*) fraîche ou de
pâquerettes (*Bellis perennis*).

CROISSANCE (RETARD, ARRÊT, EXCÈS)

RETARD DE CROISSANCE

Le Petit Poucet ne grandit pas...
N'attendez pas éternellement pour consulter le médecin. On dispose aujourd'hui d'un certain nombre de traitements efficaces.

Auriculothérapie et acupuncture :
Il faut une séance tous les deux mois, environ ; on pique l'enfant à la tête et dans l'oreille.

Homéopathie :
Le médecin homéopathe dispose de plusieurs types de traitements, en particulier en opothérapie. Il conseillera aussi les oligo-éléments :

Iode-soufre et *manganèse-cuivre* pour un enfant à terrain arthro-tuberculeux (1 ampoule par jour, de l'un ou de l'autre en alternance).

Iode-soufre et *cuivre-or-argent* (même dosage), si l'enfant ne grandit plus à la suite d'une primo-infection.

Zinc-cuivre-manganèse, cobalt et *aluminium,* si c'est à la suite d'une vaccination (même dosage).

Enfin, les cures thermales font beaucoup d'effet, surtout les *cures marines (thalassothérapie).*

EXCÈS DE CROISSANCE

Là non plus, n'attendez pas qu'il soit trop tard. Le gigantisme est une maladie qui risque de handicaper gravement votre enfant.

Consultez un acupuncteur, un auriculothérapeute, et un homéopathe.

DOULEURS DE CROISSANCE (voir CRAMPES)

FIÈVRE DE CROISSANCE

Avec une douleur violente, près d'une articulation, une fièvre très élevée, c'est peut-être une « ostéalgie », ou déminéralisation osseuse. Après vous être assurée que ce n'était pas une autre maladie connue de vous (angine, intoxication, etc.), appelez le docteur, et mettez l'enfant au lit.

Se soigne par un régime et une cure thermale, indiqués par le médecin.

CROUP et FAUX-CROUP

Voisines par leurs symptômes, mais différentes par leur gravité, elles étaient autrefois la terreur des familles.

Dans le vrai croup, le larynx est encombré de membranes qui n'existent pas dans le faux-croup. Ces maladies sont heureusement rares. Pourtant, on peut les rencontrer en hiver et dans les climats humides. Elles atteignent généralement les enfants entre 8 et 10 ans.

A QUELS SIGNES LES RECONNAITREZ-VOUS ?

L'enfant commence souvent par une angine qui évoluera en croup ou faux-croup, ou alors la maladie démarre brutalement en pleine nuit et en est d'autant plus inquiétante.

L'enfant est réveillé par une toux suffocante, son pouls s'accélère, il vomit, perd le souffle, la toux est rauque, la voix éteinte. Il faut agir vite : il peut étouffer et mourir. C'est, hélas, ce qui se passait autrefois où le croup était une maladie mortelle.

QUE FAIRE EN URGENCE ?

Qu'il soit vrai ou faux, et vous ne saurez pas d'emblée le distinguer, il nécessite, et d'extrême urgence, la présence du médecin... En l'attendant, ne restez pas inactive : chaque minute compte.

Soulagez l'enfant :

A. — *Par la chaleur :*

Si vous avez une salle de bains, faites couler de l'eau bouillante et installez le malade bien couvert aussi près que possible de cette vapeur d'eau. Vous aurez eu soin auparavant de bien fermer portes et fenêtres.

A défaut, faites bouillir dans la cuisine une grande quantité d'eau et asseyez l'enfant tout près. L'air chaud et humide aidera à cracher les membranes. Un *bain chaud* et un enveloppement autour du cou compléteront le traitement.

B. — *Par les plantes :* Ajoutez à l'eau que vous employez ci-dessus des *feuilles d'eucalyptus*. Préparez une infusion bouillante de fleurs de camomille et de sauge que vous donnerez à l'enfant en inhalations. Essayez aussi des bains de pied sinapisés (mélangez de la farine de moutarde à l'eau du bain).

C. — *Par l'homéopathie :*

En attendant le médecin. Les médicaments diffèrent suivant qu'on a affaire au croup ou au faux-croup ; dans le doute, donnez-les tous.

Croup : *Hepar Sulfur 5 CH*, 4 granules suivi un quart d'heure après par *Bromium 5 CH*, 4 granules, suivi d'*Aconit 4 CH, Spongia*

Croup : *Hepar Sulfur 5 CH*, 4 granules, de chaque.

Faux-croup : Alternez *Belladonna 4 CH* et *Sambucus 4 CH*, 2 granules de chacun, toutes les dix minutes.

D. — *Autres traitements* : Aidez l'enfant à vomir : 0,30 g d'*Ipeca*.

Si vous craignez le pire *appelez les S.A.M.U.* (service d'aide médicale d'urgence) qui pratiqueront une trachéotomie pour éviter l'étouffement de l'enfant. On obtient les S.A.M.U. en s'adressant à la police ou aux sapeurs-pompiers.

CROUTES DE LAIT (voir IMPÉTIGO)

CYSTITE

Infection urinaire douloureuse, que vous remarquerez plus fréquemment chez votre fille que chez votre fils (due à un colibacille ou à tout autre agent irritant, produit chimique ou détergent, par exemple).

A QUELS SIGNES LA RECONNAITREZ-VOUS ?

Une vive douleur au moment d'uriner. C'est d'autant plus dramatique que l'enfant a très souvent besoin de faire pipi. La douleur s'accompagne souvent de fièvre, de perturbations digestives. Quant à bébé, seuls ses pleurs pourront vous alerter.

QUE FAIRE EN URGENCE ?

A. — *Soins locaux avec des plantes* émollientes, sédatives et antiseptiques. Préparez un bain de siège, dans lequel vous verserez une décoction de *bruyère* et de *thym*. Incitez l'enfant à uriner dans l'eau : la douleur sera moins vive. Si celui-ci fait de gros efforts pour se retenir, faites couler un robinet d'eau : le bruit aide !

Vous pouvez également adjoindre à l'eau du *Tégarome* ou du *Solvarome*, ces mélanges d'essences de plantes sont désinfectantes.

B. — *Lavements* : L'infection étant à la base de la cystite, nettoyez le mieux possible l'intestin : un lavement à l'infusion de *thym* ou de feuilles de *myrtille* (très puissant antiseptique des voies urinaires).

C. — *Cataplasmes* :

De l'*argile* sur le bas-ventre.

Sur les reins, un mélange de *son* et de feuilles de *lierre* (*Hedera helix*), ou alors un mélange de *chou* et d'*oignons* hachés, pour soulager la douleur.

TRAITEMENT DE FOND

Ne laissez pas s'installer cette infection et ne vous contentez pas de la soigner quand elle se présente. Consultez votre médecin homéopathe, naturopathe ou phytothérapeute qui traitera le terrain.

A. — Utilisez toujours du *coton* pour les couches ou les culottes des enfants. C'est important. Soyez très attentive au détergent employé pour votre lessive : vous devriez définitivement employer une *lessive biologique* (copeaux de savon de Marseille, etc.).

B. — *Cures thermales.* Si la maladie est chronique, la cure thermale est très indiquée : Contrexéville, La Preste, Evian, Châtel, etc.

C. — *Une plante de base* pour toutes les affections urinaires : le genévrier (*Juniperus communis*). Donnez à l'enfant 1 goutte d'*huile essentielle de genièvre* sur un sucre tous les jours pendant un mois. Ensuite, arrêtez un mois. Et recommencez de temps en temps (goût délicieux, vous aurez du succès !).

D

DALTONISME (voir YEUX)

DÉCOCTION (voir première partie)

DÉLIRE

L'enfant murmure dans sa fièvre une suite de mots incompréhensibles, ou « délirants ». Il peut en même temps avoir des hallucinations, des perceptions supra-normales et voir des choses qui n'existent pas (ou que nous ne voyons pas normalement). Le délire accompagne les fortes fièvres, en particulier dans les méningites, et certaines intoxications.

QUE FAIRE ?

Faites baisser un peu la fièvre, pas par des médicaments, mais par des enveloppements (voir FIÈVRE).

173

Tenez la main de l'enfant qui délire, ne le laissez jamais tout seul.

DÉMANGEAISONS (voir BOUTONS)

DENTS DE LAIT

I. — *JUSQU'A DEUX ANS : ELLES SORTENT*

Elles sortent. Ces charmantes quenottes sont au nombre de 20. Elles font leur apparition vers l'âge de 6 mois. Il n'y a cependant pas de règle absolue. Elles sont présentes dès l'âge de 6 semaines à l'état de bourgeons et font mal aux alentours de 5 mois. Bébé devient grognon, bave, suce ses doigts, a des coliques et des rougeurs mal placées.

Elles sortent de la manière suivante :
Vers 6 mois : 2 incisives centrales du bas ;
Vers 7 mois : 2 incisives centrales du haut ;
Vers 8 mois : 2 incisives latérales du haut ;
Vers 9 mois : 2 incisives latérales du bas ;
Vers 12 mois : 2 molaires inférieures ;
Vers 14 mois : 2 molaires supérieures ;
Vers 16 mois : 4 canines ;
Vers 24 mois : 4 molaires.

TRAITEMENT

Aidez bébé à se faire les dents :
Frottez les gencives de votre doigt trempé dans

le *miel* ou l'*huile d'olive.* Pour les plus grands, donnez un *bâton de guimauve,* ou de *réglisse,* une *croûte de pain,* un *biscuit,* une *carotte crue,* une tige de *céleri.*

L'homéopathie est ici indispensable : *Chamomilla 5 CH* ; *Belladonna 4 CH,* 2 g deux fois par vingt-quatre heures en alternant.

II. — DE 2 A 102 ANS : LES CARIES

On les admire. Rien n'est plus charmant que cette double rangée de perles fines, nacrées, qui vous font fondre dans le sourire de bébé. Mais, attention, il faut s'en occuper : 50 % d'enfants ont des dents cariées dès 2 ans. C'est une vraie maladie de civilisation, c'est-à-dire de nutrition.

TRAITEMENT (AU CHOIX)

— Persuadez l'enfant de se rincer la bouche à l'*eau salée,* aussi souvent que possible (eau salée au sel marin).

— Préparez un dentifrice naturel pour vos enfants : *argile verte* (ce n'est pas mauvais du tout), *poudre de thym* (s'obtient en passant le thym au moulin à café ; c'est un peu amer, mais pas mauvais ; rincez bien), *poudre de prêle* (*Equisetum arvense*), même préparation et même usage que le thym). Ces trois produits sont désinfectants et reminéralisants.

— Pour rincer la bouche : *huile essentielle de lavande,* une goutte dans un grand verre d'eau.

PRÉVENTION DES CARIES

— Réduisez, dans l'alimentation, les hydrates de carbone : supprimez le sucre blanc, le pain blanc, le riz blanc, les nouilles blanches, et autres féculents industriels. Remplacez-les par du miel, du sucre roux, du pain complet biologique, du riz et des nouilles complets.

— Halte aux bonbons !

— Offrez à votre jeune crocodile une superbe brosse à dents en poils de sanglier super-bio (pas très écologique pour les sangliers, les pauvres, mais beaucoup plus sain que le nylon). Apprenez à l'enfant l'art et la manière de s'en servir : de haut en bas et de bas en haut, en visant les gencives, tout autant que les dents. Consacrez-y cinq minutes, et faites-lui admettre qu'il est utile de se laver les dents après les repas.

III. — *VERS 6-7 ANS, ELLES TOMBENT*

Le rang de perles se casse, votre enfant zézaie. La petite souris vient consoler l'édenté en glissant un petit cadeau sous son oreiller pendant la nuit.

Laissez-le titiller sa dent, n'ayez pas recours à l'affreux fil accroché à la porte de notre enfance : inutile boucherie.

Toto ressemble à un pirate... et ça peut durer jusqu'à 12 ans. Il n'y a rien à faire.

IV. — *QUELQUES MALHEURS DE DENTS*

L'abcès : Gencives tuméfiées, gonflement blanc, l'enfant a mal quand vous appuyez dessus avec le doigt. Il peut y avoir un peu de fièvre.

176

La rage : Douleur interne, vous ne verrez rien, c'est le nerf qui souffre. Cela ressemble beaucoup à la douleur d'une otite, des oreillons, ou d'une mastoïdite.

Quelques trucs efficaces :

— Très actif : une racine de *plantain* (*Plantago major*) dans l'oreille, (les acupuncteurs s'en sont sans doute inspirés, qui puncturent l'oreille contre les névralgies dentaires). Le plantain est une mauvaise herbe qui a l'avantage de se trouver partout.

— Cataplasmes chauds de pétales de *coquelicot* (*Papaver rhoeas*), 15 g de pétales frais ou séchés pour un litre d'eau, en application sur la joue qui a mal.

— Réservé aux enfants de la Sarthe et de la Mayenne : porter une *patte de taupe* en pendentif !

Tout cela devant leur assurer des dents de loup, nécessaires par les temps qui courent !

— *Arnica 5 CH*, 2 granules toutes les deux heures, de préférence à jeun ; c'est un équivalent très efficace de l'aspirine.

V. — *LES BONS DENTISTES*

Les appareils dentaires :

Tout dépend de l'état de la mâchoire de l'enfant. Dans bien des cas, l'efficacité des appareils dentaires est contestée. De plus, ils sont une gêne pour l'enfant.

Choisissez bien votre dentiste, et non pas un abominable-arracheur-de-dents, comme en montrent les gravures de Daumier.

Il existe des dentistes homéopathes et acupuncteurs. Ces derniers utilisent l'anesthésie par acupuncture, c'est plus agréable.

DERMATOSE (voir BOUTONS)

DIABÈTE INFANTILE

Maladie de la nutrition, plus rare chez le nourrisson que chez l'enfant, le diabète a probablement une origine héréditaire, confirmée par des erreurs de régime (consommation d'une trop grande quantité de sucre). Il peut se révéler au cours de maladies infectieuses, de chocs, opératoires ou émotifs. On parle généralement chez l'enfant de « diabète infantile », « maigre » (ou « sucré »). Il existe d'autres formes de diabète, que nous ne traitons pas ici.

A QUELS SIGNES LE RECONNAITREZ-VOUS ?

— L'augmentation du besoin d'uriner ;
— Un appétit nettement supérieur à la moyenne habituelle ;
— Une odeur désagréable des urines (cela sent vaguement le chloroforme) ;
— Un amaigrissement ;
— Une bouche sèche ;
— Des démangeaisons (prurit) sur la peau ;
— Parfois de la furonculose.

Les examens de laboratoire viendront confirmer ce diagnostic. Taux de sucre anormal dans les urines (hypo- ou hyperglycémie).

TRAITEMENT

Il est malheureusement long et demande l'astreinte à un régime alimentaire strict.

A. — *Ce régime* aidera à combattre l'excès de sucre et l'acidification du sang. Supprimez farines, nouilles, féculents, sucre, miel, confitures, friandises (en un mot, tout ce qui plaît à l'enfant !). Donnez en revanche de la viande, du poisson, des laitages, des fruits, de l'ail et de l'oignon. Obtenez la participation de l'enfant qui comprendra mal, sinon, qu'on lui supprime tout ce qui est bon !...

B. — *Par les plantes :*

Certains *légumes* conviennent tout particulièrement aux diabétiques : *chou, artichaut, oignon, asperge, chicorée.* Des fruits aussi : *citron, cassis, myrtilles, mûres noires.* Consommez sous toutes les formes possibles (jus, salades, soupes, etc.).

Aidez-vous de *tisanes* que vous pourrez varier en fonction des goûts de l'enfant :

Le *genévrier* (*Juniperus communis*) : 10 g de baies dans une infusion ;

Le *noyer* (*Juglans regia*) : 20 g de feuilles par litre d'eau, en infusion ;

Les *feuilles d'olivier* (*Olea europaea*) : 20 feuilles dans une tasse d'eau ; laissez bouillir un quart d'heure ;

Le *géranium Robert* (ou sauvage : *Geranium Robertianum*), quelques gouttes de teinture-mère dans une tasse d'eau ;

La *sauge* (*Salvia officinalis*) : quelques gouttes d'huile essentielle dans une tasse d'eau bouillante, ou en infusion : 5 feuilles à laisser infuser dans un demi-litre d'eau ;

L'*eucalyptus* (*Eucalyptus globulus*) : 1 cuillerée à soupe de feuilles par tasse d'eau, en infusion (laissez infuser vingt minutes) ;

179

La *bardane* (*Arctium lappa*) : 60 g de racine fraîche ou sèche par litre, en décoction, à laisser bouillir un quart d'heure ;

Ou un mélange de *boldo* (*Pneumus boldus*), 7 g ; de feuilles de *myrtille* (*Vaccinium myrtillus*), 7 g ; de racine de *valériane* (*Valeriana officinalis*), 7 g ; d'*eucalyptus*, feuilles, 10 g.

Faire bouillir le tout dans un litre d'eau et en donner une tasse trois fois par jour à l'enfant.

Toutes ces plantes améliorent beaucoup le diabète..., jusqu'à parfois le mettre en sommeil.

Enfin, le *fenugrec*, très actif malgré son odeur désagréable (*Trigonella fœnum graecum*), est un stimulateur du pancréas : 1 cuiller à soupe de semences à tremper dans deux verres d'eau.

C. — *Par l'argile* : Faites tous les soirs, une semaine sur deux, un cataplasme d'*argile verte* sur le foie et le pancréas. Si l'argile est mal tolérée, vous la remplacerez par un *mélange de son* et de *feuilles de lierre* (*Hederax helix*), cuites, hachées et chaudes, que vous maintiendrez en place par un linge.

D. — *Par l'aromathérapie* : Celle-ci obtient parfois d'extraordinaires résultats, par les huiles essentielles des plantes ci-dessus. Voir le spécialiste, car le traitement doit être personnalisé.

E. — *Par l'eau* : Vous pourrez essayer la *cure Kneipp* par l'eau : donnez à l'enfant un bain le matin, un bain de bras l'après-midi, froid, et un bain de pieds le soir, froid également. Traitement de longue durée, de préférence en cure thermale.

F. — *Par l'homéopathie* : Votre homéopathe tentera de rétablir une fonction pancréatique perturbée. Plus ici qu'ailleurs, il individualisera le traitement, car pas un diabète ne ressemble à un autre. Il fixera aussi les éléments du régime d'après l'âge de l'enfant. Il vous conseillera la vigilance : l'enfant diabétique est plus fragile qu'un autre et il faut surveiller la moindre infection (ne serait-ce qu'une légère coupure au doigt). Non traité, le diabète peut amener des troubles graves : complications cardio-vasculaires, nerveuses, rénales, pulmonaires ou oculaires.

G. — *Par l'insuline :* Dans les cas aigus, il sera probablement nécessaire de compenser le manque d'insuline par de *l'insuline animale.* Souvent la prise en est quotidienne.

DIARRHÉE

Toutes les mères affrontent un jour ou l'autre ce problème. Nous avons donc étudié en détail les divers cas qui peuvent se présenter.

La diarrhée n'est pas une maladie, mais un symptôme : ce fonctionnement anormal de l'intestin se traduit par des selles liquides, ou pâteuses. Il est dû à des causes variées : microbes, choc émotif, perturbation hormonale, erreur d'alimentation, etc.

La diarrhée est, comme la fièvre et les vomissements, un moyen de défense de l'organisme, qui élimine de cette façon les poisons dangereux.

Les coliques sont des crampes violentes du ventre, qui accompagnent souvent (mais pas toujours), la diarrhées (voir COLIQUE).

Les colites sont un état maladif, avec alternative de constipation et de diarrhée (voir COLITE).

Ne vous jetez pas sur n'importe quel médicament antidiarrhéique (bismuth, élixir parégorique, ganidan, entéro-vioforme...). Cherchez d'abord la cause probable de la diarrhée, suivant les symptômes. Traitez autant que possible ensuite avec des médicaments doux et naturels.

I. — *CHEZ LES BÉBÉS*

LE BEBE QUE VOUS ALLAITEZ n'aura que très rarement la diarrhée. Si cela lui arrive, ce n'est jamais très grave.

TRAITEMENT

Sautez une tétée (dans ce cas, tirez votre lait au tire-sein pour ne pas engorger le sein) ou même deux. Donnez ensuite à boire à l'enfant un biberon en alternance ou tous ensemble, d'*eau de riz*, d'*argile verte* (une cuillerée à café dans un biberon), du *jus de pommes* frais et biologique, du *jus de myrtilles frais*, du *jus de carottes*. Si l'enfant est plus grand, *purée de carottes, compote de pommes, farine de caroube*. Ce traitement suffit à guérir toutes les diarrhées de l'enfant au sein, à condition que vous ne preniez aucun médicament violent qui intoxiquerait le bébé à travers votre lait (antibiotique, tranquillisant, anti-histaminique, somnifère, etc. ; dans ce cas, cessez tout médicament !).

LE BÉBÉ NOURRI AU LAIT DE VACHE

Chez les enfants nourris au lait en poudre ou au lait cru, les choses peuvent être infiniment plus graves. *De façon générale, comment le savoir ?*

A. — Œil vif, bons réflexes, sourires, l'enfant ne semble pas abattu. Si malgré des selles plus ou moins liquides, jaunes ou vertes, l'état général semble bon, il n'y a pas de panique. Soignez alors l'enfant comme plus haut (enfant au sein). Cherchez quel aliment a pu causer la diarrhée (lait ?

farine ?) ou quel médicament ? Faites un examen de conscience sur l'hygiène, la propreté des biberons. La CHALEUR (voir ce mot) donne parfois la diarrhée.

B. — Bébé a de la fièvre. Il a les traits tirés, il est abattu, maigrit, son teint est pâle ou plombé, les yeux cernés. La diarrhée est de couleur et de fluidité très variables mais l'*état général* est mauvais : appelez le pédiatre et donnez un traitement d'urgence en l'attendant.

QUE FAIRE EN URGENCE ?

A. — *Alimentation* : La diète, avec seulement de l'eau bouillie.

B. — *Traitement par l'argile* : Cataplasme d'argile verte chaude sur le ventre, à renouveler toutes les heures.

C. — *Traitement par l'eau* : Enveloppements (voir FIÈVRE).

D. — *Traitement par l'homéopathie* :

En urgence, et avant l'arrivée du médecin, donnez l'un ou l'autre médicament ci-dessous (10 granules à sucer — si bébé ne veut pas, faites-les fondre dans un verre d'eau).

Si Bébé a la diarrhée verte, liquide, avec gaz fétides, ventre douloureux : *Argentum nitricum 4 CH.*

Si bébé a la diarrhée verte, liquide, avec odeur d'œuf pourri, et gaz ; ventre douloureux : *Chamomilla 4 CH.*

Pensez à TOXICOSE, COLIBACILLOSE, DYSENTERIE, COLITE si l'état général est grave.

TRAITEMENT DE FOND POUR BÉBÉ

Si la diarrhée est bégnine — ou si vous êtes très loin de tout médecin, voici les différents cas de diarrhée infantile et leur traitement homéopathique. (Si, bien sûr, vous avez un médecin à portée de la main, suivez son traitement, cela va sans dire.)

Traitement par le régime (voir plus haut, au début de cet article) : traitement pour l'enfant nourri au sein, avec diarrhée bénigne.

Traitement par l'homéopathie : Au choix, l'un des remèdes suivants, 2 granules toutes les deux heures le premier jour. Espacez ensuite, une seule fois par jour si cela va mieux. Si vous hésitez entre l'un ou l'autre remède, donnez les deux ou plusieurs. Nous nous sommes inspirés de l'excellent livre du Dr Voisin [1] :

— *Diarrhée verte* avec fièvre, soif, sans transpiration : *Aconitum 4 CH (ou 5 CH)*, arrêtez si l'enfant se met à transpirer.

— *Diarrhée verte, acide.* Bébé a mal au ventre après le biberon : *Magnesia carbonica 5 CH.*

— *Diarrhée vert olive, liquide,* en jet, et mousseuse : *Ecbalium elaterium 4 CH.*

— *Diarrhée vert épinard* contenant des peaux : *Argentum nitricum 4 CH.*

— *Diarrhée vert d'herbe,* glaireuse, parfois avec du sang. L'enfant a le teint pâle, mal au nombril. Il vomit : *Mercurius dulcis 4 CH.*

— *Diarrhée jaune, tirant sur le vert,* ressemblant à des œufs brouillés et sentant l'œuf pourri. Ventre gonflé et douloureux. Bébé a une joue rouge et

---

1. *En attendant le médecin,* Gardet Ed., Annecy.

chaude, l'autre pâle et froide (cela va souvent avec les dents qui percent) : *Chamomilla 4 CH.*

— *Diarrhée jaune clair, ou brune,* avec gaz, et fatigue générale ; ventre gonflé et sensible : *China 4 CH.*

— *Diarrhée aigre (acide).* La peau aussi de bébé sent l'aigre. Il transpire de la tête : *Rheum 4 CH.*

— *Diarrhée contenant du lait caillé.* Bébé mou et pâle, en retard pour marcher. Sa fontanelle ne se presse pas de se fermer : *Calcarea carbonica 4 CH.*

— *Diarrhée comme de l'eau, en jet :* Podophyllum *4 CH.*

— *Diarrhée très peu liquide, mais selles molles, blanchâtres* ; il y en a beaucoup, et bébé a le ventre gonflé, et flasque. Il donne des signes d'ANÉMIE (voir ce mot). C'est peut-être la maladie cœliaque. Voir le médecin.

II. — L'ENFANT PLUS GRAND
(DE 3 à 7 ANS)

La diarrhée est souvent moins grave, l'enfant a davantage de réserves, et se déshydrate moins vite. En revanche, il y a davantage de causes possibles : l'abus de bonbons et de pâtisseries, les intoxications alimentaires ou médicamenteuses, les émotions violentes, les crises d'hépatisme...

QUE FAIRE EN URGENCE ?

— Repos au lit, chaleur. Si FIÈVRE, voyez ce mot.

— La diète absolue, si possible, le premier jour. Le deuxième, *jus de myrtilles, de pommes frais, de carottes* (biologiques surtout, sinon ce n'est pas la peine) ; *farine de caroube, pommes crues, riz complet,* etc.

— *Argile verte en poudre,* 1 cuiller à soupe dans un grand verre d'eau.

— Traitement homéopathique : mêmes remèdes que pour le bébé, en urgence. Mais en cas de coliques violentes, donnez aussi :

— Avec vomissements, crampes, ventres douloureux au toucher et tendu : *Cuprum metallicum 4 CH.*

— Coliques après un refroidissement (crampes autour du nombril, selles liquides et jaunes) : *Dulcamara 4 CH.*

Si l'état général vous paraît grave (enfant très abattu, avec fièvre, coliques, vomissements, yeux très cernés, etc.) voyez TOXICOSE, COLIBACILLOSE, DYSENTERIE, et appelez absolument le médecin.

TRAITEMENT DE FOND

A. — *Par l'homéopathie :*
Vous pouvez reprendre les traitements donnés pour les bébés.
Pour la diarrhée aiguë : 2 granules toutes les deux heures.

Autres possibilités :

— Si l'enfant a mangé trop de fruits : *China 4 CH.*

— Si le repas passe mal, avec envie de vomir, des gaz, petit ventre gonflé, vilaine langue « sale » et jaune : *Nux vomica 4 CH* (voir FOIE).

— Si l'enfant a mangé trop de gâteaux, ou de graisses (fritures, sauces...) : *Pulsatilla 4 CH.*

— S'il a mangé de la viande pas fraîche, du

gibier, de la charcuterie, des fruits douteux et traités, des glaces polluées : *Arsenicum album 4 CH.*

— Si l'enfant a été secoué par une vive émotion (diarrhée verte, chez un petit paquet de nerfs agité !) : *Argentum nitricum 4 CH.*

— Si la diarrhée est due au trac (par exemple, il joue dans une pièce de théâtre, et... il en fait dans sa culotte de peur) : *Gelsemium 4 CH.*

— Si l'enfant a pris froid (avec fièvre, agitation, mais il ne transpire pas) par froid sec : *Aconit 4 CH.*

— S'il a pris froid par temps chaud et humide, il a la bouche sèche, et très soif : *Bryonia 4 CH.*

— Diarrhée sans arrêt, envie de vomir continuelle. Il vomit, mais continue à ressentir le malaise : *Ipeca 4 CH.*

B. — *Si les diarrhées sont fréquentes,* consultez absolument l'acupuncteur, l'auriculothérapeute ou l'homéopathe. Outre le traitement de longue haleine pour modifier le terrain, ils ordonneront des cures thermales.

C. — *Par le régime alimentaire :*
Un régime correct peut suffire à lui seul à guérir une diarrhée chronique. Voyez pour cela un bon naturopathe, ou même un radiesthésiste qui choisira les aliments convenables au pendule (c'est un traitement super-personnalisé !). De façon générale, les enfants ont beaucoup moins de diarrhées quand on les met à l'alimentation biologique (voir ALIMENTATION).

— Dans vos menus, faites une large place aux désinfectants naturels de l'intestin : ail, oignon, pommes, piment rouge, cannelle, persil, thym (au goût de l'enfant, bien sûr). Habituez-le à manger de l'ail frotté sur du pain grillé tous les jours, ou assez souvent : vous éviterez les infections intestinales. Pratiquez aussi les fruits astringents : airelles, figues, arbouses, châtaignes, coings, cynorrhodons, figues de Barbarie (fruits du cactus raquette), figues, grenades, prunelles, ronces et mûres, sorbes. Employez aussi au choix les tisanes suivantes : aigremoine, bourse-à-pasteur, feuilles de fraisier, guimauve, ortie, renouée des oiseaux, roses rouge, sarriette, feuilles et fleurs de troène.

DIÈTE

Excellent médicament très méconnu — et à la portée de toutes les bourses ! La diète est « une privation de nourriture », comme dit le dictionnaire.

Le jeûne est l'abstention totale, sans aucun aliment solide ou liquide, tandis que la diète, dans le langage courant, est une abstention relative. Dans la « diète hydrique », par exemple, on ne donne au malade aucun aliment solide, mais seulement des liquides : bouillons, tisanes, jus de fruits... Si la diète est absolue, sans rien manger ni boire plusieurs jours, c'est la même chose qu'un jeûne. Sauter un repas de temps en temps est une « diète ». On n'en meurt pas !

Pourquoi les gens ont-ils peur d'appliquer ce traitement ? Hantés par le spectre de la famine, les gens mal informés ne font pas la différence avec le jeûne et la diète. Ils s'imaginent qu'on meurt lorsqu'on ne mange pas pendant huit jours !

Or, la digestion représente un gros travail pour l'organisme : bébé s'endort après le biberon, et bien des adultes après les repas !

Lorsqu'on est malade, le corps consacre toutes ses forces à lutter contre l'ennemi : si vous lui imposez un surcroît de travail avec la digestion, vous affaiblissez les défenses du malade et vous prolongez la maladie. C'est la raison pour laquelle tous les animaux, absolument tous, s'abstiennent de nourriture lorsqu'ils sont malades. Pendant cette diète, ou ce JEÛNE (voir ce mot), le corps entreprend un nettoyage, et détruit les cellules malades. Nous en parlons aussi à JEÛNE, mais c'est tellement important que nous insistons encore. Trop de gens prolongent la maladie en contrariant la Nature.

Si un enfant a de la fièvre, mettez-le au jeûne (il vous dira lui-même, d'ailleurs « je n'ai pas faim »). Ce serait une grave erreur de le forcer. S'il va mieux, il manifeste une légère faim, recommencez à l'alimenter avec une diète « hydrique » dont nous parlions plus haut. Ensuite, convalescent, un régime léger, avec des fruits et des salades, des céréales.

Les trois grands principes sont :

A. — *Ne jamais forcer un enfant à manger.*

B. — *Ne pas le priver d'eau s'il a soif.*

C. — *Ne lui donner aucun aliment solide s'il y a fièvre.*

Il faut lui apprendre à jeûner dans certains cas (exemple : après une opération sous anesthésie — ou avant). Occupez-le avec des livres et de jolies histoires.

DIGESTION

Pour les troubles de la digestion, voir AÉROPHAGIE, INDIGESTION, VOMISSEMENTS, DIARRHÉE, DYSPEPSIE.

Digestions lentes : Certains enfants ont horreur de faire du sport après le repas. Ils ont plutôt envie de s'allonger et de dormir. Cela vient soit d'un repas trop lourd au milieu de la journée, soit d'une paresse du foie (voir FOIE).

QUE FAIRE ?

A. — *Traitement homéopathique :*
Nux vomica 5 CH, 2 granules après chaque repas si l'enfant sent une lourdeur d'estomac ; *China 5 CH*, *idem* s'il a le ventre ballonné.

B. — *Régime :* Indispensable à n'importe quel âge. Essayez le système anglais : petit déjeuner assez copieux, avec œufs, fruits, fromage ; déjeuner ultra-léger (sandwich) ; bon goûter et dîner léger (voir RÉGIME).

Il y a des nourrissons qui mettent cent sept ans à digérer. Quand vous arrivez avec votre biberon, ils n'ont pas encore terminé de ruminer le précédent. Solution : supprimez un des biberons, et espacez davantage les autres (sans pour autant augmenter tout de suite leur quantité).

DIPHTÉRIE

Chacun sait que la vaccination antidiphtérique n'est pas l'arme absolue contre la maladie. On peut alors s'interroger sur son utilité ! Un traitement homéopathique bien mené conduit tout aussi vite à la guérison avec au moins autant de succès que le recours au sérum.

Cette maladie infectieuse, très contagieuse, sans éruption apparente, est due à un bacille. Fréquente chez l'enfant entre 2 et 7 ans, elle atteint plus rarement le nourrisson. Elle élit domicile dans les voies aériennes supérieures (nez, gorge, larynx) et est malheureusement très contagieuse par contact direct. L'incubation dure de trois à quatre jours.

A QUELS SIGNES LA RECONNAITREZ-VOUS ?

En cas d'épidémie reconnue, méfiez-vous de tout rhume ou écoulement nasal, angine, toux.

Indépendamment, l'état général est mauvais avec fièvre, gorge rouge, douleurs du pharynx. Lorsque seul le larynx est touché, c'est le croup. Vous ne le distinguerez pas immédiatement d'une angine. Un examen de laboratoire vous donnera confirmation.

QUE FAIRE EN URGENCE ?

A. — Gardez l'enfant au lit. Désinfectez la chambre avec les essences habituelles, et découragez les visites des copains (voir CONTAGION).

B. — *Régime :* Au début, diète liquide qui se transformera en régime de convalescence : légumes et salades vertes, céréales, fruits, condiments (ail, oignon, persil).

Donnez à l'enfant des tisanes d'ail : 2 à 3 gousses d'ail que vous ferez bouillir dans de l'eau ou dans du lait. L'ail est depuis toujours connu pour la qualité de ses propriétés antiseptiques, antibactériennes et pectorales.

C. — *Traitement par le chlorure de magnésium :* Insistez pour que l'entourage du petit malade prenne des précautions : 2 à 3 cuillerées de *Chlorangil* tous les jours, désinfecteront la gorge des personnes en contact avec l'enfant.

D. — *Traitement homéopathique : Biothérapique diphterotoxinum 9 CH,* 1 dose, une fois loin d'un repas.

191

TRAITEMENT DE FOND (voir ANGINE)

Le traitement sera pratiquement le même que celui des ANGINES (voir ce mot).

LA DIPHTÉRIE ET LA LOI

Comme la diphtérie est contagieuse par contact direct, l'éviction scolaire est indispensable pendant trente jours après la guérison. Les frères et sœurs reprendront la classe sept jours après contact avec le malade, à condition qu'il n'y ait plus traces de germes infectieux.

DOULEURS

Le grand problème avec bébé, c'est qu'il ne parle pas...

Il pleure, c'est tout !

Appuyez fortement sur les régions du corps que vous pensez atteintes (oreilles, ventre, etc.) et voyez sa réaction.

Dès que l'enfant parle, c'est déjà plus facile de poser un diagnostic. Il dit : « J'ai mal ici ou là, fort, pas fort, etc. »

Pressez de la main l'endroit qu'il vous indique, jusqu'à trouver le point sensible qui indique *grosso modo* l'organe malade.

QUAND FAUT-IL CONSULTER LE MÉDECIN ?

Soyez attentive aux autres signes de maladie : fièvre, langue chargée, gorge rouge, toux, rhume, manque d'appétit, boutons, diarrhées, vomissements, autres douleurs... Une notion très importante est celle de l'« état général » : vous voyez bien, sur votre enfant que vous connaissez, l'état général grave, ou le « bon état général » (dans ce cas, l'enfant continue à jouer, il est vif, a de bons réflexes, rit et court avec les autres).

Consultez le médecin :

— Quand l'enfant a des douleurs et des symptômes que vous ne connaissez pas, accompagnés de fièvre (voir FIÈVRE).

— Quand une maladie connue de vous (rhume, grippe, angine...) se prolonge anormalement (fièvre plus de deux jours).

— Quand l'enfant n'a pas de fièvre ni de signes très évidents, mais des douleurs chroniques, ou permanentes et inexplicables. Par exemple, dans bien des cancers, la fièvre est basse, ou inexistante, ou passe inaperçue — l'état général est moyen, mais les douleurs se répètent.

Si vous n'avez vraiment aucune idée du type de la maladie, *consultez un auriculothérapeute :* celui-ci fera le diagnostic, avec beaucoup de précision, uniquement en pratiquant un « auriculogramme » qui localisera exactement la maladie. Un radiesthésiste peut également aider à formuler un diagnostic.

DYSENTERIE

Très redoutée des anciens coloniaux, elle ravageait leur santé, d'autant plus qu'ils s'en débarrassaient très difficilement. Aujourd'hui, ce sont les touristes imprudents qui prennent la relève !

A QUELS SIGNES LA RECONNAITREZ-VOUS ?

L'enfant passe sa vie aux W.-C., et se plaint de violentes coliques. Les selles — horrible détail — sont sanguinolentes ou purulentes.

Le petit malade a de la fièvre, maigrit à vue d'œil, et son état général est vraiment grave. C'est le triste tableau de la dysenterie aiguë, cependant la forme « chronique », bien que atténuée, n'est pas brillante non plus : la fièvre est plus basse (parfois absente), mais les coliques sont aussi très fréquentes. Elles sont un peu moins douloureuses — mais l'enfant maigrit et traîne une immense fatigue.

En plus, cette sale bête provoque des complications du foie (dans le cas de la dysenterie amibienne, voir plus loin).

LES DIFFÉRENTES DYSENTERIES

I. — *LA DYSENTERIE BACILLAIRE*

Due à différents microbes aux noms exotiques : bacilles de Shiga, de Schmitz, ou de Flexner... Elle atteint l'enfant de 2 à 5 ans, et commence par une diarrhée très aiguë, avec des selles sanguinolentes et purulentes. L'enfant peut aller aux W.-C. jusqu'à 50 fois par jour ! Température 38-39°.

QUE FAIRE EN URGENCE ?

Appelez le médecin immédiatement. N'attendez pas : l'enfant risque une déshydratation (voir TOXICOSE), puis le coma, et la mort.

Prévenez l'école, et isolez le petit dysentérique (voir CONTAGION).

En attendant l'arrivée du médecin, choisissez, à l'article DIARRHÉE, le médicament qui paraît le mieux convenir à l'état de l'enfant.

TRAITEMENT DE FOND

L'homéopathie, l'aromathérapie et l'acupuncture viendront à bout de cette ignoble infection.

Mettez l'enfant au régime : jus de *citron, ail,* tisanes de *thym, chou cru. Fruits astringents* (figues, figues de Barbarie, pruneaux, coings, cynorrhodons, roses rouges, en confitures ou en salade).

Cures thermales : Châtel-Guyon, Brides, Saint-Nectaire, Contrexéville.

II. — *LA DYSENTERIE AMIBIENNE (ou AMIBIASE)*

Plus particulièrement coloniale, elle s'attrape très facilement en Afrique du Nord, en Afrique, dans tous les pays tropicaux et équatoriaux. Elle ressemble comme une sœur à la précédente, mais il n'y a pas de fièvre, et c'est plutôt une maladie chronique. Elle ne se contracte pas par contact direct, mais par l'eau sale (les légumes lavés à l'eau sale).

Les complications qu'elle risque d'amener sont un abcès au foie ou au poumon (très grave).

QUE FAIRE EN URGENCE ?

Voir traitement d'urgence de la DIARRHÉE.
En attendant le médecin, donnez un verre d'argile verte (1 cuiller à café d'argile verte dissoute dans un verre d'eau).

TRAITEMENT DE FOND

Le médecin *aromathérapeute* donnera des huiles essentielles.

L'acupuncture traitera aussi très bien l'amibiase.

Le médecin homéopathe donnera : *Holarrhena floribunda D1* ; *Holarrhena antidysenterica D1* (10 gouttes de chacun par vingt-quatre heures) ; *China 4 CH* ; *Iris versicolor 4 CH* ; *Thuya 4 CH*.

Dans les cas exceptionnellement rebelles, il aura recours à l'*émétine*, tirée de l'ipéca.

III. — *TRAITEMENT PRÉVENTIF DE TOUTES LES DYSENTERIES*

En voyage avec des enfants, soyez d'une prudence extrême, et ne leur laissez pas boire n'importe quoi dans les pays chauds. Exigez qu'on ouvre les bouteilles de jus de fruits devant vous. Exigez du thé bouillant (qui, de plus, contient un tanin protecteur de l'intestin). Bien entendu, n'ébouillantez pas l'enfant, et donnez-lui le thé une fois refroidi, sucré et citronné ! Ne le laissez pas manger la peau des fruits : épluchez-les. Préférez les aliments cuits (couscous, riz à la chinoise ou à l'indienne). Hélas, pas de salades dans les pays exotiques... C'est trop risqué ! Voyez à DIARRHÉE les désinfectants intestinaux : *ail, piment, poivre,* etc. (C'est pourquoi les peuples habitant les zones chaudes épiçaient traditionnellement beaucoup leur cuisine.) Si l'enfant aime les spécialités locales très pimentées, et s'il les supporte, vous pouvez lui en donner.

Exigez de l'enfant qu'il se lave les mains à fond avant les repas, et après une visite aux TOILETTES (voir ce mot).

E

ECCHYMOSE (voir COUPS)

ÉCORCHURES (voir BLESSURES)

ECZÉMA

Toutes les pustules, papules, macules, vésicules... et animalcules non identifiables sont actuellement baptisées « eczéma ». Celui-ci est, en fait, en constante progression. Au banc des accusés : les produits chimiques. L'eczéma est dû à la fois à une intoxication par un agent extérieur, à l'existence d'un tempérament très allergique et à un état arthritique héréditaire.

Il peut aussi avoir une origine psychique : certains tempéraments anxieux en souffrent plus que d'autres.

A QUELS SIGNES LE RECONNAITREZ-VOUS ?

L'eczéma n'atteint pas le nourrisson avant l'âge de 2 mois, et se raréfie après 2 ans. La peau de l'enfant devient sèche et rêche, en commençant par les joues. La démangeaison intense se localise aux plis : sous les genoux, au creux des coudes, derrière les oreilles...

L'eczéma existe tantôt sous la forme sèche, tantôt sous la forme suintante : les vésicules sont remplies d'un liquide qui coule quand elles crèvent.

Les petits boutons peuvent éventuellement gagner du terrain et envahir tout le corps.

Pour l'enfant, c'est un supplice : de fortes démangeaisons, des picotements, des brûlures, qui le mettent d'une humeur de chien.

Le grand soleil, l'eau de mer, le sable, la laine, les vêtements trop serrés aggravent le désastre.

QUE FAIRE EN URGENCE ?

On ne peut donner que des calmants : il faudra absolument commencer le traitement de fond le plus tôt possible. Pour l'eczéma suintant : posez sur la peau ravagée des compresses imbibées d'une infusion de camomille (*Matricaria camomilla*) ; d'*hysope* (*Hyssopus*), 30 g par litre d'eau ; de *sauge* (*Salvia officinalis*), une poignée de fleurs par litre d'eau. L'une ou l'autre plante soulageront le malade et vous pouvez mélanger les trois.

Pour l'eczéma sec (non suintant) : *géranium rosat* (*Pelargonium graveolens, Pelargonium roseum*, etc.). Badigeonnez la partie malade avec l'huile essentielle de cette plante (4 ou 5 gouttes suffisent). A défaut d'huile essentielle, cuire la plante entière (un quart d'heure) et l'appliquer en cataplasme, écrasée, sur la peau.

Huile de lavande : une poignée de fleurs de lavande cuites au bain-marie pendant deux heures dans un demi-litre d'huile d'olive.

Egalement, frictionnez l'eczéma avec de l'*huile de genévrier-cade*.

Les cataplasmes de feuilles de *chou* ou d'*oignon* apportent aussi un soulagement [1].

Badigeonnez l'eczéma à l'*huile de cade* [2].

Enfin, un cataplasme d'*argile verte* épaisse calmera la démangeaison.

Supprimez ce qui a déclenché la crise, c'est-à-dire l' « allergène », si vous le trouvez : lessive, parfum, médicament, aliment, vêtement en fibre synthétique... voir ALLERGIE.

TRAITEMENT DE FOND
(à commencer le plus tôt possible)

A. — *Par l'homéopathie* : Consultez un homéopathe, qui prescrira les remèdes spécifiques, d'après le tempérament de votre enfant. En attendant, donnez-lui du *Dermo-drainol* (10 gouttes trois fois par jour).

B. — *Par les oligo-éléments* : *Manganèse-soufre* et *Manganèse-cobalt* (une ampoule de chacun, en alternance, un jour sur deux).

C. — *Par la gemmothérapie* : On obtient de bons résultats en utilisant les bourgeons de plantes, qui possèdent des propriétés étonnamment puissantes :

1. Cité par le Dr Valnet, dans *L'Aromathérapie, op. cit.*
2. Cité par Fabrice Bardeau dans *La Médecine par les fleurs,* Ed. Stock.

cassis (*Ribes nigrum*), romarin (*Rosmarinus officinalis*), viorne lantane (*Viburnum lantana*), aulne glutineux (*Alnus glutinosa*).

D. — *Par l'acupuncture et l'auriculothérapie* : D'excellents résultats sont ici obtenus, mais il faut savoir que le traitement sera long en général.

E. — *Par le régime alimentaire* : Pour les nourrissons, remplacez dès que possible le lait par des *bouillons de légumes*, des *jus de carottes* et des *jus de fruits*. Pour les enfants, réduisez les graisses, les œufs d'élevages industriels, le fromage, le pain. Insistez sur les *crudités*.

F. — *Par l'hygiène* :

Evitez la vaccination antivariolique. Les tempéraments eczémateux supportent très mal le choc vaccinatoire. Signalez-le absolument au médecin scolaire lors des vaccinations obligatoires.

Evitez les pommades de toutes sortes, soi-disant anti-irritantes. Contentez-vous de nettoyer la peau à *l'huile d'amandes douces* ou à l'*huile d'olive vierge* (moins chère que la précédente).

Faut-il talquer l'eczéma ? Tout dépend du talc, et des produits qui sont dedans (pensez au talc Morhange qui contenait l'hexachlorophène, bilan : 42 morts !). Nous préférons l'argile au talc.

Disparition spontanée : Les guérisons surviennent un jour sans que l'on sache pourquoi et votre petite tortue deviendra, enfin, un bel enfant à la peau lisse.

EMBARRAS GASTRIQUE (voir INDIGESTION)

EMPOISONNEMENT et INTOXICATION

On pense d'abord aux champignons, aux conserves avariées, aux viandes pas fraîches, aux coquillages douteux... On ne pense pas encore assez à ces nouveaux poisons que la civilisation industrielle nous a imposés :

— Médicaments de la chimie de synthèse ;

— Détergents, produits de lessive et d'hygiène ;

— Insecticides et pesticides (en particulier pesticides organochlorés) ;

— Déchets industriels.

Ces poisons chimiques font des ravages croissants, et le grand public n'est pas encore assez informé de leurs dangers (affaire de Seveso en Italie, de Minamata au Japon, du talc Morhange en France...). Faut-il qu'il y ait des morts pour que enfin le consommateur soit protégé ?

Pour l'instant, il ne l'est pas, et le mini-consommateur encore moins !

A QUOI RECONNAITREZ-VOUS UN EMPOISONNEMENT ?

Intoxications ou empoisonnements se manifestent souvent assez rapidement, (immédiatement, ou dans les douze heures qui suivent). L'enfant vomit, a des coliques violentes, la diarrhée, des douleurs d'estomac, des sueurs froides... La fièvre peut survenir, et assez forte (cela dépend du type d'empoisonnement, et de sa gravité). Voyez aussi s'il y a des boutons, des fourmillements ou des démangeaisons aux extrémités des membres, mal à la tête.

Si l'enfant a des convulsions, s'il se plaint de voir double, ou de ne plus voir, c'est grave. L'état général se détériore rapidement : teint plombé, yeux cernés, agitation extrême, puis abattement, voire prostration, syncope, coma... Toutes les minutes comptent, et la mort peut survenir assez vite.

Il existe aussi des empoisonnements lents, ou chroniques, qui se manifestent par des maladies diverses : allergies, réactions violentes du foie et des reins (dont la fonction consiste à filtrer les poisons), etc. (voir, par exemple, COLIQUES DE PLOMB).

QUE FAIRE EN URGENCE ?

A. — Si vous voyez chez votre enfant plusieurs des symptômes décrits plus haut, si l'état général vous semble mauvais (et qu'il se détériore rapidement), appelez *d'urgence le médecin*. Vous n'avez pas de temps à perdre. Il faudrait pouvoir l'appeler tout de suite après l'empoisonnement, c'est rarement possible, l'enfant ne dit pas toujours ce qu'il a avalé (mais les plus grands peuvent vous renseigner).

Si vous constatez le moindre signe inquiétant après un repas de coquillages, ou de champignons, ou un repas au restaurant, ou après l'ingestion d'un médicament, appelez le médecin. Si ce dernier est introuvable ou inaccessible dans l'immédiat, demandez conseil à votre pharmacien, qui a aussi pas mal de compétences en matière de poisons.

Enfin, pompiers et gendarmerie (Police-Secours) peuvent vous aider dans les cas très graves, où il s'agit d'hospitaliser au plus vite le petit malade.

Les types d'intoxications sont nombreux et le traitement varie d'un cas à l'autre. Par exemple, ne croyez pas qu'il faille faire vomir l'enfant à tous les coups. Dans certains cas, cela ne sert à rien et c'est même nuisible.

Quand vous appelez le médecin, ou consultez le pharmacien, aidez-le en lui disant quel type de poison vous soupçonnez, et de quand date l'intoxication.

B. — *S'il vous dit de faire vomir l'enfant,* touchez-lui le *fond de la gorge avec une cuiller,* ou donnez-lui un *bol de cheveux hachés* (s'il veut bien en avaler quelques-uns, ceux-ci provoqueront le vomissement). Autre possibilité : un bol d'*eau chaude très, très salée* (un verre rempli à moitié de gros sel).

Si vous en avez (le pharmacien homéopathique peut vous en procurer) : 1 g d'*ipéca en poudre* dans une cuillerée d'eau.

Si le poison est absorbé depuis plus de deux heures, cela ne sert plus à rien, en général, de faire vomir.

Donnez à boire du *thé fort* à l'enfant, pour soutenir le cœur.

C. — Voici l'adresse des centres antipoisons que vous pouvez appeler en urgence :

CENTRE POISONS - INTOXICATION :
Hôpital Fernand-Widal, 200, rue du Faubourg-Saint-Denis, 75010 Paris, tél. : 205-63-29.
En France :
Angers : (41) 87-69-51.
Bordeaux : (56) 92-61-00.
Lille : (20) 54-55-56.
Lyon : (78) 60-99-50.
Marseille : (91) 75-25-25.
Montpellier : (67) 72-00-00.
Nancy : (28) 52-92-10.
Rennes : (99) 30-03-00.
Toulouse : (61) 42-33-33.
Tours : (47) 53-79-29.
Saint-Denis : (1) 752-23-04.
Strasbourg : (88) 36-71-11.
Centres antipoisons à l'étranger :

Belgique : (02) 49-29-29 à Bruxelles.
Canada : (RE 1) 49-31 à Montréal.
Maroc : 739-51 à Casablanca.
Suisse : (051) 31-66-66 à Zurich.

TRAITEMENT PRÉVENTIF

Ce que toute mère devrait faire :
A. — *Médicaments :*
N'en laissez traîner aucun sur votre table de nuit, ou dans un tiroir (les enfants adorent les tiroirs !). Enfermez tous vos médicaments dans un endroit inaccessible (dans le haut d'un placard, par exemple).

Il existe un moyen encore plus radical d'éviter tout empoisonnement : soignez-vous aux *médecines naturelles*. Avec l'homéopathie, il y a très peu de risques d'empoisonnements... Un peu tout de même, mais tellement moins qu'avec les drogues de synthèse chimique, dont la masse des gens n'imagine plus pouvoir se passer ! Personnellement, nous avons éliminé tous ces médicaments de notre armoire à pharmacie : celle-ci contient surtout des granules homéopathiques, quelques teintures-mères (qui ont un goût décourageant pour un enfant !), des huiles essentielles (très fortes : l'enfant n'en prendra sûrement pas beaucoup), de l'argile, des oligo-éléments, du chlorure de magnésium (goût exécrable), des plantes séchées, enfin des spécialités à base de tous les produits naturels ci-dessus. Nous avons éliminé l'aspirine, les somnifères, les diurétiques chimiques, les tranquillisants, les antibiotiques (oui !), les corti-coïdes, etc., tous responsables d'accidents graves.

B. — *Les produits de lessive et détersifs ménagers* (poudres à laver, à récurer, Javel, acide chlory-drique, débouche-W.-C., nettoie-four, etc.) : Mettez-les sous clé, ou sur une étagère inaccessible. Mieux encore, achetez-en le moins possible, et fournissez-vous plutôt en produits de lessive relativement naturels, agréés par « Nature et Progrès » (association d'agriculture et d'hygiène biologique). Vous aurez moins d'accidents [1].

C. — *Le gaz* : Fermez le robinet de gaz, le soir. Pensez à changer les tuyaux régulièrement.

D. — *Aliments avariés, conserves, etc.* : Vous avez l'œil aigu et le nez fin : vous voyez des couleurs douteuses, des poissons pas frais, des boîtes de conserves gondolées, de la viande dont l'odeur est désagréable... Sentez viandes et poissons avant l'achat. N'achetez jamais d'aliments préemballés sous plastique. Ne faites pas dégeler les surgelés pour les regeler ensuite.

Evitez les plats cuisinés par les traiteurs, et par l'industrie (tout à fait déconseillés pour les petits enfants). Mettez-vous à l'alimentation biologique (voir ALIMENTATION).

E. — *Champignons* : Ne mangez aucun champignon qui n'ait été contrôlé par le pharmacien. Méfiez-vous des amanites phalloïdes (champignons mortels) qui peuvent se mêler à des rosés des prés (agaric). Lorsque les amanites sont jeunes, on peut les confondre (cas que nous avons connu, de gens qui ramassaient des rosés sur leur pelouse : une seule amanite égarée dans le tas a suffi à les envoyer au cimetière !...).

F. — *Plantes sauvages...* Les pauvres, elles sont bien passées à l'arrière-plan des grandes causes d'empoisonnement (on a trouvé cent fois mieux) ! Enfin, il faut tout de même les connaître, et apprendre à nos enfants à ne pas sucer n'importe quelle baie rouge brillante.

1. Voir aussi la liste des adresses du *Guide de l'anticonsommateur* (Livre de Poche).

1. — *Plantes dont toutes les parties sont très véné-neuses (fleurs, fruits, feuilles...)* :

Aconit (fleurs bleues) ; *adonis de printemps* (fleurs jaunes) ; *belladone* (fruits noirs) ; *calle de marais* (fruits rouges) ; *chélidoine* (fleurs jaunes) ; *ciguës* (ombelles blanches) ; *colchique* (fleur mauve) ; *datura stramoine* (fleurs blanches) ; *digitale* (fleurs roses, très grandes) ; *ellébore blanc*, ou *vérâtre blanc* (fleurs verdâtres) ; *ergot de seigle* (bourgeon noir) ; *gui blanc* (le gui, c'est le gui !) ; *jusquiame noire* (fleurs roses) ; *laurier-rose* (fleurs roses, blanches, rouges, dans tous les jardins du Midi, attention, très toxique) ; *muguet du premier mai* (fruits rouges) ; *parisette* ou *raisin-de-renard* (un fruit noir) ; *viorne-obier* (fleurs blanches).

Nous vous avons donné, pour cette liste, la couleur des fleurs ou des fruits pour vous aider à les repérer plus facilement ; mais la plante entière est toxique. Donc, pas de bouquets et pas de confitures ! Apprenez vous-même à les reconnaître, pour avertir votre enfant.

2. — *Plantes dont une partie seulement est très toxique* (ici, entre parenthèses, nous indiquons la partie toxique) :

Bois-gentil, ou *bois joli* (baies rouges) ; *chèvre-feuille* (baies jaunes vertes) ; *cytise* (fleurs) ; *coloquinte* (graines et pulpe) ; *if* (feuilles et graines noires au cœur du fruit rouge) ; *laurier-cerise* (amande du fruit noire) ; *lierre grimpant* (fruits noirs) ; *pavot* (jus des capsules, ou opium).

Toutes les *renoncules* sont plus ou moins « poison », à des degrés divers, toutes les *ellébores*.

Les autres plantes ne donnent que des intoxications mineures.

Méfiez-vous du *laurier-rose* : les soldats de Napoléon, pendant la guerre d'Espagne, moururent pour s'être fait des brochettes de poulet enfilées sur des branches de laurier-rose ! Il y en a dans tous les jardins publics du Midi, il faut prévenir l'enfant.

G. — *Les pesticides, désherbants, traitements chimiques* pour le jardin et les champs. Le nombre d'intoxications (graves, et même mortelles) dues à ces produits ne cesse de croître d'année en année. Un grand nombre de jardiniers et de cultivateurs se comportent de façon irresponsable ou assassine, en s'imaginant suivre le dernier cri du progrès : pulvérisant d'énormes doses de pesticides au-dessus de leurs cultures, ils provoquent des accidents. Le vent répand le nuage toxique bien au-delà du périmètre prévu, et rend malades les voisins qui n'y sont pour rien. Les maniaques du pulvérisateur ont parfaitement le droit de s'empoisonner à mort eux-mêmes avec leurs pesticides. Mais nous leur refusons le droit d'empoisonner nos enfants (et les leurs).

L'inconscience du public à cet égard est immense. Et lourde la responsabilité de ceux qui fabriquent et vendent ces poisons extrêmement violents, faisant passer le profit avant la santé du consommateur.

Les Américains ont été bien plus loin que nous dans cette voie. Les ravages causés par les pesticides les ont tellement alarmés que le mouvement de réaction a été très fort. Ne pourrions-nous profiter de leur expérience, pour nous éviter de commettre les mêmes erreurs ? Lisez *Le Printemps silencieux* de Rachel Carson (Livre de Poche). Vous devez être informés.

En tout cas, n'arrosez pas vos allées de désherbant. Réglez le problème autrement : par le jardinage biologique [1].

Il faut tout de même savoir que la plupart des pesticides déclenchent des cancers... Et que ce n'est pas toujours des questions de fort ou faible

_____
1. « Nature et Progrès », 53, rue de Vaugirard, 75006 Paris.

dosages... C'est toute une optique de civilisation qu'il faudrait changer.

ENCÉPHALITE

C'est pourtant un joli mot... pour une affreuse maladie, ou plutôt un ensemble de maladies qui touchent le cerveau.

Les MÉNINGITES (voir ce mot) sont une infection des méninges (enveloppes du cerveau) dues à un virus. Au contraire, les encéphalites ne sont pas toujours dues à une infection. Elles ont une caractéristique : l'état général de l'enfant est toujours très mauvais.

De façon générale, les signes en sont un violent mal de tête, des vomissements, des convulsions, parfois des paralysies, des troubles de la vue et de l'audition.

I. — *ENCÉPHALITE TRAUMATIQUE*

Due à une chute, un COUP (voir ce mot) sur la tête.

QUE FAIRE EN URGENCE ?

En attendant le médecin, mettez des granules homéopathiques dans la bouche de l'enfant : *Opium 5 CH, Arnica 5 CH, Hypericum perfoliatum 4 CH*, 2 granules de chacun. Recommencez toutes les deux heures. Mettez une vessie de glace sur la tête de l'enfant.

II. — *ENCÉPHALITE SOLAIRE*
(voir INSOLATION)

III. — *ENCÉPHALITE AIGUË INFECTIEUSE*

Relativement fréquente chez les bébés, elle est plus rare chez le jeune enfant. Ici, à la différence des cas précédents, l'encéphalite est une complication d'une maladie infectieuse infantile déjà existante (coqueluche, grippe, rougeole, varicelle, zona, etc.).

A QUELS SIGNES LA RECONNAITREZ-VOUS ?

La fièvre est très élevée, l'enfant vomit. Convulsions, contractions, douleurs violentes à la tête, paralysie partielle à différents endroits...

QUE FAIRE EN URGENCE ?

Mettre de la *glace* sur la tête de l'enfant. Appelez d'urgence le médecin, et voir traitement d'urgence de la MÉNINGITE.

IV. — *ENCÉPHALITE POSTVACCINALE*

Certains vaccins (voir VACCINATION) provoquent des encéphalites. Les signes de la méningite déclenchée par un vaccin, sont les mêmes que ceux de la méningite aiguë infectieuse, avec un état général très mauvais.

En attendant le médecin, donnez à l'enfant une dose de *Biothérapique vaccinotoxinum 7 CH*, et mettez-lui de la glace sur la tête.

213

V. — ENCÉPHALITE ÉPIDÉMIQUE DE VON ECONOMO (ENCÉPHALITE LÉTHARGIQUE)

Une vraie saleté, celle-là. Elle est apparentée à la grippe espagnole, qui tua des millions de gens lors de la Première Guerre mondiale.

COMMENT LA RECONNAITREZ-VOUS ?

L'enfant dort trop, ou au contraire, souffre d'insomnie. Il souffre de paralysie des yeux, de contractions musculaires, rapides et involontaires et, bien sûr, d'un mal de tête intense avec fièvre élevée.

QUE FAIRE EN URGENCE ?

En attendant le médecin, donnez une dose d'Oscillococcinum 200. Puis : *Gelsemium 5 CH, Arum triphyllum 5 CH, Helleborus 5 CH*, 2 granules toutes les deux heures.
Biothérapique influenzinum 5 CH, 2 granules par jour.
S'il y a paralysie oculaire, *Causticum 5 CH*, 2 granules tous les jours.

ENFANT UNIQUE

Tout seul face à ses parents, c'est bien lourd !
S'il est l'objet de toutes les attentions, le petit lord adoré, il deviendra un tyranneau domestique, égoïste, autoritaire, impossible. Sa confiance en lui

écrasera les autres, et il aura bien des difficultés plus tard dans sa vie conjugale...

Il y a aussi l'enfant unique écrasé par la mésentente des parents, ou par la trop forte autorité de ceux-ci. Tout cela prépare de jolies névroses...

POUR ÉVITER CE RATAGE

— Invitez le plus souvent possible des copains à domicile. Laissez votre merveille unique aller dans les autres familles, être invité plusieurs jours de suite, etc. Acceptez de vous en séparer de temps en temps. Cela lui fera le plus grand bien.

— Apprenez-lui à partager et à donner, à échanger...

— Offrez-lui un animal (un gros chien !).

— Ne centrez pas tout votre intérêt sur lui : travaillez, occupez-vous de votre côté. Ne le mère-poulissez-pas (ça s'appelle « materner » un enfant !).

— Et faites l'impossible pour avoir un autre enfant, ou en adopter un.

...Il y a aussi les « unique fils » ou « unique fille », au milieu de frères ou sœurs du sexe opposé. C'est un peu le même problème de polarisation des parents sur l'unique merveille.

L'unique fils peut devenir l'horrible phallocrate, le macho à qui tout est permis. Ne le dispensez pas de faire la vaisselle, ni de ranger sa chambre... Ses sœurs ne sont pas des esclaves à son service !

Quant à l'unique fille, elle a un certain mal à affirmer sa féminité au milieu des garçons. Expliquez-lui qu'une fille ne vaut pas moins qu'un garçon, bien qu'elle n'ait pas de « zizi » (voir INITIATION SEXUELLE).

Enfin, elle s'y connaîtra dans la vie en matière d'hommes : ses frères lui assurent un rodage très dur, mais souvent efficace !

ENFLURE (voir ŒDÈME)

ENGELURES

Supplice infligé aux enfants d'autrefois par une mauvaise hygiène, les engelures sont devenues plus rares aujourd'hui.

A QUOI LES RECONNAITREZ-VOUS ?

Quelquefois, on ne voit rien du tout ! L'enfant pleure, et se plaint de vives démangeaisons aux orteils, aux doigts, aux oreilles. Prenez ses plaintes au sérieux, même si vous ne voyez rien, c'est vraiment très douloureux.

D'autres fois, vous verrez la peau rougir, et, dans les cas graves, s'ouvrir en crevasses.

QUE FAIRE EN URGENCE ?

Libérez les pieds de l'enfant.

Bannissez les chaussures étroites, achetez-lui tout de suite des chaussures larges et souples. Un mocassin léger, même d'été, vaut mieux qu'une botte serrée. Pourquoi ? Parce que dans cette dernière, la circulation ne se fait pas, les orteils ne sont pas libres de leurs mouvements, et c'est là la cause de l'engelure.

(En particulier, évitez les bottes de caoutchouc, froides et humides.)

A ne pas faire aussi : réchauffez les doigts de façon brutale au-dessus d'une source de chaleur.

Préparez une *soupe de céleri* (*Apium graveolens*). Prenez une tête de céleri-rave, avec ses feuilles, que vous ferez bouillir une demi-heure dans deux litres d'eau, après l'avoir hachée ou coupée en morceaux grossièrement.

Donnez un bain de pieds ou de mains à l'enfant, qui marinera dans ce jus pendant une demi-heure. Ensuite, réchauffez et recommencez encore deux fois.

Il faut répéter l'opération (avec le même céleri) le lendemain, après quoi c'est fini, l'enfant sera guéri pour l'hiver. A condition de ne pas lui emprisonner les pieds.

TRAITEMENT DE FOND (ET PRÉVENTIF)

Certains enfants sont prédisposés aux engelures : enfants doux, peu agressifs, sensibles, ayant facilement froid aux mains.

Pour les engelures aux mains, ne laissez pas les petits doigts désarmés devant le froid humide de l'hiver. Mamans, à vos tricots ! Trouvez un moyen pour éviter la perte des gants : attachez-les aux manches, ou entre eux par un cordonnet. Ou achetez-les par paires de la même couleur.

Pour les engelures aux oreilles, tricotez cagoules et passe-montagnes. Ceux-là aussi, comme les gants, ont une tendance irrésistible à se perdre entre l'école et la maison !

A. — *Traitement par les plantes :*

Le *céleri* (voir plus haut), au début de l'hiver.

Posez sur l'engelure une compresse de *jus d'oignon* (passez celui-ci dans un presse-fruit).

Décoction de *feuilles de noyer* (*Juglans regia*), mélangée à l'*écorce de chêne* (*Quercus robur*). Achetez en herboristerie ou ramassez-les vous-même ! Mettez 50 g de noyer et 100 g de chêne à bouillir pendant une demi-heure, dans deux litres d'eau. S'utilise en bain de pieds chaud. Autre décoction : de *feuilles de gui* (*Viscum album*), 200 g pour deux litres d'eau. Allez le cueillir sur l'arbre ! Et faites-en un bain de pieds.

B. — *Traitement par l'homéopathie* : Allez consulter votre homéopathe en automne. Il donnera un traitement de fond à l'enfant, et un régime riche en fruits frais et légumes. Localement, appliquez de l'*Homéoplasmine,* pommade adoucissante sur les engelures. Si celles-ci sont ouvertes, nettoyez-les à l'*eau de Philae.*

ENTORSES et FOULURES

Dès qu'il pourra sauter d'une armoire, bien plus haute que lui, de préférence, finie la tranquillité ! Vous courrez le risque de le voir arriver sur une patte, l'air penaud ou douloureux, et montrant cheville (ou poignet) qui enfle à vue d'œil.

On appelle foulure une légère entorse du pied ou du poignet. Les unes et les autres se soignent de la même façon.

A QUELS SIGNES LES RECONNAITREZ-VOUS ?

Foulure, cassure, vous aurez parfois du mal à vous faire une idée au premier coup d'œil. La cassure est souvent plus douloureuse, mais pas toujours. Comparez les deux pieds (ou les deux poignets), pour voir si l'un des deux a un profil différent, ou une inclinaison suspecte. En cas de cassure, le membre a l'air tordu et la fièvre monte tout de suite. (Mais l'absence ou la présence de fièvre n'est pas un signe absolu.)

Si le doute subsiste, une radio vous éclairera définitivement.

QUE FAIRE EN URGENCE ?

Evitez le « Je te l'avais bien dit » qui ne sert plus à rien. Passez immédiatement la cheville ou le poignet sous un filet d'eau froide, pendant une vingtaine de minutes. C'est désagréable, parce que cela « porte sur le cœur », mais tenez bon.

Ensuite, choisissez l'un des traitements suivants :

A. — *Par les plantes* : Bains chauds de pieds ou de mains avec une cuillerée à café par litre d'eau de teinture-mère d'*arnica*, ou de *souci* (*Calendula*) dans une bassine ou une cuvette.

Appliquez sur la cheville ou le poignet foulé des compresses d'herbes aux noms poétiques :

Décoction d'aigremoine (*Agrimonia eupatoria*) : 100 g de plantes sèches ou fraîches pour un litre d'eau ; laissez bouillir jusqu'à réduction d'un tiers, laissez tiédir quelques minutes, puis imbibez-en les compresses ;

Décoction d'hysope (*Hyssopus officinalis*), même proportions, ou de *romarin* (*idem*) ;

Décoction de verveine (*Verbena officinalis*), à ne pas confondre avec la verveine odorante : 40 à 50 g par litre d'eau.

219

Frictions : à l'*huile de camomille* (100 g de têtes macérées à chaud pendant 2 h dans un litre d'huile d'olive).

B. — *Par l'argile* : Un cataplasme d'*argile verte* renouvelé toutes les trois heures atténuera la douleur.

C. — *Par l'acupuncture* : *L'acupuncteur* piquera localement, réduisant considérablement l'enflure.

DANS LES JOURS QUI SUIVENT

Maintenez le pied ou le poignet dans une bande moyennement serrée, et réfrénez les ardeurs sportives de votre bambin.

Une entorse dure plus ou moins longtemps selon sa gravité. Il faut compter trois semaines environ d'immobilisation du membre foulé. Mais même guéri, il restera plus fragile.

TRAITEMENT DE FOND

Si l'entorse est chronique, *traitement par l'homéopathie* : 1 comprimé deux fois par jour d'*ostéocynésine.*

Natrum muriaticum 7 CH, Calcarea fluorica 7 CH, 5 granules tous les quinze jours. *Silicea 5 CH,* 2 granules tous les trois jours.

Traitement par les oligo-éléments : *fluor, manganèse-cuivre.*

ÉNURÉSIE (voir PIPI AU LIT)

ENVELOPPEMENT (voir première partie)

ÉPANCHEMENT DE SYNOVIE

Thomas et Maxence se poursuivent en hurlant... pour changer ! Mais les cris s'arrêtent brusquement. C'est donc grave. En effet, je vais voir, et la vilaine tête de Maxence annonce bien que ça ne va pas. Son genou a violemment heurté une pierre et enfle rapidement : on le verrait presque changer de couleur. Je pense tout de suite à l'épanchement de synovie (liquide placé à l'avant de la rotule). Il crie lorsque je fais mine d'appuyer.

QUE FAIRE EN URGENCE ?

Si c'est possible, voir un médecin qui conseillera peut-être une radio.

En attendant, compresses d'*Arnica teinture-mère* (10 gouttes diluées dans de l'eau) et *Arnica 5 CH* en granules homéopathiques (2 granules toutes les heures à avaler). A défaut, un cataplasme de *feuilles de chou* sur la bosse que vous banderez ensuite, bien serrée.

Autres traitements possibles : voir COUPS.

Evitez qu'il ne bouge la jambe, qui restera sensible de longs mois.

ÉPILEPSIE

Connue sous le nom de « Haut Mal », ou, lorsque sa forme était moins grave, de « Petit Mal », cette maladie a toujours fait très peur. Sa soudaineté d'apparition, sa réputation d'être incurable, faisaient croire jadis qu'elle était une manifestation de possession diabolique.

A QUELS SIGNES LA RECONNAITREZ-VOUS ?

A. — *Haut mal* : Perte de connaissance très courte, d'environ trente secondes, suivie de contractions, de convulsions, et de secousses parfois très violentes (attention, l'enfant peut se mordre la langue). L'enfant a l'écume aux lèvres. Puis suit une période d'environ vingt minutes où l'enfant perd absolument conscience. A son réveil, il a tout oublié.

B. — *Petit mal* : Le regard devient fixe, la figure se contracte, l'enfant éprouve des vertiges et croit perdre l'équilibre.

QUE FAIRE EN URGENCE ?

Allongez l'enfant pour éviter qu'il se blesse en tombant, de préférence sur un grand lit, pour qu'il ne risque pas dans ses mouvements désordonnés de se blesser sur un objet ou un meuble. Desserrez ses vêtements, et essayez d'enfoncer un mouchoir dans sa bouche pour éviter qu'il se morde la langue.

Compresses d'eau froide sur le visage et le long de l'épine dorsale si cela est possible.

TRAITEMENT DE FOND

Il y a sans doute dans l'épilepsie une part d'hérédité importante, ou alors il faut rechercher la cause dans une tumeur cérébrale, un traumatisme crânien ancien, un développement déficient du cerveau. L'allopathie interviendra avec des calmants. Les médecines naturelles tâcheront de les éviter, les sachant toxiques.

A. — *Par les plantes :* Bains de *tilleul* et de *gui* (*Viscum album*, 500 g de feuilles et fruits en décoction, bouillis vingt minutes dans trois litres d'eau. A jeter dans le bain).

Tisanes de *menthe, origan, valériane, mélisse* (demandez à l'herboriste). Tisane de *gui*, spécifique de l'épilepsie, 10 g de feuilles par litre d'eau (en infusion).

Tisane de *racine de pivoine (Paeonia officinalis)*, que vous achèterez en poudre chez l'herboriste. Autrefois on mettait au cou de l'enfant un collier de semences de pivoine, pour le protéger des convulsions et autres maux bien insolites. Ou alors quand on sentait venir la crise, on essayait de l'empêcher en donnant une racine de pivoine à mordre à l'enfant.

B. — *Par l'homéopathie : Cicuta virosa 4 CH, Métaldéhyde 4 CH,* ainsi que *Cuprum 4 CH,* 2 granules de chacun toutes les demi-heures.

C. — *Par les oligosols : Manganèse-cobalt* et *cuivre, or, argent.*

L'épileptique redoute l'arrivée de sa crise : son caractère devient méfiant et parfois méchant. Tâchez de lui apporter une aide affective.

Edgar Cayce a recommandé, pour les petits épileptiques, des *massages doux,* fréquemment renouvelés — tels ceux du « shiatsu » (voir adresses en fin d'ouvrage), insistant particulièrement sur les zones-clés le long de la colonne vertébrale. Ces massages se sont révélés très efficaces.

ÉPINGLES
(voir INGESTION DE CORPS ÉTRANGERS)

ÉPISTAXIS (voir SAIGNEMENT DE NEZ)

ÉRYSIPÈLE

Éruption légèrement contagieuse, d'origine microbienne, tristement localisée sur la figure, en forme de vilain papillon rouge, de part et d'autre du nez.

L'érysipèle se présente comme une large plaque, entourée d'un bourrelet plus sensible sur le bord extérieur. Elle n'est pas contagieuse.

A QUELS SIGNES LE RECONNAITREZ-VOUS ?

Débute de façon brutale, avec fièvre (souvent élevée, maux de tête, frissons). On peut même remarquer des ganglions sous les mâchoires.

TRAITEMENT

Consultez le médecin. Mais en attendant vous pouvez appliquer localement des compresses de *Dermarome* (50 gouttes dans de l'eau bouillie tiède). Par voie interne, faites absorber à l'enfant sur un sucre des essences aux propriétés antivirales et antibiotiques : eucalyptus, niaouli, citron, cyprès, etc.

Se termine en quelques jours.

ÉRYTHÈME FESSIER

Ce mot barbare signifie éruption et l'enfance ne manque pas d'imagination dans ce domaine (voir aussi ÉRYTHÈME NOUEUX et SOLAIRE).

L'érythème fessier est relativement fréquent, alors qu'une bonne hygiène et des soins de propreté devraient le rendre très exceptionnel. Il peut également succéder à une infection intestinale.

A QUELS SIGNES LE RECONNAITREZ-VOUS ?

— Soit une plaque rouge, luisante, lisse et presque continue. Votre pauvre bébé aura tout l'air d'un babouin.

— Soit des vésicules à ne pas confondre avec l'une des innombrables éruptions infantiles. Peut coloniser les plis inguinaux, les talons, les aisselles.

TRAITEMENT IMMÉDIAT

Agir immédiatement avec au passage un petit *mea culpa*. Seriez-vous un tout petit peu responsable ?

A. — *Par l'hygiène :*

Changez bébé souvent. Nettoyez-le chaque fois à l'*huile d'olive* ou l'*huile d'amandes douces*. Talquez à l'*argile* (cicatrisante). Tant que cela est possible et s'il ne fait pas trop froid, laissez bébé en « sans-culotte ». Sa peau y gagnera en résistance au contact de l'air.

— Lavez soigneusement ses couches au seul *savon de Marseille*. Tout autre produit détergent du com-

225

merce est corrosif. L'été, faites sécher votre linge au soleil, l'hiver repassez : le *fer* et la *vapeur* tuent les microbes.

B. — *Par l'homéopathie :*
Une dose de *Biothérapique medorrhinum 7 CH* (radical !).

Puis 2 granules une fois par vingt-quatre heures, et en alternance, des remèdes suivants : *Chamomilla 5 CH, Urtica urens 5 CH, Belladonna 5 CH, Arsenicum album 5 CH.*

TRAITEMENT DE FOND

Régime alimentaire : Ne laissez pas s'installer une DIARRHÉE (voir ce mot).

ÉRYTHÈME NOUEUX

D'origine tuberculeuse ou toxique (intoxication alimentaire ou médicamenteuse), il apparaît sous forme de grosses plaques épaisses et rouges, situées sur le devant de la jambe. S'accompagne de fièvre, de douleurs permanentes ou à la pression, et d'un état général peu brillant.

QUE FAIRE EN URGENCE ?

Consultez le médecin pour qu'il vous en précise la cause. En cas d'intoxication alimentaire ou médicamenteuse, supprimez les coupables. Si éventuellement c'est la manifestation d'une primo-infection, ne vous paniquez pas : votre enfant réagit et se défend. L'homéopathe entreprendra un sérieux traitement avec un bon drainage. *Radio des poumons* nécessaire. A la maison, couchez l'enfant bien au chaud : enveloppez-lui tout particulièrement les jambes.

Pendant la fièvre : diète, puis *bouillons de légumes.*

Après, *régime* à base de lait, légumes et fruits.

ÉRYTHÈME SOLAIRE (voir INSOLATION)

ESSENCES (voir première partie)

ÉVANOUISSEMENT et SYNCOPE

Votre enfant perd brutalement connaissance : c'est très impressionnant, mais ne vous affolez pas !

L'évanouissement — où l'enfant perd conscience, mais garde un pouls normal — n'est pas grave. En revanche, la syncope, où le pouls devient très faible, risque de tourner au coma. Elle est rare chez l'enfant.

QUE FAIRE EN URGENCE ?

Prenez le poignet de l'enfant, et cherchez à sentir les battements réguliers du pouls. S'ils sont forts et bien frappés, c'est un évanouissement léger.

Si vous ne les percevez plus, c'est une syncope, appelez le médecin.

A. — *Comment soigner un évanouissement léger ?*

Allongez l'enfant confortablement. Desserrez ses vêtements, veillez à ce qu'il n'ait pas froid.

Coupez un *citron* en deux et placez-le sous son petit nez, pendant que vous lui frotterez le front avec l'autre moitié.

A défaut de citron, employez du *vinaigre*.

Frictionnez-lui le corps avec l'*eau de Philae* (en pharmacie).

Faites-lui respirer de l'*essence de menthe*, ou d'*anis vert*, de *sarriette* ou de *romarin*. A défaut, une branche fraîche de ces plantes aura un effet semblable : ce sont des « stimulateurs cardiaques » naturels.

Massage de l'angle interne du petit doigt.

Enfin, vous pouvez le gifler modérément, avec une serviette mouillée.

B. — *Comment soigner une syncope en attendant le médecin ?*

— *Par l'acupuncture* : Très efficace. Massez énergiquement les deux coins externes des petits doigts de la main (méridien du cœur).

— *Par l'homéopathie* : Une demi-dose d'*Arnica 9 CH*.

— *Si vous avez des notions de secourisme*, pratiquez la *respiration artificielle* (décrite dans tous les manuels de secourisme). Vous pouvez aussi vous adresser aux pompiers, qui connaissent ces techniques, éventuellement au pharmacien, à Police-Secours, aux C.R.S.

CAUSES

L'enfant s'évanouit quand il a trop chaud, qu'il manque d'air (églises, musées, caves, salle de classe...), qu'il est violemment secoué par une émotion (peur, vue du sang, colère, fatigue).

L'évanouissement comme moyen de chantage est aussi très pratiqué même par les tout-petits (deux, trois ans) : l'enfant s'évanouit à la suite d'une colère, sachant pertinemment qu'il va affoler l'adulte ; l'évanouissement lui donne prise sur un adulte trop faible.

TRAITEMENT PRÉVENTIF

Si l'évanouissement est dû à un chantage, prendre une attitude très ferme. L'enfant, sentant qu'il n'aura pas le dernier mot, n'essaiera même plus !

On ne peut empêcher un évanouissement que si l'on a pris conscience des symptômes qui le précèdent : la vue se brouille, on transpire, on a le vertige. Si l'enfant est assez grand, et s'il en a déjà l'expérience, qu'il s'allonge par terre, évitant ainsi de se faire mal en tombant. La position allongée le rassurera et lui permettra de rester conscient. Avec un enfant petit, il n'y a pas grand-chose à faire. Sauf, peut-être, s'il est coutumier du fait, observez sa pâleur et ses traits tirés lorsqu'il a trop chaud et mettez-le à l'air.

EXTINCTION DE VOIX

Le chérubin a perdu sa voix d'ange... Après un séjour chez les Sioux où il a trop fumé le calumet de paix et surtout trop hurlé !

Vous voilà donc tranquille... mais l'Indien est très malheureux.

— Donnez-lui une infusion de *violette* (*Viola odorata*) (30 g de feuilles par litre d'eau) ; à boire en tisane plusieurs fois par jour.

— Ou faites-lui en faire des gargarismes.

L'extinction de voix avec fièvre est plutôt une laryngite et se soigne comme une ANGINE (voir ce mot).

F

FAIM (voir ANOREXIE et BOULIMIE)

FATIGUE

FAUX-CROUP

FESSES ROUGES (voir ÉRYTHÈME FESSIER)

FIÈVRES

FOIE

FOULURES (voir ENTORSES)

FRACTURES

FURONCLE, CLOU ET ANTHRAX

FAIM (voir ANOREXIE et BOULIMIE)

FATIGUE

Les progrès de la civilisation industrielle se paient par une intense fatigue nerveuse. Nous menons une vie antinaturelle où le bruit, l'angoisse et la pollution nous agressent tous les jours. Les enfants n'y échappent pas, et vous auriez tort de traiter leur fatigue à la légère.

A QUELS SIGNES RECONNAITREZ-VOUS LA FATIGUE ?

Le bébé fatigué pleure et crie, surtout vers 6 heures du soir, pour exprimer sa lassitude, puis il s'endort.

Le petit enfant fait des colères, bougonne, mais finit par s'endormir comme bébé.

233

L'enfant à partir de 5-6 ans vous dit clairement « je suis fatigué », ou alors refuse de participer à ce qu'on attend de lui (jeux, école, etc.).

A tous les âges, le signe le plus évident de la fatigue est la mauvaise humeur bougonnante, l'agressivité ou les crises de larmes.

Regardez cette petite figure : pâle, yeux cernés, traits tirés. L'enfant n'a pas ses bonnes couleurs habituelles... et les résultats scolaires sont peu brillants.

QUELLES SONT LES CAUSES DE LA FATIGUE ?

Cherchez pourquoi l'enfant est fatigué.

A. — *Manque-t-il de sommeil ?*

La télé trop tard le soir... Soyez ferme sur l'horaire du coucher, surtout s'il y a école le lendemain. Lorsqu'il y a des grands, c'est difficile — mais il n'y a aucune raison de sacrifier les petits. Ne cédez pas : les grands peuvent aussi lire, bricoler, ou... se coucher.

Dans les familles nombreuses (comme aussi dans les colonies de vacances et les dortoirs de pensionnat) il y a toujours un petit réveille-matin. Faites-lui comprendre l'égoïsme de son attitude, n'hésitez pas à être très ferme, ou isolez-le jusqu'à ce qu'il comprenne.

B. — *Souffre-t-il du bruit ?*

Habitez-vous une rue bruyante, ou un immeuble moderne mal insonorisé ?

L'enfant dort tout de même, mais son sommeil n'est pas de bonne qualité.

Baissez le son de la télé quand vous la regardez le soir.

Les trajets dans le métro ou en train fatiguent l'enfant, à cause du bruit ambiant et du manque d'air.

S'il est à la cantine de l'école, sachez que le vacarme qui y règne est extrêmement pénible pour lui.

C. — *L'école est plus fatigante aujourd'hui qu'autrefois.*

La longueur des trajets, le poids invraisemblable du cartable, sont une cause de fatigue certaine. Préférez toujours, si vous le pouvez, une école proche de votre domicile.

Dans le primaire, c'est aberrant qu'on donne encore du travail le soir aux enfants ; étant donné les conditions de fatigue de la vie moderne, l'enfant a un urgent besoin de se détendre à la maison après 5 heures. Seuls le sadisme ou l'inconscience de certains parents les poussent à exiger de la maîtresse qu'elle donne du travail le soir, à la maison.

D. — *L'angoisse :* Une des plus grandes causes de fatigue qui soient : l'enfant lutte contre la peur en mobilisant toutes ses forces (voir ANGOISSE). Vous devrez absolument en trouver la cause et rassurer l'enfant. Ecoutez-le, voyez sa maîtresse à l'école.

E. — *La fatigue peut être le symptôme d'une maladie.*

Toute une série de maladies graves et latentes, à évolution lente, se manifestent d'abord par de la fatigue : parasitoses, maladies du cœur, cancers, tuberculose, etc.

D'autres maladies moins graves s'accompagnent de fatigue : troubles hépatiques et digestifs, croissance. L'incubation des maladies infectieuses commence aussi par de la fatigue. Celle-ci peut aussi révéler un manque de sucre (HYPOGLYCÉMIE, voir ce mot).

Enfin, il va de soi qu'un petit convalescent reste un certain temps fatigué (parfois plus longtemps qu'on ne croit).

A. — Aménagez le *cadre de vie* de l'enfant de façon à ce qu'il puisse dormir, se détendre, s'aérer.

B. — Donnez-lui tous les jours, tant qu'il vous paraît fatigué, un *bain aux algues* (Plamersol [1], algues d'Armor [2]) qui le fortifieront.

La meilleure méthode est encore, si vous habitez au bord de la mer, de ramasser des algues et de les mettre dans son bain chaud. Ou encore, si vous êtes loin de tout rivage, demandez à votre poissonnier de vous garder les algues qu'il utilise dans sa présentation du poisson. Les herboristes *vendent* aussi des algues séchées, à prendre en bain ou en tisane.

C. — *Le régime est important*, surtout si l'enfant a des problèmes hépatiques et digestifs. Ne le forcez pas à manger, ne le bourrez pas de bifteck saignant (et bourré de toxines). Mettez-le plutôt à un *régime lacto-végétarien* pour un temps, et de toute façon à l'*alimentation biologique*.

D. — *Ne bourrez pas vos enfants de vitamines synthétiques*, mais plutôt de *jus de fruits frais* ! On commence à découvrir quelques inconvénients (accidents allergiques, prédisposition au cancer), à ces miraculeuses vitamines synthétiques dont on gave les enfants depuis quinze ans (Vitascorbol, Alvityl, Hydrosol polyvitaminé, Laroscorbine, sirop de vitamine C, etc.). Ne donnez aucun « fortifiant » de votre propre chef.

E. — *Pensez aux cures thermales* : celles-là sont vraiment miraculeuses (expérience vécue par nos propres enfants). Elles offrent à la fois une cure

---

1. Etablissements Georges Barbier, 53290 Grez-en-Bouère.
2. Pharmacies et magasins de régime.

d'hydrothérapie, une cure d'air non pollué, et une détente. N'hésitez pas, malgré les ronchonneries des professeurs, à retirer l'enfant de l'école si vous le voyez fatigué (la cure thermale dure trois semaines). De toute façon, s'il se traîne fatigué à l'école, elle ne lui profite pas et il n'apprend rien. Une fois rentré, en pleine forme, il rattrapera très vite les cours et ses notes seront meilleures. Il y a des directrices d'école intelligentes qui le comprennent très bien : la santé passe avant les programmes. Les cures sont très indiquées au milieu de l'hiver (janvier, février, époque où les enfants sont plus fragiles et fatigués).

F. — *Quelques séances d'acupuncture* aideront l'enfant à repartir du bon pied.

G. — *Enfin, psychothérapie des parents* dans certains cas ; ce sont eux qui communiquent leur tracassin à l'enfant, faisant peser sur ses épaules une angoisse qu'il n'est pas d'âge à porter !

FAUX-CROUP (voir CROUP)

FESSES ROUGES (voir ÉRYTHÈME FESSIER)

FIÈVRE

« La fièvre, disait Hippocrate, père de la médecine, est un des grands moyens de guérison employé par la Nature. »

La fièvre est la mobilisation générale de l'organisme contre un agresseur étranger : microbes ou virus. L'augmentation de température détruit l'ennemi et nettoie le terrain.

Ne donnez pas d' « antipyrines » (ou fébrifuges), médicaments chimiques allopathiques destinés à faire baisser la fièvre. Outre les risques d'allergie ou d'intoxication, ces médicaments affaiblissent le malade et ne règlent pas le problème de la maladie (aspirine, pyramidon, quinine, suppositoires variés...).

A QUELS SIGNES LA RECONNAITREZ-VOUS ?

Les yeux brillants, les joues rouges, le front très chaud. Prenez le poignet de l'enfant entre le pouce et l'index et sentez le pouls qui bat très vite. Le petit malade respire très vite, il a soif, et ses urines sont colorées de façon inhabituelle.

Vous prenez un thermomètre, et vous voyez que la température dépasse 37°5 le matin, ou 38° le soir. D'ailleurs beaucoup de mères, en posant la main sur le front de l'enfant, voient très bien sans thermomètre s'il a de la fièvre et, approximativement, si celle-ci est élevée et de combien.

La fièvre n'est pas une maladie en elle-même, mais un symptôme. On ne voit pas toujours immédiatement quelle maladie se prépare. Il n'y a aucun rapport entre l'importance de la fièvre et la gravité du mal : une très petite angine peut donner 40° à votre enfant, tandis qu'un cancer n'amènera souvent pas plus de 38° (et même, dans certains cas, aucune fièvre).

Parfois — le plus souvent — la fièvre passe en quelques heures : l'enfant guérit tout seul et vous ne saurez jamais quel était le virus responsable de la poussée fébrile.

Certains accès se déclenchent à la suite d'une violente émotion, un choc nerveux ou physique (fracture...). Ils sont passagers.

QUELS SONT LES SIGNES QUI ACCOMPAGNENT LA FIÈVRE ?

Observez bien les autres symptômes qui accompagnent la fièvre, pour avoir une idée de la maladie qui la cause.

Lorsque la fièvre apparaît subitement chez un enfant bien portant, elle peut s'accompagner de [1] :

Toux : vous avez probablement affaire alors à une bronchite ;

Nez bouché : rhume de cerveau ;

Mal à la tête, douleur dans le front au-dessus des sourcils et du nez : sinusite ;

Point de côté et essoufflement : pneumonie, congestion pulmonaire ;

Courbatures et *mal de tête,* avec *faiblesse,* et *frissons* (chaud et froid à la fois) : grippe probable ;

Mal aux articulations : rhumatismes articulaires aigus ;

Mal à la gorge : angine. Regardez le fond de la gorge en aplatissant la langue avec une petite cuiller : le fond est rouge, avec des points blancs. S'il y a de grandes plaques blanches, c'est la diphtérie (rare). L'angine elle-même peut être le signe d'une autre maladie qui commence ;

Mal à l'oreille : otite, oreillons, angine ;

Mal à la tête : grippe, sinusite, méningite ou grippe méningée (pour ces deux dernières maladies, douleurs dans la nuque, avec raideur) ;

---

1. Extrait inspiré du livre du Dr Voisin : *En attendant le médecin, op. cit.*

Mal au ventre : appendicite, colique hépatique, infection intestinale ;

Mal en urinant : néphrite, cystite, colibacillose ;

Boutons et plaques rouges sur la peau : rougeole, scarlatine, rubéole, varicelle, abcès, etc. (toutes les « fièvres éruptives ») ;

Enflure aux pieds et aux yeux : albuminurie ;

Enflure aux articulations : rhumatisme articulaire aigu ;

Enflure sous l'oreille, d'un seul côté : oreillons ;

Vomissements : empoisonnement, intoxication, indigestion, crise de foie... et bien d'autres choses encore, le vomissement étant un symptôme très répandu !...

Diarrhée : infection intestinale, dysenterie, toxicose, typhoïde, indigestion, problème du foie, maladies infectieuses tropicales ;

Teint jaune : hépatite, ictère, jaunisse ;

Frissons (sensation de chaud et froid) : paludisme ou pneumonie ;

Un membre ou une partie du corps paralysée : paralysie infantile.

Parfois, aucun signe n'accompagne la fièvre.

Celle-ci peut aussi apparaître chez un enfant qui se plaignait déjà de l'un des symptômes ci-dessus. Dans ce cas, c'est une complication, et l'état maladif s'aggrave.

QUAND FAUT-IL APPELER LE MÉDECIN ?

L'« état général » est très important. Si l'enfant continue à être actif, avec un comportement normal, il n'y a pas d'urgence. S'il est très abattu, (forte fièvre), avec des symptômes violents et inquiétants, des douleurs aiguës, appelez tout de suite le médecin.

Il y a, en somme, deux sortes de cas : ou bien

vous reconnaissez les symptômes d'une maladie que vous avez déjà soignée. Attendez alors deux jours avant d'appeler un médecin. Dans la plupart des petites maladies infantiles courantes, la fièvre tombe le troisième jour, et l'enfant entre en convalescence.

Si, au-delà de quarante-huit heures, la fièvre persiste, c'est une erreur de diagnostic ou de traitement de votre part : appelez le médecin.

Ou alors la fièvre s'accompagne de symptômes que vous ne reconnaissez pas du tout : il faut évidemment tout de suite faire venir le médecin.

QUE FAIRE EN URGENCE ?

Couchez le petit fiévreux au chaud dans son lit, avec un jouet ou livre.

A. — *Traitement par l'homéopathie* (en attendant le diagnostic de l'homéopathe) :

Belladonna 4 CH, 1 granule toutes les heures si l'enfant est abattu, joues rouges et yeux brillants.

Aconitum 4 CH, même dosage, s'il est agité, grelotte et claque des dents après un refroidissement.

B. — *Traitement par la couleur rouge*, en cas de fièvre éruptive (boutons), mais aussi de n'importe quel état fébrile. Mettez l'enfant dans une ambiance rouge : pyjama, couvertures, chambre, lumière électrique de cette couleur. La maladie « sortira » plus vite.

C. — *Traitement par le jeûne :*

C'est la méthode du célèbre Dr Shelton, c'est aussi celle de tous les animaux sauvages et domestiques : ne rien manger tant que la fièvre persiste. Il semble que si l'on nourrit le malade, c'est en fait la maladie qu'on nourrit ! D'ailleurs, l'enfant fiévreux n'a pas faim : respectez cette indication de la nature.

S'il réclame à boire, donnez-lui de l'eau à volonté, ou des tisanes de *thym, romarin* ou *lavande* (plantes antibiotiques).

Le nourrisson peut jeûner deux, trois jours. L'enfant plus grand, jusqu'à huit, dix jours. N'ayez aucune inquiétude : ils se rattraperont dès qu'ils seront guéris. Si l'enfant a faim, bien entendu, nourrissez-le, en commençant par un *bouillon de légumes* (biologiques), puis des *laitages* légers.

De façon générale, l'enfant occidental est trop nourri, et trop richement. Il peut très bien supporter un petit jeûne.

D. — *Traitement par l'hydrothérapie :*

Bains tièdes ou froids en cas de forte fièvre prolongée, qui risque de fatiguer le cœur.

Pour un bébé, préférez l'enveloppement au bain. Voir BAIN et ENVELOPPEMENT.

Ces méthodes naturelles (Kneipp-Salmanov) font baisser la fièvre d'un ou plusieurs degrés, sans avoir les inconvénients des coupe-fièvre chimiques.

FOIE

C'est un peu le bouc émissaire que l'on charge de tous les maux diffus, imprécis, pas francs. La crise de foie peut se traduire par une douleur locale (côté droit sous la dernière côte), une douleur plus diffuse (mal au cœur, au ventre, à la tête) ou encore par des signes plus aigus (vomissements, diarrhées, constipation, langue chargée, mauvaise haleine, teint jaune, etc.). Il n'y a pas à proprement parler une maladie de foie : il y a des réactions diverses à des causes variées.

COMMENT RECONNAITRE LES DIFFÉRENTES MALADIES DE FOIE ?

— *Crises de foie bénignes*, mais qui rendent l'enfant patraque et sans envie d'aller à l'école. Généralement consécutives à une erreur ou à un excès alimentaire (anniversaire, premières communions) elles passent en 24 h.

Hépatites graves : Réactions fortes et durables (ictères du nouveau-né, jaunisse, coliques hépatiques (voir HÉPATITE et COLIQUE).

Hépatites à virus, hépatites médicamenteuses (aux sulfamides, aux antibiotiques, à la cortisone).

Hépatisme chronique : Cet enfant a le foie fragile ! De là à qualifier de crise de foie tout ce qui cloche, il n'y a qu'un pas. Cet enfant-là aura souvent mauvaise mine, de légères douleurs locales, des dérangements intestinaux fréquents, des maux de tête. Un traitement de fond s'impose.

QUE FAIRE EN URGENCE ?

Dans les cas d'HÉPATITE, voir ce mot.

Dans les cas moins graves : *diète hydrique, tisanes hépatiques* et *jus de légumes, eau de Vichy, repos* au lit et au chaud, *cataplasme d'argile ou de son* sur le foie. Voir ci-dessous.

TRAITEMENT DE FOND

C'est un organe clé à maintenir dans le meilleur état possible.

A. — *La phytothérapie* sera une aide indispensable associée au régime.

B. — *Les plantes :*

— Tisanes hépatiques de *thym,* de *lavande,* de feuilles de *noyer,* de *romarin* et de *menthe.*

— Bains chauds que vous donnerez à l'enfant après y avoir ajouté quelques gouttes d'essence de ces mêmes plantes.

— Cataplasmes d'*oignons* et de *chou hachés.*

C. — *L'argile :* En cataplasmes d'*argile verte* sur le foie une heure par jour en cas de crise.

D. — *Le régime :*

Faites très attention à celui-ci. Supprimez les sauces, les graisses (frites bien-aimées), le chocolat, les œufs, le lait parfois et supprimez surtout ceux qui vous apparaissent précisément avoir provoqué la crise en question.

Donnez à boire des jus de légumes frais (prévoir l'achat d'une centrifugeuse) : *céleri, radis noir, carottes* pour les bébés, *cresson,* et des jus de fruits, *groseilles,* etc. Mettez au menu des *artichauts* et du *piment rouge* (si l'enfant aime ça), des *carottes,* du *cerfeuil,* et beaucoup de salades de *chou,* de *chicorée sauvage,* de *pissenlit,* de *radis rose.*

Assaisonnez tout cela d'*huile d'olive* et de *citron* et donnez chaque jour une cuiller d'huile d'olive à l'enfant. Vous pouvez remplacer le beurre par l'huile : très bon sur une tartine ou pour assaisonner les nouilles.

E. — *Par l'homéopathie :* Un traitement de fond vous sera prescrit. L'homéopathe tient à votre disposition une infinité de petits remèdes qu'il saura personnaliser. En attendant vous pouvez commencer avec *Nux vomica 4 CH.*

F. — *Par l'acupuncture :* D'excellents résultats et de remarquables améliorations. Le foie est un organe qui « réagit » bien.

G. — *Par la couleur (chromothérapie)* : Un homéopathe ne s'en étonnerait pas ! Si vous y faites attention, vous remarquerez que presque toutes les plantes qui traitent le foie ont soit des fleurs, soit un jus jaune : *chélidoine (Chelidonia majus)*, *olive* (huile jaune), *grande centaurée (Centaurea centaurium)*, *pissenlit* ; racine jaune du *curcuma* ; *soufre*, jaune lui aussi. Si vous voulez vous associer à la nature, transformez votre lapin en canari : vêtements jaunes, tentures du même ton dans sa chambre et un grand bouquet de genêts ou de jonquilles, à votre idée.

H. — *Par les cures thermales* : Toutes les *eaux soufrées*, et en particulier Vichy.

FOULURES (voir ENTORSES)

FRACTURE

Rares sont les enfants qui ne se sont jamais rien cassé...

A QUOI LA RECONNAITREZ-VOUS ?

L'enfant qui vient de se casser un os se plaint vivement, pleure, gémit, claque des dents, frissonne, hurle dès qu'on le touche. Il ne peut pas faire fonctionner le membre atteint.

La fièvre monte (pas obligatoirement, mais souvent), et la cassure provoque une enflure très visible (mais pas non plus à chaque fois).

On distingue les fractures fermées, les fractures ouvertes (avec plaies, au travers desquelles on voit parfois l'os cassé) !

Il y a des cas où ce n'est pas net : vous vous demandez s'il s'agit d'une fracture ou non. Lorsqu'il n'y a aucun déplacement, aucune enflure visible, seule la radiographie peut vous dire si l'os est cassé, et encore, à condition d'être interprétée correctement. Un exemple : une de nos filles (4 ans) s'était cassé l'avant-bras, sans déplacement. La fracture était tellement peu visible, même sur la radio, que deux jeunes internes ont déclaré qu'il n'y avait rien du tout ! Le chirurgien, plus expérimenté, à force de tourner la radiographie dans tous les sens, finit tout de même par découvrir sur l'image une petite ligne indiquant la cassure. Pendant ce temps, Gwénaëlle pleurait sans arrêt et la fièvre montait. Ces deux derniers symptômes distinguent la fracture de la foulure ou de l'entorse.

QUE FAIRE EN URGENCE ?

Observer les symptômes, téléphoner au médecin ou conduire l'enfant à l'hôpital. Dans ce dernier cas, on a souvent tout son temps...

Pour soulager l'enfant qui souffre, donnez-lui : *Arnica 5 CH, Calendula 5 CH, Symphytum 5 CH, Ruta graveolens 5 CH,* 2 granules de chacun à sucer après l'accident, et renouvelez deux heures après si l'enfant souffre encore beaucoup.

A défaut, vous pouvez donner de la *teinture-mère d'Arnica* par voie interne : 10 gouttes dans un verre d'eau, une fois (même chose pour la *teinture-mère de Calendula*).

En attendant que le médecin réduise la fracture, immobilisez le membre cassé avec une planche légère, et posez dessus une compresse imbibée de *teinture-mère de Bellis perennis* ou d'*Arnica,* ou de *Symphytum* (selon ce que vous aurez sous la main).

Ne vous adressez pas à n'importe quel chirurgien : contrairement à ce que l'on croit, il faut une certaine expérience et une certaine adresse pour bien réduire la fracture. Les exemples de fractures réduites maladroitement sont fréquents (il faut recasser le membre et recommencer !). Une radio de contrôle immédiatement après l'intervention doit vous assurer que le membre est bien réparé.

Si c'est une fracture des côtes, aucune intervention ni réduction : bandez le torse bien serré, et renouvelez tous les jours les compresses de *teinture-mère d'Arnica, Bellis perennis* ou *Symphytum.*

Si c'est une fracture du crâne, consécutive à un traumastisme, voir COUPS.

TRAITEMENT DE CONSOLIDATION

Repos le plus possible. Apprenez à l'enfant à jouer aux échecs, aux dames, à la bataille navale, donnez-lui de la lecture [1].

Renouvelez les compresses d'*Arnica, Bellis* ou *Symphytum,* sous le plâtre (si c'est possible : en général, le membre maigrit, et on peut toujours glisser un compte-gouttes entre le plâtre et la peau).

Donner à sucer à l'enfant : *Calcarea phosphorica 5 CH* et *Calcarea carbonica 5 CH,* 2 granules de chacun une fois par vingt-quatre heures.

---

1. *Je m'amuse quand je suis malade,* Hachette Jeunesse Album, collection Pierre, Pic et Martine.

Cures thermales : Aix-les-Bains, Aix-les-Thermes, Bagnères-de-Bigorre, Barbotan, Bourbon-L'Archambault, etc.

SIGNIFICATION PSYCHOLOGIQUE
DES FRACTURES

Ne croyez pas que les fractures arrivent « par hasard ». Les travaux de Balint ont montré que les maladies et les accidents n'arrivaient pas toujours « par hasard ». Nous avons constaté, chez nos propres enfants, que les fractures surviennent dans un moment de crise affective : l'enfant se sent négligé, moins aimé, il doit affronter une nouvelle école, un déménagement, un décès ou un divorce dans la famille. La fracture est un moyen inconscient d'attirer votre attention (sauf, peut-être, les fractures de ski ?). Jouez le jeu, et occupez-vous avec tendresse du petit blessé.

FURONCLE, CLOU, ANTHRAX

Disgracieux et douloureux, à quoi reconnaîtrez-vous un furoncle ? D'abord à ce qu'il crève les yeux : il ne passe jamais inaperçu ! Ce type d'abcès épais, très enflammé, rempli de pus et contagieux est dû à un staphylocoque doré. Il peut surgir n'importe où sur le corps, mais de préférence sous les bras, dans le dos, aux épaules, sur les jambes, à l'aine...

Localisé à la nuque, il prend le nom d'anthrax.

L'enfant ne s'en plaint pas toujours : la douleur est variable.

248

TRAITEMENT LOCAL IMMEDIAT

Ne donnez pas d'antibiotiques à tort et à travers : respectez cette crise d'élimination au niveau de la peau. Ne cherchez pas à percer le furoncle. Essayez d'abord de le faire mûrir ; lorsque la poche de pus est près de s'ouvrir, surveillez-la attentivement pour récolter le pus proprement sur un coton, sinon, il y a danger de contamination.

Traitement par les plantes :
Posez sur le furoncle un cataplasme de *graines de lin* ou de *fenugrec (Trigonella foenum graecum,* pharmaciens et herboristes). Vous pouvez aussi essayer le cataplasme de *pommes de terre râpées crues,* ou de *feuilles de chou.* Toutes ces plantes aident à mûrir le bouton.

Des compresses d'*infusion de camomille* aideront à cicatriser après que l'abcès a percé.

Essayez le citral *Biostabilex,* ou quelques gouttes d'*huile essentielle de citron* sur le furoncle.

TRAITEMENT DE FOND

Vous devez absolument traiter le terrain. Une invasion de furoncles mérite une visite chez un médecin homéopathe, aromathérapeute ou acupuncteur.

A. — *Traitement par le régime :* Supprimez les sucreries, le pain, les farines, le chocolat, les charcuteries, les viandes. Donnez au contraire à l'enfant des légumes crus, des fruits, des tisanes dépuratives.

B. — *Par les plantes :* Tisanes de *bardane*

(*Arctium lappa*), bourrache (*Borrago officinalis*), sauge (*Salvia officinalis*) : l'herboriste ou le pharmacien vous en feront un mélange et vous indiqueront le dosage, peu important, d'ailleurs, puisque ces plantes sont sans danger. Donnez-les en infusion le matin à l'enfant, à la place du traditionnel café au lait ou chocolat. Donnez de la *levure de bière*.

C. — *Par les oligosols : Cuivre-or-argent* (une ampoule par jour).

D. — *Par l'homéopathie : Lappa major 3 X*, 10 gouttes une fois toutes les douze heures ; *Pyrogenium 5 CH*, 5 granules une fois par jour ; *Arsenicum album 5 CH, idem* ; *Hepar sulfur 5 CH, idem.*

E. — *Par l'hygiène :* Vie au grand air et bains de soleil.

F. — *En cas de furonculose, pensez aux cures thermales* (Cauterets, Uriage, Moligt, La Roche-Posay).

G

GALE

GANGLIONS, GLANDES (voir ADÉMITE)

GAZ (BALLONNEMENTS, VENTS)

GENCIVES (INFLAMMATION DES), GINGIVITES,
STOMATITES

GENU VALGUM ET GENU VARUM (JAMBES DÉFORMÉES)

GERÇURES (voir CREVASSES)

GORGE (MAL DE), (voir ANGINE)

GOURME (voir IMPÉTIGO)

GRAINS DE BEAUTÉ

GRIFFES DE CHAT

GRIPPE

GALE

Rare, mais tenace, dit l'expression populaire. Le responsable est une minuscule bestiole parasite qui s'attaque à votre enfant comme à un bassin minier : elle creuse des galeries sous la peau, dont les sillons rouges sont visibles en surface.

A QUELS SIGNES LA RECONNAITREZ-VOUS ?

Perceptible sur la peau, cette maladie occasionne de très fortes démangeaisons. Contagieuse, plusieurs personnes de la même famille présenteront les mêmes symptômes, sillons rouges, papules et vésicules. Ils sont localisés aux doigts, aux pliures du poignet, du coude, sous les bras, aux hanches. Les démangeaisons sont plus fortes la nuit.

QUE FAIRE EN URGENCE ?

— Si vous n'avez rien d'autre sous la main, le *pétrole* (en pharmacie) est un excellent désin-

---

fectant. Badigeonnez l'enfant trois jours de suite et faites-le dormir enroulé dans un drap. Vérifiez si personne d'autre ne se gratte dans la famille, sinon il faut traiter tout le monde à la fois. Gare au feu ! Ensuite, savonnez tout le monde au *savon noir*.

— Faites bouillir linge et vêtements ou désinfectez à l'huile de cade ou à l'*essence de térébenthine* (en les laissant tremper une journée dans de l'eau additionnée d'un verre de l'un ou l'autre).

— Frictionnez la peau avec de l'*huile essentielle de lavande* ou avec de l'*huile d'olive* dans laquelle on aura fait bouillir pendant un quart d'heure 40 g de racines de *dentelaire* (*Plumbago europoea*).

— Frottez les endroits d'intense grattouille avec une *tête d'ail* coupée en deux.

Il vous reste à essayer le bain de feuilles de *noyer* (*Juglans regia*) qui achèvera de calmer les démangeaisons.

GANGLIONS, GLANDES (voir ADÉNITE)

GAZ (BALLONNEMENTS, VENTS)

Sans employer le « clystère carminatif » cher à Molière, il sera bon d'aider à l'évacuation des gaz lorsque leur accumulation deviendra gênante pour l'enfant ou le nourrisson. On ne peut proprement parler de maladie, mais c'est malgré tout le signe d'une digestion perturbée due à l'insuffisance de sécrétion biliaire.

L'enfant aura le ventre gonflé et parfois douloureux, agité de borborygmes. Des odeurs malsaines de putréfaction accompagneront ces désagréments.

TRAITEMENT

A. — *Par l'hygiène* :
Commencez par adopter des règles d'hygiène.

Dès que bébé est en âge de se servir de ses dents, apprenez-lui à bien *mâcher* : vous lui rendez là un service durable. S'il avale « tout rond », les sucs digestifs auront d'autant plus de mal à agir.

Veillez aussi au *calme* des repas : la rapidité et l'ambiance électrique contrarient la digestion.

Surveillez le régime : évitez toujours les charcuteries, les pâtisseries du commerce, le café au lait (trois heures pour le digérer), les féculents (pois cassés, flageolets), certains légumes (radis, oignons, chou, navets), les graisses, les potages. Evitez de faire boire l'enfant à table mais plutôt après. Pour un bébé, l'air avalé peut rester dans l'estomac (voir AÉROPHAGIE)..., mais il peut descendre plus bas, dans l'intestin (devenant des gaz).

Attendez patiemment le « rototo » de bébé. C'est très important pour lui !

Couchez-le ensuite du côté gauche. Evitez la surcharge alimentaire : il ne se présente pas à un concours de petits cochons !

B. — *Par les plantes* :
Donnez à boire à l'enfant des tisanes carminatives qui vont nettoyer l'intestin (*angélique, anis, carvi, fenouil, mélisse, sauge, origan*).

Ou encore la célèbre *infusion des « quatre*

semences *chaudes* » : *anis, fenouil, coriandre* et *carvi* (10 g du mélange par litre d'eau).

L'*Antique Vespetro*, au nom éloquent, sera peut-être un peu fort pour vos enfants. Ce ratafia est un mélange d'angélique et de coriandre qui « prévient et chasse les vents ».

Si ces tisanes n'étaient pas suffisantes, vous pourriez appliquer un cataplasme de *son* et de *feuilles de lierre* hachées, crues, le soir au coucher.

C. — *L'argile* : Une *cuiller à café* dans un verre d'eau une semaine sur deux, et *cataplasme* d'argile tiède sur le ventre pendant une heure.

D. — *L'homéopathie* :
Tisane *Boribel n° 6.*
China 4 CH, Kali carbonicum 5 CH, Nux moschata 5 CH, 2 granules de chacun tous les jours.

E. — *L'acupuncture* agira sur le transit intestinal.

N'oubliez pas de donner aussi des *ultra-levures* qui permettent à la flore intestinale d'être au mieux de son efficacité.

GENCIVES (INFLAMMATION DES), GINGIVITES, STOMATITES

Lorsque bébé fait ses dents, il est grognon et grincheux : ses gencives sont fréquemment enflammées, rouges et douloureuses.

Aidez-le à passer ce cap difficile.

TRAITEMENT

Pour bébé : frottez ses gencives avec votre index, préalablement trempé dans un *jus de citron* (non traité). Même procédé avec de l'*argile verte* en poudre : l'effet sera le même. Si bébé avale un peu d'argile c'est excellent, l'argile est riche en minéraux et ne peut que l'aider à fortifier ses dents.

Si vous voulez un sirop adoucissant, prenez de la *Bécozyme* ou de l'*huile d'olive* vierge ; trempez votre doigt dedans et frottez énergiquement les gencives douloureuses. Le regard apaisé de bébé vous indiquera que vous avez eu là une riche idée.

Pour les enfants à partir de 2 ans :

A. — *Veiller au régime :* Gingivites et stomatites sont dues à un manque de vitamines et à une déminéralisation. Donnez aux enfants beaucoup de *salades,* de *légumes crus,* de *fruits crus,* de *céréales complètes.* N'oubliez pas l'*argile verte :* tous les jours, pendant huit jours, une cuiller à café à dissoudre dans un verre d'eau. Arrêtez, si vous avez l'impression que l'enfant est constipé.

B. — *Hygiène quotidienne :* Les plus grands peuvent se rincer la bouche avec de l'eau minérale appelée *Hydroxydase.* Si l'enfant aime, apprenez-lui à se gargariser la bouche avec de l'eau tiède salée au gros sel de mer gris.

C. — *Oligo-éléments :* *Manganèse-cuivre,* *fluor,* 1 ampoule par jour pendant trois semaines.

D. — *Par les plantes :* Que l'enfant suce comme du chewing-gum une petite feuille de *sauge* sèche ou fraîche (*Salvia officinalis*), ou un *clou de girofle* (*Syzygium aromaticum*). Ces deux plantes suppriment la douleur dentaire et sont de puissants antiseptiques.

E. — Si la gingivite persiste, allez voir un *dentiste* homéopathe qui ordonnera un traitement de fond.

GENU VALGUM et GENU VARUM
(JAMBES DÉFORMÉES)

Nous sommes toutes fières des belles petites jambes droites de nos enfants. Hélas, tous ne naissent pas parfaitement bien plantés, et nous avons parfois à regretter des petits genoux cagneux (*Genu valgum*) ou des jambes arquées (*Genu varum*). Les jambes ne sont pas parallèles, elles sont trop rapprochées dans le premier cas et trop écartées dans le second. Ces déformations sont dues à une tendance au RACHITISME (voir ce mot).

TRAITEMENT

Si vous constatez quelque chose d'anormal dans leur silhouette, voyez le médecin. Il prescrira probablement *Stérogyl 15*.

Malheureusement, le *Genu valgum* est congénital. On peut partiellement y remédier, en ne poussant pas l'enfant, surtout s'il est gros, à marcher trop tôt.

Les *cures d'air* sont très importantes : promenez bébé, mettez-le au soleil au bord de la mer et à la montagne.

Les *cures thermales* améliorent bien des déformations, ainsi que les cures de thalassothérapie (cures d'eau de mer).

GERÇURES (voir CREVASSES)

GORGE (MAL DE) (voir ANGINE)

GOURME (voir IMPÉTIGO)

GRAIN DE BEAUTÉ (naevus, tache de vin, angiome)

Petite plaque noire ou marron, localisée à n'importe quel endroit du corps. Au XVIIIᵉ siècle, c'était très chic d'avoir une petite mouche sur le visage. Certaines ravissantes se dessinaient et se dessinent encore des grains de beauté sur la joue ou le menton.

Les grains de beauté existent parfois avant la naissance ou apparaissent après celle-ci.

Certains parents ont la rage de les faire disparaître : ils feraient mieux de les ignorer ou de les faire accepter à l'enfant comme un signe particulier amusant.

TRAITEMENT DE LONGUE HALEINE

(Ne réussit qu'après une longue patience.) Tous les jours badigeonner le grain de beauté de *teinture-mère de Bellis perennis* ou de *teinture-mère de Thuya.*

Donnez à l'enfant *Lycopodium 5 CH,* 2 granules toutes les vingt-quatre heures ou *Thuya 5 CH* (idem). Le mieux est d'alterner un jour l'un, un jour l'autre. En plus, 2 granules de *Calcarea fluorica 5 CH,* une fois par vingt-quatre heures.

TRAITEMENT CHIRURGICAL PAR ÉLECTROCOAGULATION

A n'envisager qu'en dernier ressort, si vraiment le grain de beauté devient inesthétique, ou s'il est gênant par contact avec les vêtements.

En fait, nous pensons qu'il est préférable de le laisser sans y toucher : c'est un mini-cancer de la peau, qui évite peut-être un vrai cancer profond.

Expliquez à l'enfant que c'est très joli, et que cela n'a pas besoin d'être gratté ni écorché.

GRIFFES DE CHAT

Le plus charmant des petits chats peut d'un coup de patte défigurer votre enfant : c'est un petit coup de griffe qui peut mal tourner.

QUE REMARQUEZ-VOUS ?

En plus de la plaie locale, que vous aurez soin de désinfecter, vous verrez apparaître sous les bras une légère enflure : ce sont les ganglions qui réagissent en augmentant de volume. L'état général sera fiévreux et l'enfant sera fatigué.

TRAITEMENT (voir BLESSURES)

A. — *Par les plantes* : Badigeonnez la peau avec de la teinture-mère de *Calendula* ou de l'onguent d'*angélique archangélique*.

B. — *Par l'homéopathie* : *Pyrogenium 5 CH, Arnica 5 CH, Scrofularia 5 CH,* 2 granules de chacun deux fois par jour, tant que dure l'inflammation.

C. — *Par les oligo-éléments* : *Cuivre-or-argent* alterné avec *manganèse-cuivre*.

D. — *Par une séance manucure-pédicure* de votre petit chaton ; coupez-lui les *griffes* le plus ras possible.

GRIPPE

Virus touriste... Il a fait le tour du monde, uniquement pour vous embêter : grippe espagnole, asiatique, de Hong Kong !...

La médecine officielle, totalement désarmée, a inventé un vaccin... Malheureusement, le virus se déguise chaque année sous une autre forme. Aussi les courageux qui se font vacciner contre un type de grippe, sont-ils rattrapés par le nouveau *new-look* annuel du virus, contre lequel il n'y a pas encore de vaccin...

En médecine naturelle, on n'a pas besoin de vaccin : la grippe est une maladie qui se soigne très bien et très vite. Les traitements sont très efficaces, et faciles. A condition d'être soignée tout de suite, la grippe de nos enfants ne dure jamais huit jours... Trois tout au plus.

A QUOI LA RECONNAITREZ-VOUS ?

Celle-ci commence brusquement : mal de tête, frissons (l'enfant a chaud et froid), courbatures partout, fièvre à 40°, angine ou rhume.

Attention, la grippe peut être aussi « méningée », avec des douleurs dans la nuque ; ou encore la maladie se complique de douleurs d'oreille.

La grippe atteint peu le nourrisson, beaucoup plus le jeune enfant.

QUE FAIRE EN URGENCE ?

Repos au lit, au chaud.

Traitement homéopathique : Dès que l'enfant commence à se plaindre d'un des symptômes ci-dessus, et que la grippe court dans votre quartier, donnez-lui une dose d'*Oscillococcinum 200 du Dr Roy*. Ce médicament est beaucoup plus efficace que l'« antigrippine » ou l'aspirine (qui sont à déconseiller dans ce cas). Donnez aussi : *Influenzinum 5 CH, Gelsemium 5 CH*, 2 granules toutes les heures.

Ensuite, traitez l'ANGINE, la DIARRHÉE, la TOUX (voir ces mots) s'il y a lieu.

Le chlorure de magnésium (sauf en cas d'insuffisance rénale) : Sous forme de comprimés à avaler, ou encore 20 g de poudre à diluer dans un litre d'eau (bien sucrée et citronnée), à boire par petits verres toutes les heures.

Les oligo-éléments : Ici, c'est le *cuivre* qui agit (anti-infectieux).

Par le régime : Si l'enfant a de la fièvre, ne lui donnez rien à manger. A boire : tisanes de thym, lavande, romarin, sauge, qui sont anti-infectieuses. Le lait chaud à la cannelle est particulièrement antigrippe.

TRAITEMENT PRÉVENTIF

La vaccination ne vous protégera guère plus de quelques mois... et il faut recommencer l'année suivante. C'est bien inutile.

Donnez tous les jours aux enfants, en période d'épidémie, de l'ail, et de l'oignon. Apprenez-leur à les aimer, à les manger crus.

Remplacez le chocolat ou le café du matin par une tisane de thym.

Une cure de chlorure de magnésium (1 comprimé par jour pendant huit jours) est aussi très indiquée.

Certains homéopathes donnent à leurs clients un mélange de médicaments homéopathiques pour les « vacciner » contre la grippe. Les résultats statistiques sont généralement bons et valent ceux des vrais vaccins.

HALEINE

C'est tellement agréable un petit enfant qui sent la rose ! C'est en outre un signe de bonne santé. Lorsque vous constatez l'inverse, (haleine fétide, chargée, lourde, désagréable, nauséabonde... et autres adjectifs peu gracieux !), il est urgent d'en découvrir la cause et de la soigner.

CAUSES

La mauvaise haleine est provoquée par de nombreuses affections :
— *Toutes les maladies infectieuses* de l'enfance (entre autres oreillons, rougeole, angine, sinusite, etc.) et la fièvre qui les accompagne.
— *Tous les troubles digestifs :*
    — Indigestion par excès alimentaire ou aliment mal toléré ;
    — Constipation ;
    — Crise d'ACÉTONE (voir ce mot). Ici l'haleine à une odeur bien spécifique de pomme aigrelette ;
    — Vers intestinaux.

267

— *Toutes les affections dentaires,* de la simple malpropreté des dents aux caries, gingivites, pyorrhées dentaires.

— *Ingestion occasionnelle d'aliments odorants :* ail, délicieux fromages. Cela est passager, et simplement désagréable pour l'entourage.

TRAITEMENT

A. — *Par l'hygiène de la bouche :* Apprenez très tôt à l'enfant à se laver les dents. L'apprentissage de la *brosse à dents* est possible à partir de 3 ans. Rincez-leur la bouche en préparant un verre d'*eau bien salée* au gros sel marin, ou préparez de l'*eau citronnée,* ou une *eau* dentifrice à base d'*eucalyptus* (1 goutte d'essence d'eucalyptus dans un verre à dents).

B. — *Par les plantes :* Donnez à l'enfant une feuille de *menthe* ou de *sauge* à mâcher ou une baie de *genévrier* ou encore une *noix muscade* à sucer (celle-ci étant toxique, méfiez-vous que l'enfant ne l'avale pas). Faites boire des tisanes de *thym* ou de *romarin,* sucer des bonbons et sucettes à l'*anis* (arôme naturel).

C. — *Par l'homéopathie :* Donnez à tout hasard le remède de fond des digestions difficiles : *Nux vomica 5 CH,* 2 granules, deux fois par jour. Si l'odeur était persistante, consultez votre médecin.

D. — *Par le régime :* Interrogez-vous sur la nourriture que vous donnez à l'enfant. Les troubles intestinaux sont souvent le reflet d'une alimentation défectueuse ou inadaptée. Souvenez-vous aussi que le *jeûne* d'un jour ne peut nuire à l'enfant, bien au contraire, et peut souvent rétablir un fonctionnement perturbé.

Une mauvaise haleine n'est en définitive qu'un

signal. Il vous engagera à traiter la cause et vous verrez réapparaître cette odeur de roses fraîches, apanage de l'enfant bien portant.

HÉMOPHILIE (voir HÉMORRAGIES)

HÉMORRAGIES

Pertes abondantes et très anormales de sang.

COMMENT LES RECONNAITRE ?

Elles peuvent provenir de divers organes et être soit externes, soit internes. Vous distinguerez l'*hémorragie artérielle* (le sang coule en jets) de l'*hémorragie veineuse* (l'écoulement est moins fort) et de l'*hémorragie capillaire* (la coagulation est rapide).

Hémorragie nasale : Voir SAIGNEMENT DE NEZ.

Hémorragie par la bouche : Pensez à une hémorragie pulmonaire ou de l'estomac.

Hémorragie dans les selles ou l'urine : Hémorragie intestinale ou rénale. Voir aussi DYSENTERIE.

Hémorragie consécutive à une blessure et qui ne cesse de saigner : Vous avez affaire à un petit garçon hémophile (n'existe pas chez les filles).

Hémorragie oculaire, dans l'œil.

Hémorragie cérébrale, interne, après un traumatisme crânien.

QUE FAIRE EN URGENCE ?

A. — *Appelez le médecin.* En attendant, placez l'enfant la tête en bas, dans une pièce calme. *Vous pouvez commencer par donner en homéopathie : China 5 CH,* 2 granules toutes les dix minutes, ainsi qu'*Ipeca 4 CH,* pour soutenir le cœur.

B. — *Tâchez de stopper l'écoulement de sang,* soit en fermant la blessure avec un sparadrap spécial qui rapproche les lèvres de la plaie, soit en posant un garrot pas trop serré entre la plaie et le cœur, soit par compression en appliquant un *pansement* sur la plaie imbibé de teinture-mère de *Calendula* (une cuiller à café par tasse d'eau) ou de *gros sel.* Vous pourrez essayer le froid : un glaçon ou une compresse très froide, ou encore une compresse d'*argile* et de *jus de citron.*

C. — La nature a mis à votre portée une innombrable variété de *plantes hémostatiques.* Vous n'aurez que l'embarras du choix pour préparer une tisane ou les appliquer sur la plaie :

Bistorte (Polygonum bistorta) : 30 g de la racine par litre d'eau.

Bourse à Pasteur (Capselle bursa pastoris) : 30 g de plantes sèches par litre d'eau, ou en cataplasme de plantes fraîches hachées, posées sur la peau.

Consoude (Symphytum officinalis) ou herbe à la coupure, contient du tanin hémostatique : 20 g de racine par litre, ou en cataplasme comme la bourse à Pasteur.

Prêle (Equisetum arvense). Décoction : 100 g par litre à faire bouillir une heure, ou la plante fraîche hachée menu en cataplasme.

Ortie (Urtica urens). En extraire le jus à la centrifugeuse et donner à boire à l'enfant, ou en cataplasme, *idem.*

HÉMORROIDES

Maladie de civilisation qui préférait autrefois les gens âgés, les ronds-de-cuir sédentaires, les gros mangeurs... et les rois de France (Louis XIV). Malheureusement, la civilisation progresse, et les hémorroïdes atteignent aujourd'hui les enfants.

A QUOI LES RECONNAITREZ-VOUS ?

Vous remarquerez peut-être chez votre enfant, mais c'est heureusement rare, une ou plusieurs petites saillies rondes formant un bourrelet tout autour de l'anus. Ce sont, de toute évidence, des hémorroïdes.

L'enfant a mal quand il va à la selle, et évacue avec difficulté. Il se gratte, pour soulager la démangeaison.

CAUSES

Les hémorroïdes sont dues à une erreur d'hygiène alimentaire. Chez l'enfant, elles sont faciles à guérir.

QUE FAIRE EN URGENCE ?

A. — *Une série de trucs* (au choix) :
— Massez l'endroit, matin et soir, avec du *miel de romarin* ;
— Glissez dans l'anus un petit *glaçon froid* aux dimensions convenables ;
— Même chose avec une pomme de terre crue ;
— Un petit *lavement d'huile d'olive* (avec une poire), avant d'aller à la selle, facilite l'opération et évite la douleur.

B. — *Par l'hydrothérapie et les plantes* :
— Un bain de siège froid de trois à quatre minutes, avec de l'eau additionnée soit d'une *infusion de plantain* (*Plantago major*), 100 g par litre, laissez refroidir, ou d'une *décoction d'écorce de marronnier d'Inde* (*Aesculus hippocastaneum*), 50 g par litre, à bouillir un quart d'heure. Si le bain froid est mal toléré par l'enfant, essayez pour le soulager le mini-bain de vapeur :

Faites bouillir le mélange suivant dans deux litres d'eau : 40 g de fleurs de *bouillon blanc* (*Verbascum thanpsus*), 40 g de fleurs et de feuilles de *mauve* (*Malva sylvestris*), 40 g de *pariétaire fraîche* (*Parietaria officinalis*). Versez dans un bidet en y ajoutant 250 g d'*alun*. Y asseoir l'enfant pendant une demi-heure en réchauffant l'eau à mesure.

C. — *Par l'acupuncture* : En cas de crise aiguë, l'acupuncture fait des miracles (ou l'auriculothérapie).

TRAITEMENT DE FOND, INDISPENSABLE

A. — Il est urgent de modifier le *régime alimentaire* de l'enfant. Adoptez un régime végétarien.

Supprimez absolument les viandes, surtout rouges, les graisses, la moutarde, les sauces, particulièrement les sauces industrielles (Ketchup, Worcester, etc.). Remplacez par du pain complet, des légumes verts, des fruits.

Donnez une *cuiller à café d'argile* par jour, ainsi qu'un *jus de citron coupé d'eau*. Le soir, si le goût est bien toléré, une *soupe à l'ail*.

B. — *Par homéopathie* : Si ces hémorroïdes ont tendance à réapparaître, il sera nécessaire d'envisager un traitement de fond. L'homéopathie est efficace et d'administration facile. *Nux vomica 5 CH, Aloe 5 CH, Aesculus 5 CH, Hamamelis 5 CH, Paconia 4 CH*, 2 granules de chacun, une fois par vingt-quatre heures.

IMPORTANT

Evitez comme la peste la piqûre sclérosante, qui compromet à coup sûr l'avenir du système circulatoire de l'enfant, tout comme l'opération qui est inutile chez l'enfant. Consultez votre homéopathe ou naturopathe qui prescrira un traitement de fond.

HÉPATISME (voir FOIE)

HÉPATITE VIRALE, JAUNISSE, · ICTÈRE

On n'arrête pas le progrès : si le microbe a quasiment pris sa retraite, le virus est en pleine activité ; et si la bonne vieille jaunisse des familles n'est plus guère en usage, l'hépatite virale, elle, règne et prospère.

La médecine classique est ici très désarmée, tandis que les médecines naturelles (homéopathie, phytothérapie, aromathérapie), plus efficaces, peuvent limiter la durée de la maladie et en faciliter la convalescence.

A QUELS SIGNES LA RECONNAITREZ-VOUS ?

La peau et les muqueuses jaunissent (blanc de l'œil). Les urines se colorent, à l'inverse des selles. La fièvre peut être élevée, 40° avec frissons, maux de tête, manque d'appétit, fatigue, parfois boutons et démangeaisons.

QU'EST-CE QU'UNE HÉPATITE ?

Ce n'est pas une maladie en soi, mais une forte réaction du foie à une agression extérieure. La bile du foie passe directement dans le sang, au lieu de se déverser dans l'intestin (ictère, ou « jaunisse »).

Toutes les hépatites (ou ictères) ne sont pas virales, c'est-à-dire dues à un virus.

1. — *La jaunisse du nourrisson,* qui survient entre le deuxième et le cinquième jour après la naissance, n'est pas virale. Un tiers des bébés en sont atteints. Elle passe en dix jours, sans aucun traitement.

2. — *La jaunisse de l'enfant* (à partir de 8-9 ans, quelquefois avant), a des causes diverses :

— Elle peut être déclenchée par une émotion violente, une colère.

— Elle est souvent la conséquence d'une intoxication alimentaire (conserves, huîtres ou moules, fruits de mer crus).

3. — Due à la présence d'un virus dans le sang, *l'hépatite sérique*, se transmet lors d'une transfusion sanguine, d'un vaccin, d'une piqûre quelle qu'elle soit — si la seringue et l'aiguille ont été mal désinfectées. Ce type d'hépatite s'attrape fréquemment dans les hôpitaux, les cliniques et dispensaires, où l'hygiène laisse à désirer.

4. — *L'hépatite médicamenteuse* est une réaction violente (parfois allergique) à un médicament mal toléré : antibiotique, sulfamide, sédatif, anti-inflammatoire, vaccin...

Toutes ces hépatites présentent des symptômes voisins, à des degrés divers.

L'incubation est lente (un mois). La maladie dure de trois semaines à deux mois, et la convalescence d'un mois à un an. La contagion est indirecte, et se fait par la salive, les selles, etc.

QUE FAIRE EN URGENCE ?

— Isolez le malade, à cause de la contagion. Prévoyez une vaisselle à part et des W.-C. isolés. Désinfectez tout à l'eau de Javel.

— Evitez d'hospitaliser le malade : l'hôpital ne pourra lui offrir ni le régime alimentaire approprié ni le repos souhaitable, et multipliera les risques de prolonger la maladie !

— Les deux grands alliés du malade sont la chaleur et le régime alimentaire. Il n'y a pas de médicament spécifique.

— *Repos au lit* absolument.

— Au début, *jeûne* avec seulement des *tisanes de thym, lavande, romarin, menthe, sauge, géranium rosat.*

TRAITEMENT DE FOND

A. — *Par les plantes :*
Outre les tisanes citées plus haut, qui ont des propriétés antivirales, demandez à l'herboriste de vous faire un mélange de plantes spécifiques du foie : (*épine-vinette*) *berbéris, grande centaurée* (*Centaurea centaurium*), *pissenlit* (*Taraxacum dens leonis*), *fumeterre* (*Fumaria officinalis*), *chardon Marie* (*Silybum Marianum*)...

— Donnez au malade du jus de carotte frais, biologique, à jeun (ou du jus de céleri, ou de radis noir).

— Bouillon de légumes et salades : artichaut, ail, oignon, céleri, pissenlit, chardon Marie. Essayez de trouver des légumes biologiques, c'est-à-dire non traités aux pesticides, ces derniers étant justement responsables de nombreuses intoxications du foie.

B. — *Par l'argile :* Une cuiller à café dans un verre d'eau tous les matins. Egalement : cataplasme tiède sur le foie, tous les matins (mélangez de l'argile verte à un reste des tisanes ci-dessus).

C. — *Par les oligo-éléments :* Manganèse, soufre et cuivre-or-argent.

D. — *Par l'homéopathie :* Celle-ci peut agir très efficacement et rapidement. *Chelidonium majus 4 CH, Bryonia alba 4 CH, Nux vomica 5 CH,* 2 granules de chacun, deux fois par jour.

Consultez un homéopathe, qui précisera le traitement le plus adapté au tempérament de l'enfant.

E. — *Hygiène à respecter :* Très important, et même déterminant, le régime alimentaire consiste surtout à éviter : œufs, chocolat, graisses, fruits de mer, viandes, conserves. Conseillés : lait caillé, laitages légers, crudités, fruits, régime végétarien.

— Ne donnez ni aspirine, ni antipyriques (coupe-fièvre), ni vitamines de synthèse, ni somnifères, ni calmants, chacun de ces médicaments pouvant aggraver fortement la maladie, et déclencher une nouvelle crise.

TRAITEMENT PRÉVENTIF

Pas d'huîtres ni de fruits de mer crus. Si vous faites vacciner ou piquer votre enfant„ évitez dispensaires ou hôpitaux, mieux vaut acheter votre propre seringue et vous adresser à votre médecin. Il y a des économies qui risquent de vous coûter très cher.

HERNIE

Protubérance due à un affaiblissement de la paroi abdominale, elle existe généralement dès la naissance. Les méthodes naturelles en viennent à bout, si le traitement est conduit avec persévérance pendant trois mois.

A QUOI LES RECONNAITREZ-VOUS ?

Il en existe diverses variétés :
— La *hernie ombilicale*, près du nombril ;
— La *hernie inguinale*, d'un côté ou de l'autre de l'aine, éventuellement double.
Si vous remarquez une bosse à l'un de ces endroits, qui rentre aisément à la pression, ou qui apparaît dès que l'enfant s'agite ou pleure, vous êtes bien en présence d'une hernie.

QUE FAIRE EN URGENCE ?

Empêchez l'enfant de hurler. (Très vite le chenapan en profitera, sachant que s'il pleure vous le prendrez dans les bras.)

Distrayez-le, promenez-le ou détendez-le encore plus en lui donnant un *bain* tiède au *tilleul*. Il s'y endormira peut-être. Amarrez-le soigneusement, de façon qu'il reste au moins une demi-heure dans ce bain.

N'hésitez pas à appuyer sur la bosse pour la réduire. Cela ne fait pas mal à l'enfant.

COMPLICATION

Il s'agit alors d'une hernie étranglée que vous ne parvenez pas à réduire manuellement. Bébé crie, vomit, est totalement constipé. Le seul traitement sera l'intervention chirurgicale.

TRAITEMENT DE FOND

A. — *Par la gymnastique :*
Aidez bébé à réparer sa fragilité abdominale par une petite séance quotidienne de *gymnastique* avec maman.

Tenez les pieds de bébé d'une main tandis que de l'autre vous tirerez sur ses petits bras, le forçant à s'asseoir. Répétez une dizaine de fois.

Allongez-le sur le ventre et redressez son petit thorax (10 fois).

Passez ses pieds par-dessus sa tête, jambes bien tendues. bébé est souple et ce sera une vraie partie de plaisir partagé.

B. — *Par l'argile :* Ce sera l'essentiel du traite-

278

ment. Armez-vous de patience car il faudra recommencer tous les jours, jusqu'à guérison. Posez sur la hernie un *cataplasme d'argile froide* que vous maintiendrez par une gaze et une bande élastique assez serrée (à enlever au bout de deux heures). Remplacera agréablement le bandage herniaire en caoutchouc, irritant (pelote).

C. — *Par les plantes* : Masser la hernie à l'*huile d'olive* dans laquelle vous aurez pilé de l'*ail*. Mettez également des compresses d'*écorce de chêne* (100 g par litre d'eau que vous ferez cuire une heure).

HERPÈS

Si vous remarquez de temps en temps un gros bouton (ou plusieurs) sur la lèvre ou la narine de l'enfant, c'est peut-être un herpès.

Il s'agit d'un virus assez accrocheur et tenace, dont aucune médecine n'arrive à bout définitivement. Cependant, les médecines naturelles en débarrasseront tout de même votre enfant pour un bon bout de temps. Le virus de l'herpès est cousin de ceux du zona et de la varicelle.

Les herpès peuvent venir tout seuls, ou accompagner certaines maladies à fièvre (diphtérie, angine diphtérique...).

Il existe aussi un herpès généralisé du nouveau-né, extrêmement grave (souvent mortel) (avec hémorragie, ictère, signes méningés, etc.). Nous ne le traiterons pas ici, parce qu'il est du ressort du pédiatre, et survient tandis que vous êtes encore à la clinique ou à l'hôpital, peu de temps après l'accouchement. On pense que, dans ce cas, le virus a traversé le placenta (d'où la nécessité de soigner l'herpès de la mère), pendant la grossesse.

A QUELS SIGNES LE RECONNAITREZ-VOUS ?

Un gros bouton sur les lèvres, ou sur la narine, ou encore sur les organes génitaux. Parfois, il n'y a pas un seul gros bouton, mais une famille de petits. Ces boutons donnent une sensation de brûlure ou de tiraillement ; l'enfant a envie de se gratter. Ils sont pleins de liquide clair et finissent par crever.

L'enfant a parfois de la fièvre, et pas la forme.

QUE FAIRE EN URGENCE ?

Pour empêcher l'enfant de se gratter, un oignon coupé en deux supprimera la douleur, et aidera à résorber les vésicules. Donnez-lui l'oignon cru et dites-lui de frotter les boutons avec. (Cela ne pique pas mais, au contraire, soulage.)

Traitement homéopathique : Rhus toxico-dendron 5 CH, Arsenicum album 5 CH, Ranunculus bulbosus 5 CH, 2 granules de chacun tous les jours.

Herpès de la cornée chez un nourrisson : Donnez-lui le traitement ci-dessus (mais pas l'oignon cru). Mettez dans ses yeux une goutte de collyre *Iduviran.*

TRAITEMENT DE FOND

Régime : Tisane diurétique *Berbéris* 30 g de baies par litre, à bouillir).

— *Oligo-éléments : Manganèse-cobalt, soufre,* une ampoule par jour.

— *Cures thermales* : si nécessaire, *Saint-Gervais, Luchon, Uriage.*

— *Traitement homéopathique :* Il est parfois nécessaire de le reprendre de temps en temps, s'il y a récidive.

HOMÉOPATHIE (voir première partie)

HOPITAL (voir OPÉRATIONS)

HOQUET

Contraction brusque du diaphragme, survenant sans raison évidente, le hoquet est une série de secousses nerveuses involontaires. L'essentiel est de soulager l'enfant. Essayez l'un des trucs suivants, les uns après les autres, jusqu'à ce que l'un réussisse :

QUELQUES TRUCS ÉPROUVÉS

A. — *Pour les tout-petits :*
Faites *boire* bébé tout doucement, à la petite cuiller, une dizaine de fois. Mettez-lui en même temps un *petit glaçon* ou un *objet froid* sur le front.

Certains se contentent de mettre un glaçon dans le dos, sans faire boire.

Mettez sur le dos, et faites doucement passer ses jambes au-dessus de sa tête, jusqu'à ce que ses pieds aillent toucher le sol (*position de yoga dite « la Charrue »*). Très efficace.

B. — *Pour les plus grands :*
Tous les trucs pour bébés sont également valables pour les grands. Pincez fortement l'extrémité du petit doigt : si l'effet de surprise est suffisant, le hoquet est stoppé.

Donnez à l'enfant un *verre d'eau froide*, dans lequel vous mettez à tremper une *cuiller d'argent*. L'enfant doit boire en appliquant le manche de la cuiller contre son front (sans la toucher, ce qui la réchaufferait) ! Le côté « magique » de l'opération plaît beaucoup... Faites retenir sa respiration le plus longtemps possible.

Faites-le boire à l'envers (en se penchant en avant, en posant les lèvres sur le bord opposé du verre).

C. — *Pour tous, traitement par les plantes :*
Mâchez, en saison, quelques feuilles d'*estragon* (*Artemisia dracunculus*) ou mettez quelques gouttes d'huile essentielle de cette plante sur un *morceau de sucre*. Même effet que le *vinaigre* sur un sucre (pas très bon !).

Traitement par l'homéopathie : Cuprum metallicum, dès le début de la crise. Deux granules toutes les demi-heures.

Traitement par l'acupuncture : Le point d'acupuncture qui commande la décontraction du diaphragme, se situe sous la pointe de l'omoplate. Massez-le doucement.

HUILES ESSENTIELLES (voir première partie)

HYDROCÈLE (voir TESTICULES)

HYDROTHERAPIE (voir première partie)

HYPOGLYCÉMIE

L'enfant transpire, il a des migraines, et toujours faim.

Parfois, des syncopes, avec ou sans convulsions. Tantôt déprimé, tantôt agité, il se plaint vivement d'être fatigué.

C'est peut-être le signe d'une déficience en sucre.

Celle-ci, ou hypoglycémie, est due, soit au DIABÈTE (voir ce mot), soit à une FATIGUE trop forte (*idem*).

Faire faire une *analyse d'urine*, avec dosage des sucres.

Consultez le médecin.

RÉGIME

Donnez beaucoup de miel à l'enfant, des fruits, du sucre roux.

I

ICTÈRE (voir HÉPATITE)
IMPÉTIGO OU GOURME
INDIGESTION ET EMBARRAS GASTRIQUE
INFECTIONS (MALADIES INFECTIEUSES)
INFUSIONS
INGESTION DE CORPS ÉTRANGERS
INHALATION
INITIATION SEXUELLE DES TOUT-PETITS
INSOLATIONS ET COUPS DE SOLEIL
INSOMNIE
INTOXICATION (voir EMPOISONNEMENT)

ICTÈRE (voir HÉPATITE)

IMPÉTIGO ou GOURME

Ou encore « impétigo », ou « croûtes de lait ».
C'est laid et sale, mais ne vous sentez pas honteuse : ce n'est pas dû à un manque de propreté et d'hygiène, mais à une cause interne : les toxines du corps s'éliminent au niveau de la peau. L'impétigo survient parfois après un traitement aux antibiotiques, ou une vaccination antivariolique (et de préférence en été), sur un terrain allergique.

A QUOI LE RECONNAITREZ-VOUS ?

L'enfant se gratte — parfois jusqu'au sang. C'est ce qu'on appelle un « prurit ». Regardez — attentivement — la tête de votre chérubin blond : vous voyez sur le cuir chevelu des bulles, qui évoluent en pustules, crèvent, et se terminent en très laides croûtes jaunes. Il en a aussi parfois autour de la bouche, sur les lèvres, aux ailes du nez — plus rarement sur tout le corps. Aucune fièvre.

TRAITEMENT IMMEDIAT (EXTERNE)

Attention à la contagion : essayez d'isoler le malade de ses frères et sœurs — si vous y arrivez ! Ne l'envoyez pas en classe si l'éruption est trop forte.

Ne lui mettez aucune pommade, aucune huile sur le cuir chevelu. Vous devez laisser les toxines s'éliminer à l'air libre, et aider le nettoyage naturel à se faire, au lieu de le bloquer. Au choix :

A. — *Par les plantes :*
Nettoyage des croûtes avec un tampon d'ouate imbibé d'*eau de Dalibour* ou d'*eau de Philae* (spécialités pharmaceutiques traditionnelles). Ou encore, une *décoction de buis* (*Buxus sempervirens*), 40 g de feuilles par litre, à laisser bouillir vingt minutes.

Vous pouvez aussi mettre sur les croûtes des compresses imbibées de *souci*, dont les propriétés désinfectantes et cicatrisantes sont bien connues : *Calendula*, infusion de 40 g de fleurs par demi-litre d'eau.

B. — *Par l'argile verte :* Autre possibilité : badigeonnez les croûtes avec de l'*argile verte* diluée, pas trop liquide (comme une pâte à crêpes). Rincez au bout d'une demi-heure, lorsqu'elle est sèche.

TRAITEMENT DE FOND (INTERNE)

A. — *Par les plantes* : Tous les jours, au petit déjeuner, et le soir, tisane de *pensée sauvage (Viola tricolor)*, *sauge (Salvia officinalis)*, fleurs de *bourrache (Borrago officinalis)*, et *bourgeon de bouleau (Betulus alba)*. Achetez-les chez l'herboriste, ou ramassez-les. Le mélange n'est pas mauvais, bien au contraire. Sucrez avec du miel (50 g par un demi-litre d'eau, à laisser infuser ; réchauffez l'infusion le soir).

B. — *Par l'homéopathie* :

Antimonium crudum 4 CH, 2 granules toutes les deux heures, ou une dose d'*Antimonium crudum 11* toutes les semaines ;

Arsenicum album 5 CH, 2 granules chaque jour ;

Antimonium tartaricum 11 CH, 1 dose toutes les semaines ;

Mezereum 4 CH, 3 granules trois fois par jour.

Eventuellement, *Dermo-drainol*, 10 gouttes deux fois par jour.

C. — *Par le régime* : C'est le traitement de fond le plus important : insistez sur les vitamines (fruits, céréales fraîches, germe de blé...).

INDIGESTION et EMBARRAS GASTRIQUE

La plus célèbre indigestion du folklore enfantin est celle de Sophie, la petite fille des *Malheurs* : en visite dans une ferme, elle se gave de crème fraîche et de pain chaud..

Aujourd'hui, la grande bouffe enfantine est plutôt

à base de chocolats, de pâtisseries, de saucisson, de marshmallows et de saucissons... Le tout arrosé de Coca-Cola.

Quelquefois l'enfant n'a même pas tellement mangé : il a suffi d'un coup de froid sur la digestion ou d'une émotion trop forte.

L'indigestion est un embarras passager : l'affaire dure vingt-quatre heures, tandis que le vrai embarras gastrique peut être plus grave (intoxication ou infection).

A QUOI RECONNAITREZ-VOUS UNE INDIGESTION ?

Chez le bébé, aux signes suivants : gaz, diarrhée (selles molles ou avec grumeaux), vomissements, pleurs.

L'enfant plus grand peut exprimer avec précision ce qu'il ressent : impression d'avoir avalé une énorme pierre, mal au cœur, envie de vomir (et vomissements), malaise général, maux de tête.

QUE FAIRE EN CAS D'INDIGESTION ?

A. — La *diète absolue*, bien sûr (quelques heures pour le bébé, une journée pour l'enfant). Ne lui donnez aucun vomitif, aucune aspirine, aucun purgatif.

B. — *Par les plantes* :

Ouvrez votre tiroir à épices, et sortez toutes les graines d' « ombellifères » : *Cumin* (*Cumimum cyminum...* joli nom pour un petit chat !) ; *anis vert* (*Pimpinella anisum*) ; *coriandre* (*Coriandrum sativum*) ; *fenouil* (*Foeniculum vulgare*) : une demi-cuillerée à café de chacun ; *anis étoilé* ou *badiane* (*Illicium verum*) : une étoile.

Jetez le tout dans un litre d'eau bouillante, laissez bouillir cinq minutes, et donnez-en de petites tasses sucré au miel à l'enfant — de demi-heure en demi-heure. C'est délicieux, et le soulagera beaucoup.

C. — *Par l'homéopathie* : A sucer, 2 granules tout de suite d'*Antimonium crudum 5 CH* et *Nux vomica 5 CH*. Renouvelez tous les quarts d'heure.

A QUOI RECONNAITREZ-VOUS UN EMBARRAS GASTRIQUE ?

Mêmes symptômes que l'indigestion, mais l'enfant peut avoir de la fièvre, et être plus abattu. L'embarras gastrique qui se renouvelle, ou qui se prolonge, peut être le symptôme d'une hépatite.

QUE FAIRE EN URGENCE ?

A. — Mettez l'enfant à la *diète*.

B. — Donnez à l'enfant la *tisane* d'ombellifères décrite plus haut.

C. — *Homéopathie : Arsenicum album 5 CH*, 2 granules toutes les deux heures. *Chelidonium composé*, 10 gouttes matin et soir.

D. — *Oligo-éléments : Cuivre-or-argent* et *bismuth*.

Si l'état général continue à n'être pas brillant après deux jours, appelez le médecin.

INFECTIONS (MALADIES INFECTIEUSES)

Elles sont causées, comme le nom l'indique, par de sales bêtes infectes (microbes, virus, bactéries, protozoaires...).

Les maladies à bébêtes sont différentes des « maladies fonctionnelles », qui viennent d'un dérèglement intérieur — sans microbes (allergies, diabète, etc.).

L'*infection* est la guerre que déclare notre corps à l'ennemi envahisseur. Les symptômes des maladies infectieuses sont en général : la *fièvre* (augmentation de la chaleur destinée à griller le microbe), éventuellement les *ganglions* et les *boutons* (par ces derniers s'évacuent les déchets de la guerre).

Les maladies infectieuses sont en général contagieuses (passe-moi ton microbe, que je te refile mon virus...). Pour vous défendre, lisez CONTAGION.

QUE FAIRE EN URGENCE ?

Lorsqu'une fièvre se déclare (voir FIÈVRE), il y a trois traitements généraux qui marchent à tous les coups, quelle que soit la maladie infectieuse. Vous ne vous trompez donc pas en les appliquant avant même de savoir le nom et la carte d'identité de la sale bébête :

1. — *La chromothérapie,* ou traitement par les *radiations rouges.* Habillez l'enfant de cette couleur, et metteez-le dans une chambre avec une lumière rouge. Méthode valable chaque fois que l'enfant a une mine de petit coquelicot ! (fièvre et boutons).

---

2. — *La diète* permet au corps de se consacrer entièrement au combat contre l'ennemi
(c'est-à-dire aucun aliment solide, uniquement
eau et tisane).
3. — *Les plantes anti-infectieuses : thym, ail,
lavande, romarin* (en tisane).
Le dosage n'est pas précis, ce sont des plantes
sans danger pour l'enfant.
Ne donnez pas d'aspirine.

INFUSION (voir première partie)

INGESTION DE CORPS ÉTRANGERS

Chacun sait que la meilleure façon de faire
connaissance avec un objet non identifié est encore
de le mettre dans sa bouche (ou à la rigueur dans
tout autre orifice naturel).

On le mâchouille... et on l'avale, ou on l'enfonce
sans penser à mal dans le petit nez ou la petite
oreille.

A QUELS SIGNES SAUREZ-VOUS QUE BÉBÉ EST UN « N'IMPORTE QUOI-PHAGE » ?

Soit, bébé presque fier le montre ou le dit.

Soit, vous n'en saurez rien, bébé préférant cacher
sa bêtise ou alors il l'a complètement oubliée.

Soit, cela lui fait mal, et il se plaint violemment.

Soit, enfin, vous découvrez quelques jours plus tard une suppuration anormale (nez, oreille), du sang dans les selles (avec probablement des douleurs intestinales ou gastriques).

TRAITEMENT D'URGENCE

A. — *Par la bouche* :
La gravité dépend essentiellement de la forme de l'objet.

S'il est pointu : arête, clou, épingle ouverte, petite vis, etc. Donnez vite à manger une substance qui va s'enrouler, avec un peu de chance, tout autour : *mie de pain* bien frais, *coton* à éparpiller dans la soupe ou la *bouillie*, asperges, poireaux, bettes. S'il s'agit d'un objet métallique, faites faire une *radio ;* vous pourrez surveiller sa progression pour être prêt à intervenir si cela se bloquait à un endroit quelconque.

S'il est rond (clochette, bouton, bille) et qu'il passe sans problème, attendez patiemment sa restitution par les voies naturelles. Le danger ici est qu'il ne se bloque dans les voies respiratoires, provoquant étouffement ou incapacité d'avaler. Si c'est un gros caramel qui bloque l'œsophage, essayez de le faire fondre au lait bien chaud.

Tout autre produit : médicament, produits d'entretiens, produits toxiques : voir EMPOISONNEMENT, INTOXICATION.

B. — *Par le nez* :
Cela fait généralement mal et bébé vous le fait savoir en pleurant. Mettez de *l'huile* dans la narine avec un petit morceau de coton qui chatouillera l'enfant et le fera éternuer. Cela suffira parfois à faire restituer l'objet.

Si rien ne vient, appelez le médecin. N'essayez pas d'extraire l'objet avec une pince à épiler, vous risquez de faire mal et d'enfoncer plus avant.

Si vous n'avez rien vu, il faudra attendre plusieurs jours les signes d'infection : morve purulente, mal à la tête. Faites examiner l'enfant pour essayer de trouver la cause.

C. — *Par l'oreille :*

Même topo que ci-dessus. A l'aide d'une petite poire à lavement, envoyez dans l'oreille de l'*huile tiède* ou de l'*eau bouillie*, en ayant soin de tirer sur le lobe et de faire pencher la tête de l'enfant.

N'essayez pas de récupérer vous-même l'objet. Vous risqueriez de percer le tympan.

D. — *Par l'œil :*

Ce ne sera pas ici du fait de l'enfant. Une poussière, un moucheron, un cil, une épine peuvent se déposer sur la cornée. L'œil pleure immédiatement, ce qui est un bien. Aidez la nature en tirant la paupière en avant, en la retournant un peu, puis en la rabaissant : les cils attraperont l'élément étranger. Ou encore faites rouler une *alliance d'or* sur l'œil : cela poussera la particule dans un angle où on s'en saisira aisément. La douleur persiste même après extraction, l'œil étant très sensible.

Si par malheur l'objet était carrément enfoncé dans la cornée, filez chez un ophtalmologue.

INHALATION (voir première partie)

INITIATION SEXUELLE DES TOUT-PETITS

Commencez dès que l'enfant naît. Si vous pouviez commencer même avant la naissance, ce serait encore mieux...

Dès que l'enfant vous pose une question, répondez tout de suite, et franchement. Si sa demande a reçu une réponse vraie et simple, la question ne le préoccupera plus. Il l'oubliera, rassuré, quitte à vous reposer la même trois mois plus tard !

Le silence des parents dans ce domaine est monstrueux : vous n'avez pas le droit de vous défiler lâchement. Vous devez éclairer l'enfant, ne pas le laisser tout seul en face d'une question aussi importante. Informez-vous si vous vous sentez dépassée. D'où viennent les bébés ? Pourquoi les garçons sont-ils différents des filles, etc. Si vous ne répondez pas, l'enfant se fera des idées fausses, et se torturera d'angoisse. Par exemple, si on lui a dit que ce qui concerne les urines et les selles est « sale », et qu'il croit que les enfants viennent du même endroit, il se sentira honteux et gêné vis-à-vis de ses parents. Vous devez lui expliquer la différence entre les organes génitaux et ceux de l'évacuation. Si vous ne le faites pas, toute sa vie affective et sexuelle en sera perturbée plus tard.

Prenez l'initiative de parler avec l'enfant. Ne lui dites pas ce qu'il ne vous demande pas encore, mais dites la vérité, et avec optimisme. Pas de contes à dormir debout. Il faut à tout prix lui éviter traumatismes et angoisses.

S'il a rencontré un satyre, rassurez-le. Mais s'il n'ose pas vous le dire, c'est que vous n'avez pas eu le courage de parler franchement avec lui de tous ces problèmes. Mettez-vous-y !

Donnez le même bain aux petits frères et sœurs (quand ils sont jeunes). Ils s'instruiront réciproquement. Veillez seulement à ce que les garçons n'abusent pas de leur force, et ne brutalisent pas les petites filles par une curiosité trop agressive.

Ils sont si fiers de leur joli petit zizi, et méprisent les « pisseuses » qui n'en ont pas. Consolez les « pisseuses », en leur disant la vérité : qu'elles ont elles aussi un très joli zizi, mais qu'on ne le voit pas, il est emballé comme cadeau, pour le jour où elles seront grandes, etc.

INSOLATION et COUP DE SOLEIL

Ne jouez pas avec le soleil... Parents et adultes, souvent inconscients de ses dangers, y exposent les enfants avec insouciance.

Or, un très jeune enfant se déshydrate bien plus vite qu'un adulte : il n'a pas beaucoup de réserves. Il attrape facilement un « coup de chaleur » (voir CHALEUR) ou une vraie insolation.

A QUOI RECONNAITREZ-VOUS UN COUP DE SOLEIL ?

...Vous ne le reconnaissez pas !... Pendant qu'il est en train de griller, la peau ne rougit pas immédiatement. Aussi n'est-il pas évident de voir le coup de soleil pendant que l'enfant est dehors. Ce n'est qu'une fois rentrés à la maison que vous verrez la peau rouge et douloureuse. L'enfant se plaint que le contact du vêtement lui fait mal, qu'il a une sensation de tiraillement, de brûlure plus ou moins grave. Il a mal à la tête, il est fatigué.

297

QUE FAIRE EN URGENCE ?

Inutile d'appeler le docteur : appliquez sur la partie douloureuse du *yaourt* bien frais, ou encore un cataplasme d'*argile* fraîche, de *chou* écrasé au rouleau, de *souci* écrasé, de *salade*... (voir au chapitre BRULURE).

Traitement interne homéopathique : Donnez à sucer à l'enfant *Belladonna 4 CH*, 10 granules, et *Glonoïne 4 CH*, 10 granules.

Allongez l'enfant à l'ombre pour qu'il fasse la sieste.

A QUOI RECONNAITREZ-VOUS L'INSOLATION ?

Elle est beaucoup plus grave, et cela peut aller très loin : encéphalite, méningite, coma... L'enfant se plaint d'un violent mal de tête, la fièvre monte. Il peut y avoir des convulsions, des vomissements. La figure de l'enfant est rouge sombre, cramoisie, et son pouls irrégulier. L'état général est grave. Si l'enfant ne voit plus, c'est vraiment très grave.

Ne croyez pas que cela n'arrive jamais, et ne risque pas de vous arriver à vous. Au contraire, il y a tous les étés beaucoup d'accidents de ce genre.

QUE FAIRE EN URGENCE ?

Téléphonez au médecin. En l'attendant :
Mettez dans la bouche de l'enfant 15 granules d'*Opium 5 CH*, puis 15 granules de *Glonoïne 4 CH*, un quart d'heure après.

298

Mettez l'enfant dans un *bain froid* (ou que vous refroidissez progressivement). A défaut, mettez-lui de la *glace* sur la tête.

TRAITEMENT PRÉVENTIF

On veut bien vous le dire, mais nous croirez-vous ?

— Jamais de soleil sans *chapeau*, même à Brest ou à Epinal... Trouvez un modèle rigolo (cow-boy ou casquette à visière, etc.) qui plaise à l'enfant, pour qu'il ne s'en débarrasse pas dès que vous avez les yeux tournés.

— *L'huile solaire est inutile.* Elle n'empêchera pas l'enfant d'attraper une insolation. De plus, elle contient souvent des produits chimiques non dépourvus de toxicité. Si vous vous culpabilisez de ne pas graisser votre enfant comme une sardine au gril... Enduisez-le d'*huile d'olive vierge*, mélangée à du *jus de citron* ou d'*orange*.

— *Jamais plus d'une demi-heure de suite* au soleil en plein été, et au milieu de la journée (et pour vous-même, vous seriez sage d'en faire autant) ! Au bout d'une demi-heure, veillez à réhydrater l'enfant en le trempant dans la mer, sous une douche, etc. Donnez-lui à boire, en lui mouillant la figure et le crâne.

— *Le pique-nique.* Insistez sur les salades et les jus de fruits frais. Supprimez les aliments lourds et gras, comme frites, sandwiches à la charcuterie, etc. Ces menus sont parfaits pour les temps froids..., mais pas quand il fait chaud.

— *Attention, les petits hépatiques* supportent moins bien que les autres le soleil. Attention aussi à ceux qui ont des problèmes de *reins* ou de *cœur*.

INSOMNIE

Rien n'est plus nécessaire au bon équilibre de l'enfant que le sommeil... à condition d'être naturel.

Evitez absolument de faire appel aux médicaments hypnotiques et neuroleptiques (Phénergan, Théralène...), qui intoxiquent profondément le système nerveux, surtout chez un très jeune enfant. Nous connaissons malheureusement des familles où le sirop calmant est devenu une habitude : il remplace, et pour moins cher, l'étudiant baby-sitter !

Tous les enfants n'ont pas le même besoin de sommeil. Certains dorment peu naturellement. D'autres utilisent le sommeil comme moyen de chantage sur leurs parents (refus de s'endormir, réveils nocturnes, levers aux aurores...). A vous de faire assez tôt la différence entre l'enfant capricieux et l'enfant anxieux. Faites comprendre assez fermement (surtout dans une famille nombreuse), que le sommeil de chacun doit être respecté, que si l'on se réveille aux aurores, on doit s'occuper en silence sans éveiller toute la maison !

LES CONDITIONS D'UN BON SOMMEIL

Respectez certaines règles de bon sens qui assureront à l'enfant un sommeil suffisant. Commencez dès le début, les bonnes habitudes sont plus faciles à prendre quand l'enfant est tout petit.

— Si c'est possible, que l'enfant dorme dans une chambre à lui, ou tout au moins dans un coin qui lui soit personnel. Si ce n'est pas possible, essayez de l'isoler du bruit et de la lumière par un paravent, une tenture.

— Qu'il dorme toujours au même endroit. Les animaux se sentent en sécurité s'ils dorment dans leur coin-sommeil, où ils retrouvent leurs habitudes et leur odeur familière. C'est très important.

— Evitez de le prendre dans votre lit, malgré la tentation, et le plaisir !

Si cela arrive, s'il vient vous rendre visite au milieu de la nuit, faites-lui un câlin et recouchez-le endormi dans son propre lit.

— N'hésitez pas à mettre bébé sur le ventre : ainsi, il ne risque pas d'être étouffé s'il vomit, et c'est bon pour les muscles du cou et du thorax.

— Ne privez pas l'enfant de son objet-fétiche (jouets, couche, vêtement...). Le sentiment de sécurité est plus important que le danger du microbe.

— La régularité des heures de sommeil est importante.

— Préparation psychologique au sommeil : l'enfant surexcité ne pourra s'endormir. Les rites ont une très grande importance : une lecture, une histoire, une chanson (pour les parents qui ont une foi : rien ne rassure plus un enfant qu'une prière faite dans la détente et l'affection).

— Aérez la pièce : l'enfant dormira mieux, à l'air frais et bien couvert.

— Les couleurs ont une grande importance sur le système nerveux : si vous retapissez la chambre de l'enfant, préférez les *bleus,* les *verts,* les *violets,* couleurs calmantes.

TRAITEMENT DE FOND

A. — *Par l'hygiène et le bon sens :*

— L'enfant se réveille la nuit : il a peut-être tout simplement faim. Donnez-lui un biberon supplémentaire, ou une tartine.

— L'enfant vomit la nuit : si cela est fréquent, voir VOMISSEMENTS. Vous savez qu'il est fragile, donc veillez aux menus du soir : uniquement un menu facile à digérer. Ne donnez pas à l'enfant des sauces compliquées, des graisses cuites, des fritures, des plats nouveaux auxquels vous ne savez pas comment il réagira.

— L'enfant a peut-être froid : installez une bouillotte d'eau chaude, assurez-vous que les couvertures ne glissent pas... ou si c'est un petit vif-argent, un pull-over de nuit remplacera la couverture supplémentaire.

B. — *Par l'homéopathie :*

Si l'enfant a mal aux dents : *Sédatif PC* et *Chamomilla 5 CH*, 2 granules.

S'il s'endort et se réveille plusieurs fois par nuit : *Chamomilla 5 CH* et *Jalapa 5 CH*, 2 granules de chacun au coucher.

Si votre enfant est un anxieux scolaire : *Coffea 5 CH*, 2 granules au coucher.

S'il a des cauchemars et terreurs nocturnes : une petite veilleuse allumée, *Chamomilla 5 CH* et *Stramonium 5 CH*, 2 granules au coucher.

C. — *Par l'hydrothérapie :*

L'eau est un calmant naturel. Essayez un bain de siège froid, d'une dizaine de minutes, avant d'aller dormir.

Ou, encore, un bain tiède ou chaud avec des *plantes sédatives* (*tilleul, camomille, passiflore, aubépine, lotier corniculé...,* voir BAIN).

MOYENNE DE TEMPS DE SOMMEIL PAR AGE

Nourrisson : vingt-quatre heures, moins les tétées.

6 mois : dix à douze heures, pendant la nuit, plus au moins deux heures de sieste.

Jusqu'à 2 ans : neuf heures de sommeil nocturne, plus une sieste.

A partir de 5 ans : huit heures, au moins.

La sieste est souhaitable au moins jusqu'à 5 ans (une heure).

INTOXICATION (voir EMPOISONNEMENT)

J

JALOUSIE

Voilà un problème assez grave : le jaloux souffre atrocement et fait souffrir autrui. Par ses colères, sa violence (ou sa déprime), il gâche l'ambiance de la famille et met son propre équilibre en danger. Si la jalousie n'est pas soignée, elle compromet gravement l'avenir affectif, social et professionnel de l'enfant.

A QUOI EST DUE LA JALOUSIE ?

1. — *A la base, il y a une question d'angoisse.* L' « être » veut s'affirmer par l' « avoir », c'est-à-dire par la possession des choses et des gens. S'il se sent dépossédé, il est livré à son angoisse intérieure. Nous sommes tous plus ou moins ainsi, mais cette disposition peut atteindre un état maladif. En principe, l'adulte qui a bien évolué a acquis suffisamment de confiance en lui pour échapper à cette obsession de possession...

Les animaux aussi connaissent la jalousie : elle est liée pour eux à une notion de territoire qu'on défend pour assurer sa survie.

Chez les enfants, le cas le plus classique est celui de l'enfant qui voit arriver un intrus dans la famille : l'horrible petit frère (ou sœur) qui vient lui voler l'affection de sa maman... L'aîné se met alors à régresser : pour attirer l'attention de ses parents, il fait pipi au lit, boude, parle « bébé », comme l'ennemi N° 1, le frappe, lui prend ses jouets — ou les lui casse, bref, le tourmente tant qu'il peut. Si le cadet est beaucoup plus jeune, ou s'il a une personnalité plus faible, il risquera d'être toute sa jeunesse écrasé par la jalousie oppressive du plus grand.

L'inverse existe aussi : le cadet — ou la cadette — qui crève de jalousie des succès de l'aîné.

2. — *Question aussi de terrain, de tempérament.* Certains enfants se sentent toujours frustrés, d'autres pas. Pourquoi ? En psycho-astrologie, on estime que les signes de terre sont particulièrement vulnérables à la jalousie maladive : Vierge, Taureau, Capricorne et aussi Poissons (pour les femmes). Votre enfant appartient peut-être à l'un de ces types. Dans ce cas, sa jalousie est une donnée fondamentale de son caractère.

3. — *Les maladresses de certains parents.* Dans la joie d'avoir un nouvel enfant, on oublie l'aîné, qui se recroqueville sur lui-même. Devenant moins aimable, on a moins envie de l'aimer... La préférence trop visible des parents le rend malade : il remâche sa frustration.

Dans les familles où trois enfants du même sexe se suivent, celui du milieu se sent presque toujours coincé entre le brillant aîné et le petit dernier chouchouté. Si les parents ne lui accordent pas suffisamment d'attention, il développe un complexe de jalousie qui le handicapera toute sa vie d'adulte.

QUE FAIRE ?

A. — *Traitement psychologique :*
Dans le cas d'un aîné jaloux d'un cadet, évitez de prendre systématiquement la défense de celui-ci lorsqu'il est tourmenté par l'aîné. Essayez plutôt de consoler très discrètement l'opprimé, et d'occuper l'aîné : trouvez-lui des activités intéressantes hors de la maison : atelier, club sportif, ciné-club pour enfants, etc. Présentez-les-lui comme un privilège — et ne le mettez jamais nulle part sans son accord. Inscrivez le cadet dans un autre atelier, un autre club, etc. Ainsi, chacun des deux sera délivré pendant quelques heures par semaine de son obsession.

Vous devez absolument vous occuper des deux enfants, de telle sorte qu'aucun n'ait l'impression que vous le négligez au profit de l'autre. Organisez l'emploi du temps de façon à consacrer à tour de rôle un après-midi ou une journée entièrement à l'un, puis à l'autre.

Pour les vacances, même politique : séparez le jaloux du jalousé. Echangez les enfants avec une autre famille : ainsi, à Pâques, vous vous consacrez à votre fils aîné et au petit ami qu'il a invité, tandis que votre fille est invitée chez une amie. Aux vacances suivantes, ce sera le contraire. N'hésitez jamais à inviter les enfants des autres pour quelques jours à la maison, et laissez les vôtres aller dans d'autres familles (avec, toujours, bien sûr, l'accord des enfants et des familles !). Les amitiés qui se nouent ainsi font un excellent contrepoids à la jalousie familiale. La pire attitude consiste à enfermer le jaloux dans le cercle étroit de la famille quotidienne.

Favorisez les contacts avec les grands-parents, les oncles, les tantes, les cousins, les amis... L'enfant qui se sent malheureux chez lui peut ainsi se rééquilibrer grâce à l'affection d'un parent plus ou moins lointain, d'une famille amie, etc.

— Dans le cas d'un cadet jaloux, n'hésitez pas à lui confier des responsabilités, à lui donner un surcroît d'attention.

— Donnez à l'enfant un animal qui sera son confident intime (chien, chat ou cochon d'Inde...). C'est extrêmement efficace !

— Ne mettez pas dans la même chambre deux enfants dont l'un est maladivement jaloux de l'autre : séparez-les, que chacun ait son domaine à lui, si possible sa chambre.

— Enfin, ne vous culpabilisez pas si vous avez une préférence marquée pour l'un de vos enfants : tous les parents en ont !

Mais veillez à ne pas être injuste vis-à-vis de l'enfant avec lequel vous avez le moins d'affinités de caractère. Occupez-vous beaucoup de ce dernier, aidez-le au maximum. On aime, en fait, chacun de ses enfants d'une façon différente suivant leur tempérament. Il arrive qu'on ait peu de joies avec un enfant : cela ne veut pas dire qu'on ne l'aime pas. Mais s'il sent que l'on cherche à l'aider, à le rendre heureux, à faire tout son possible pour lui, il s'épanouira tout de même malgré les différences de caractères... Et la jalousie s'estompera.

B. — *Traitement homéopathique* d'une jalousie maladive : *Lachesis mutus 9 CH,* et *Hyosciamus niger 9 CH,* 1 dose tous les dix jours (sans dire au jaloux : « C'est pour améliorer ton sale caractère ! »).

JAMBES DÉFORMÉES
(voir GENU VALGUM et GENU VARUM)

JAMBES (voir ÉPANCHEMENTS DE SYNOVIE, ŒDÈME, POLIO)

JAUNISSE (voir HÉPATITE)

JEÛNE

Médicament très efficace... Malheureusement, il est gratuit, c'est pour cela qu'il n'intéresse personne.

Le Dr Shelton, aux Etats-Unis, a guéri et soigné des centaines de malades par le jeûne — dont un grand nombre d'enfants.

Autrefois, les religions prévoyaient sagement une ou deux périodes de jeûne dans l'année : c'était une façon de débarrasser le corps de ses toxines, c'était très sain, très naturel..., et personne n'en mourait !

Beaucoup d'animaux hibernent : ils ne mangent rien, et dorment pendant tout l'hiver. Votre chat, votre chien, jeûnent quand ils sont malades : ils refusent toute nourriture.

Si votre enfant est malade, surtout *ne le forcez jamais* à manger. Respectez cet instinct naturel. S'il a perdu l'appétit, c'est que son corps ne demande pas de nourriture, parce qu'il est occupé à lutter contre un désordre intérieur. La digestion serait un surcroît de travail inutile pour l'organisme à ce moment-là.

Les enfants n'ont pas besoin d'un très long jeûne pour se remettre : quelques jours au plus.

Si l'enfant a soif, donnez-lui en revanche à boire autant qu'il voudra, mais ne le forcez pas non plus.

L'enfant occidental est trop nourri, tous les spécialistes sont d'accord là-dessus : il est gavé de chocolat, de graisses, de charcuterie, de féculents, de bonbons. Cette surcharge entraîne des maladies d'excès : acétone, rhumatismes, obésité, dérèglement du foie, hémorroïdes, etc. Les maladies de « surcharge », qui n'atteignaient que les adultes, atteignent aujourd'hui nos enfants trop bien nourris. Cette « grande bouffe » prépare de futurs cardiaques, des goutteux, des rhumatisants, des cancéreux...

Il ne s'agit pas, bien sûr, de rationner les enfants à l'extrême, mais dites-vous bien qu'un repas sauté, s'ils n'ont pas faim, n'est pas un drame. Bien au contraire, c'est une occasion pour le corps de s'auto-nettoyer.

KLEPTOMANIE

KLEPTOMANIE

Peut-on parler de maladie ?
Vous quittez tranquillement une pièce en y laissant un chérubin à l'air angélique, et vous le retrouvez plus tard les poches bourrées à craquer... Essayez de comprendre d'où vient cette pulsion et à quoi elle correspond.

AVANT 5 ANS

Ne pensez pas que vous avez affaire à un kleptomane. L'enfant n'a pas le sens de la propriété, tout ce qui est dans son champ visuel est à lui.

APRÈS 7 ANS

Il est en mesure de comprendre. Si cette tendance se confirme, entourez-le d'attention et d'un surcroît d'affection. L'enfant vole parce qu'il a du mal à s'affirmer. Expliquez-lui qu'il existe d'autres moyens d'obtenir ce que l'on veut, et qui rendent heureux et fier de soi.

Donnez-lui rapidement une petite somme d'argent pour ses petites dépenses personnelles, dont vous ne vous mêlerez pas trop. Vous lui permettrez ainsi d'arriver à une position de « grand ».

Si malgré vos tentatives, cette pulsion ne cédait pas, consultez un psychologue, ou faites faire une analyse graphologique.

Surtout, n'adoptez pas une attitude moralisatrice du genre : « Qui vole un œuf vole un bœuf », ce qui ne vous empêche pas de dire tout de même que « bien mal acquis ne profite guère ».

N'ayez pas l'air de considérer qu'il est définitivement un gangster... Malgré le prestige de cette corporation, l'enfant a honte de lui. En le jugeant définitivement, vous ne feriez que le confirmer dans son attitude.

Essayez aussi un traitement homéopathique, en expliquant très gentiment à l'enfant que c'est pour l'aider.

Absinthium 7 CH, 1 dose tous les quinze jours.

Tarentula hispana 5 CH, Platina 5 CH, Oxytropis campestris 5 CH, 2 granules de chacun une fois par vingt-quatre heures.

Oligosols cuivre-or-argent, 1 ampoule tous les deux jours.

L

LANGUE (voir APHTE et MUGUET)

LARYNGITE

Inflammation du larynx, c'est-à-dire d'une partie de la gorge, où se trouvent les cordes vocales, vous la distinguerez mal d'une angine. La seule différence est qu'il y a souvent moins de fièvre et, parfois, une EXTINCTION DE VOIX (voir ce mot).

Les autres symptômes sont les mêmes que ceux de l'angine... Et le traitement aussi (voir ANGINE).

Laryngite striduleuse (caractérisée par une toux rauque, des contractions spasmodiques ; l'enfant suffoque, mais sa voix reste claire : voir FAUX-CROUP).

Laryngite sous-glottique, ou œdème du larynx (le voile du palais, et l'arrière-gorge sont gonflés, voir ŒDÈME DE LA GLOTTE).

LICHEN PLAN

Ce n'est pas une petite mousse qui va recouvrir votre enfant mais un genre de dartre, non contagieuse, rare heureusement. On n'en connaît pas la cause : ce n'est pas un microbe. On remarque seulement que le lichen est plus fréquent chez les émotifs.

A QUELS SIGNES LE RECONNAITREZ-VOUS ?

Des papules roses, sèches, isolées ou groupées, véritables petites lésions, apparaîtront aux poignets, sur les avant-bras, aux hanches. La bouche peut aussi être envahie de points blancs, espèce de dentelle. Et cela démange !

TRAITEMENT

— Nettoyage de la peau au *savon acide (dermacide)*, de la bouche à l'*eau de Saint-Christau ;*
— *Par les plantes :* Badigeons au *brou de noix,* qui évite les démangeaisons.
— Frictions avec un mélange d'*huile d'olive* (2 cuillers à soupe), d'*argile verte* en poudre (1 cuiller à soupe) et d'*eau.*

LUNETTES (voir YEUX)

LUXATIONS

Aucun luxe là-dedans, hélas !

1. — *La plupart des luxations sont des* ENTORSES ou des FOULURES (voir ces mots).

2. — *Luxation de la mâchoire.*

Le fou rire ou un méchant coup de poing peut décrocher la mâchoire de Joe Dalton : celle-ci pend, la bouche reste ouverte et notre desperado a très mal.

QUE FAIRE EN URGENCE ?

Pas de panique : ça se remet. Vous pouvez essayer de le faire vous-même : mettez un pouce de chaque côté de la mâchoire, à l'intérieur. Tirez un peu vers le bas, avec douceur, puis en arrière, pour remettre la mâchoire dans son emboîtage normal. Si vous n'y arrivez pas, ou si vous n'osez pas, appelez le médecin.

Homéopathie : *Arnica montana 5 CH* et *Rhus toxicodendron 5 CH*, 2 granules de chacun, aideront à passer ce mauvais moment.

---

3. — *Luxation congénitale de la hanche (ou coxaplana)* (plus fréquente chez les petites filles).

Vous remarquerez chez bébé, vers 7-8 mois, le raccourcissement d'une jambe, surtout quand il s'assoit. La jambe tourne vers l'extérieur. Bébé met longtemps à marcher (15 ou même 18 mois) et claudique.

Consultez le médecin : il faut une intervention chirurgicale.

MALADIES INFECTIEUSES (voir INFECTION
et CONTAGION)
MAL AU CŒUR (voir NAUSÉE)
MAL AU VENTRE
MAL DE GORGE (voir AMYGDALES et ANGINES)
MAL DE POTT
MAL DE TÊTE
MAL DES TRANSPORTS
MAMMITE DU NOUVEAU-NÉ
MASTURBATION
MÉDUSES
MÉNINGITE
MIGRAINE
MORSURES D'ANIMAUX
MUGUET
MYOPIE (voir YEUX)

MALADIES INFECTIEUSES
(voir INFECTION et CONTAGION)

MAL AU CŒUR (voir NAUSÉE)

**MAL AU VENTRE (voir AÉROPHAGIE, APPEN-
DICITE, COLITE, COLIQUE, FOIE, DIARRHÉE,
INDIGESTION)**

MAL DE GORGE (voir AMYGDALES et ANGINE)

MAL DE POTT (voir TUBERCULOSE)

MAL DE TÊTE (voir COUP A LA TÊTE, DENTS, ENCÉPHALITE, INSOLATION, MÉNINGITE, MIGRAINE, SINUSITE)

MAL DES TRANSPORTS (auto, bateau, avion, train...)

Rien de plus décourageant que ces voyages avec des enfants vomisseurs ! Le nourrisson semble être à l'abri de ce genre de manifestations déprimantes, mais de nombreux jeunes enfants en sont affligés.

Que de souvenirs peu alléchants de cuvettes, de serviettes, d'arrêts intempestifs sur le bord des routes, sans oublier la mauvaise humeur des pères ! Bien des enfants en restent véritablement traumatisés.

QUE FAIRE EN URGENCE (SI VOUS AVEZ OUBLIÉ D'EMPORTER UN MÉDICAMENT) ?

En pleine nature : Arrêtez la voiture, et faites respirer les enfants ; faites-leur faire un tour dans la campagne.

Repartez tout doucement, en aérant au maximum la voiture, jusqu'au prochain village, où vous trouverez épicerie et pharmacie.

Intéressez les enfants au paysage.

Regardez sur le bord du fossé si vous trouvez de la *menthe* (très courante, se repère à l'odeur). Donnez-la aux enfants, qu'ils la respirent, ou la mâchent.

Massez l'angle externe de l'ongle du petit doigt (point d'acupuncture).

En ville (ou village) :

A. — *A l'épicerie :*

Achetez des *citrons* (non traités, si possible). A sucer. Une *noix muscade,* que les plus grands suceront le long du trajet. Ne pas en donner aux petits (en dessous de 4 ou 5 ans), parce qu'elle ne doit pas être avalée. Si cela arrive, aidez l'enfant à vomir. Des *biscuits salés,* des *chewing-gums* aux fruits.

Une bouteille d'*eau minérale glacée,* à boire à petites gorgées.

B. — *A la pharmacie :*

N'achetez aucun « antimal » de mer ou d'auto vendus en pharmacie, ce sont des produits beaucoup trop forts pour les enfants. Achetez plutôt des médicaments homéopathiques :

Tabacum 5 CH et *Cocculus 5 CH* pour l'auto (2 granules de chacun par jour. Plus efficace si l'enfant est à jeun).

Gelsemium 5 CH et *Borax 5 CH, Cocculus 5 CH* pour l'avion. Même dosage.

La *Cocculine,* préparation homéopathique vendue en pharmacie, donne de bons résultats (une pastille toutes les heures). Elle ne provoque pas d'abrutissement comme les médicaments allopathiques.

TRAITEMENT PRÉVENTIF AVANT LE DÉPART

— Faites le plein d'essence la veille : l'odeur du pétrole contribue beaucoup au malaise.

— Commandez chez le pharmacien les médicaments homéopathiques :

Petroleum 4 CH, si le mal violent est provoqué par les effluves du carburant, auquel l'enfant est allergique.

Commandez également tous les médicaments décrits au paragraphe ci-dessus.

— Ne prenez pas de petit déjeuner. Si on peut mettre l'enfant *à jeun* depuis la veille, il n'aura pas de matière malodorante à vomir, seulement de la bile, ce qui est peu de chose.

— Emportez cuvettes et serviettes.

— Préparez tisanes pour le foie quelques jours avant le départ : *souci, menthe, romarin, réglisse* (dosage sans importance).

— Mettez le père conducteur en condition : qu'il accepte d'avoir une conduite paterfamiliale, et non pas de play-boy sportif...

Si rien ne fait rien, sachez que les voyages de nuit, en auto surtout, sont beaucoup plus tranquilles. Le mal des transports cesse avec le coucher du soleil (mais cela n'est pas vrai pour le mal de mer).

MAMMITE DU NOUVEAU-NÉ

Vous remarquerez peut-être chez le nouveau-né un petit gonflement des seins, avec présence d'un suc jaune. Bébé aurait-il du lait ? Par osmose ? Certains le dénomment « lait de sorcière », y voyant vraiment une anomalie de la nature. N'y faites pas attention : c'est normal chez la fille comme chez le garçon. Il n'y faut pas toucher : cela passera tout seul.

Vous pouvez à la rigueur, si cela dure, donner

des granules homéopathiques de *Lac caninum 4 CH*,
2 granules une fois par jour, et mettre un peu de
pommade au calendula.

MASTURBATION

Bébé découvre son corps avec le plus grand intérêt... Comme il n'a pas de préjugés, il s'intéresse
à tout... La meilleure façon de connaître la vie, c'est
de toucher : aussi se tripote-t-il sans complexes pour
explorer son petit corps. C'est normal, et c'est vous
qui avez l'esprit mal tourné si vous y voyez quelque
malice !

A partir de 3 ans, on remarque chez certains
enfants une propension à se gratter souvent et de
préférence certains endroits précis... D'où leur vient
cette manie ? En général, de la malpropreté de
l'éducateur : le petit derrière mal tenu réagit par
des rougeurs et des boutons. L'enfant prend alors
l'habitude de se gratter pour soulager la démangeaison.

Beaucoup de mères s'obsèdent sur la masturbation,
et ont une attitude oppressive qui n'arrange rien.
Si on empêche l'enfant de se tripoter, il continuera
tout seul, en cachette et honteusement, ce n'est pas
mieux.

A notre avis, vous devez distinguer entre la masturbation en public... et la chatouillerie privée. Si
l'enfant se masturbe devant la famille, les amis, les
inconnus, c'est ennuyeux pour lui : cette tenue
provocante peut donner des idées aux satyres en
puissance (et il n'est pas rare de voir des obsédés
embêter de très jeunes enfants — cela peut aller
jusqu'aux violences graves). L'enfant qui se masturbe

en public peut aussi provoquer de plus grands à des jeux sexuels qui tourneront mal pour lui. Il ne se rend pas très bien compte qu'il a provoqué ses agresseurs.

Aussi devez-vous lui expliquer que certaines choses ne se font jamais en public, et ce qu'il risque. Choisissez des termes adaptés à son âge. Soyez ferme, ne tolérez aucune mauvaise tenue en public.

En revanche, vous n'avez pas à intervenir dans la vie privée sexuelle de l'enfant. Dites-lui : « Ce que tu fais tout seul, dans ton lit ou dans ta chambre ne me regarde pas. »

Dites-vous bien que si l'enfant se masturbe, c'est qu'il est malheureux. Il s'offre ainsi un plaisir solitaire qui compense ses frustrations. Il se replie sur lui-même, et c'est là le vrai danger de la masturbation. Essayez de comprendre ce qui ne va pas, de l'entourer d'affection. Il faut le sortir de lui-même, favoriser ses amitiés, lui donner l'occasion de s'épanouir dans un sport ou dans un art qui le rende heureux. Faites un effort de tolérance. Parlez avec lui de ce problème, sur un mode détendu, non oppressif. Il est certain que si vous avez vous-même des problèmes sexuels non résolus, vous aurez du mal à être tolérante. Essayez pourtant.

Dites-vous que tous les petits garçons se masturbent, et sûrement la moitié des petites filles. Ils n'en meurent pas... Et ce n'est pas en dramatisant que vous changerez les choses de la vie.

Et n'allez surtout pas obséder les enfants avec des histoires de péché : avant 7 ans, on est beaucoup trop jeune pour surmonter cet énorme problème, on a surtout besoin d'affection, de sécurité et de tolérance.

MÉDUSES

Les méduses rondes, lamentablement échouées sur la plage sous leur chapeau de gélatine, sont rarement dangereuses : la plupart du temps, elles ont perdu leurs filaments « urticants » (c'est-à-dire qui piquent !).

En revanche, en pleine mer, que l'enfant évite de les toucher. Ces méduses rondes sont en vérité un épouvantail à moineaux. La vraie terreur des mers, c'est la physalie, ou vélelle, ou ortie de mer, ou « navire de guerre portugais ». Celle-là est d'un bleu superbe, et ressemble à un navire flottant au-dessus de la ligne des eaux. Le dessus ressemble à une voile échancrée. Relativement rare en France, elle est plus courante dans les mers chaudes.

Ses filaments s'étendent jusqu'à quatre mètres loin d'elle, aussi faut-il prendre le large le plus large possible !

SYMPTOMES

L'enfant se gratte furieusement, et ça le démange comme un urticaire assez vif. En général, ce n'est pas très grave. Il se peut que cet urticaire se prolonge quelques jours.

Ce qui complique la brûlure d'une méduse, c'est le terrain allergique. Et certains enfants peuvent même, s'ils ont rencontré une physalie, faire un accident allergique grave : crampes dans les membres, convulsions, difficultés à respirer, troubles cardiaques.

QUE FAIRE EN URGENCE ?

— A défaut de tout, et tout de suite, un emplâtre de *sable sec* très chaud.

— Compresses d'*ammoniaque* ou de *fleurs de souci hachées* (*Calendula*).

— *Homéopathie* :

Compresses de *teinture-mère de Calendula*.

Granules à sucer : *Apis mellifera 4 CH* ; *Urtica urens 4 CH*, 2 granules toutes les heures.

Si l'éruption ne disparaît pas le lendemain : 1 dose de *Medusa 7 CH*, *Sulfur 4 CH*, *Berberis 4 CH*, *Urtica urens 4 CH*, 2 granules matin et soir.

Empêcher l'enfant de se toucher les yeux (il risque de déclencher une conjonctivite).

Si l'état général s'aggrave, le jour même ou le lendemain, appelez le médecin, et donnez à l'enfant : *Naja 4 CH*, 2 granules, et *Soludor*, 10 gouttes.

MÉNINGITE

Un microbe (méningocoque) a envahi les méninges, enveloppes qui emballent le cerveau et la moelle épinière.

Il existe différentes formes de méningite, toutes très graves.

A QUELS SIGNES LA RECONNAITREZ-VOUS ?

Fièvre et mal de tête violent, en particulier à la nuque, qui est raide.

L'enfant a parfois un bouton à la lèvre, comme dans l'HERPÈS (voir ce mot).

Il y a des convulsions, une paralysie locale, parfois des accès de sommeil inexpliqués.

En général, il y avait déjà au départ une infection préexistante (grippe, abcès, otite, colibacillose, pneumonie, etc.).

TRAITEMENT D'URGENCE DES MENINGITES EN GENERAL

En attendant le médecin, donnez du *chlorure de magnésium*, 20 g dans un verre d'eau, ou en comprimés (*Delbiase*) si l'enfant ne veut pas l'avaler.

Homéopathie : Belladonna 4 CH, Apis mellifica 4 CH, Gelsemium 4 CH, 2 granules matin, midi et soir, à jeun.

Arsenicum album 5 CH, Helleborus Niger 5 CH, Biothérapique pyrogénium 5 CH, 2 granules le matin.

MÉNINGITE CÉRÉBRO-SPINALE

Elle atteint surtout les enfants et les jeunes (plutôt les garçons). Le microbe affecte non seulement les méninges du cerveau, mais aussi celles de la moelle épinière.

A QUOI LA RECONNAITREZ-VOUS ?

Elle débute par des frissons (chaud et froid). La fièvre est élevée, tout de suite, et l'enfant a très mal à la tête et à la nuque. Il vomit, a des vertiges, et la nuque raide.

Il délire, et le mal de tête ne fait que s'aggraver ;
l'enfant ne peut dormir et ne supporte pas la
lumière. Il a mal partout. Surdité et cécité peuvent
survenir.

QUE FAIRE EN URGENCE ?

En attendant le médecin, mettez l'enfant
dans le noir. Voyez le traitement général d'urgence des méningites, ci-dessus.

MIGRAINE

Rare chez le petit enfant qui n'a heureusement
de maux de tête qu'au cours d'autres maladies :
fièvres, méningites, etc. « La migraine, c'est pour les
vieux ? » Hélas, pas toujours, et il y a des enfants
qui souffrent autant que les adultes.

A QUELS SIGNES LA RECONNAITREZ-VOUS ?

L'enfant se plaint de la tête, le front généralement. Il est abattu, ne joue plus et peut avoir envie
de vomir.

QUE FAIRE EN URGENCE ?

A. — Installez l'enfant *au repos* sur son lit.
Evitez-lui bruits et lumière vive. Posez une
bouillotte de glace sur sa tête. Ne donnez à
boire que de l'eau. (L'été, pensez à l'insolation,
voir ce mot.)

334

B. — *Par les plantes :*
Posez des lamelles de *citron* sur les tempes.
Appliquez un cataplasme de feuilles de *chou*
haché menu sur son front.

Composez la tisane suivante : *marjolaine*
(*Origanum majorana*), 20 g ; *mélisse* (*Melissa
officinalis*), 10 g ; *menthe* (*Menta piperata*),
15 g ; *serpolet* (*Thymus serpillum*), 15 g. Et
donnez à boire à l'enfant autant qu'il le sou-
haite.

C. — *Quelques trucs :* Posez un objet de
cuivre sur le front, ou encore une compresse
d'*eau très salée* au sel de mer. Un *café* très fort
et très glacé atténuera la migraine (selon l'âge
de l'enfant).

D. — *Par l'homéopathie :*
Sedatif PC, 1 pastille toutes les heures si crise
violente.

Menyanthis 4 CH, si la douleur est située au
sommet du crâne.

Spigelia 4 CH, si elle se localise à la nuque,
2 granules de l'un ou l'autre tube toutes les
deux heures.

MORSURES D'ANIMAUX

I. — *SERPENT*

A QUOI RECONNAITREZ-VOUS UNE MORSURE DE SERPENT ?

Vous pouvez voir sur la peau de l'enfant deux
lignes allongées : ce sont les traces des « crochets »

venimeux de la vipère. L'enfant n'est pas toujours capable d'expliquer ce qui s'est passé, mais sa douleur est très vive. La partie mordue enfle rapidement. L'œdème s'étend peu à peu, et les signes d'empoisonnement général apparaissent : vomissements, diarrhée, et même coma.

QUE FAIRE EN URGENCE ?

Incisez la plaie. Faites-la saigner abondamment. Faites un garrot entre le cœur et la morsure.

Installez le petit mordu au calme.

Nettoyez la plaie à l'eau de Javel (une demicuiller à dessert pour 100 g d'eau) ou au permanganate de potassium à 1 %.

A. — *Traitement allopathique* : *Sérum antivenimeux* de l'Institut Pasteur.

B. — *Traitement homéopathique* :

Faites préparer par le pharmacien le mélange suivant : 10 g de *teinture-mère de cedron*, 3 g de *teinture-mère de guaco*, 2 g de *teinture-mère de calendula* (formule du Dr Chavanon), cité dans *Dictionnaire homéopathique d'urgence* de L. Pommier.

Faites boire à l'enfant une cuillerée à café de ce mélange, le plus vite possible, et appliquez le reste sur la plaie.

C. — *Traitement par les plantes* :

— Mâcher feuilles et fleurs de *genêt à balai* (*Cytisus scoparius*) ; celui-ci contient de la spartéine, qui neutralise le venin de serpent et soutient le cœur de la victime. Appliquez le genêt écrasé sur la plaie. Faites-en boire des infusions chaudes à l'enfant.

— *Huile essentielle de lavande* sur la plaie, et quelques gouttes à boire dans une tasse

,d'eau chaude. Si vous n'avez pas d'huile essentielle, posez sur la plaie un cataplasme de fleurs écrasées, et faites-en mâcher à l'enfant. La lavande a également des propriétés anti-venimeuses.

— Même traitement avec les *feuilles de plantain* (*Plantago major*), froissées.

— Faites boire aussi à l'enfant du jus de citron. Posez encore sur la plaie des cataplasmes d'*ail* ou d'*oignon*.

D. — *Traitement par l'argile* : Donnez de l'eau argileuse à boire au petit malade (un peu d'*argile verte* dans de l'eau tiède). Faites-lui un cataplasme — épais — sur la nuque et sur le ventre.

TRAITEMENT PRÉVENTIF

Quelques règles de prudence : apprenez à vos enfants, s'ils vivent dans des régions où la présence des serpents est habituelle, à ne jamais marcher pieds nus dans les broussailles. Mettez-leur des pantalons longs serrés (même en été). Dites-leur qu'on ne doit jamais chercher à saisir un serpent à mains nues, même s'il a l'air de dormir, même s'il est tout petit. Quand vous vous éloignez en randonnée, emportez avec vous une ampoule de sérum anti-venimeux (dans toutes les pharmacies).

II. — *CHIENS, RENARDS...*

Tout dépend de l'animal : ou vous le connaissez (et vous savez s'il est sain ou non, vacciné ou pas), ou vous ne le connaissez pas, parce que c'est un animal sauvage ou errant.

Si c'est le cas, il risque d'être atteint de la rage.

Mais ne vous affolez pas : d'abord les morsures à travers un vêtement sont infiniment moins dangereuses que les morsures à vif.

Ensuite, n'allez pas croire que tous les animaux errants ont la rage.

Signes : l'animal court, mord tout ce qu'il trouve, et fuit l'eau. Il aboie (si c'est un chien) d'une voix rauque et enrouée.

Si vous avez un doute, allez voir un médecin. La rage chez l'homme met trois semaines à se déclarer ; entre-temps, on vous fait un sérum antirabique qui atténue beaucoup la maladie, ou même l'évite.

Si l'animal, bien connu et pas du tout enragé, a néanmoins rageusement mordu votre enfant qui l'asticotait, soignez la morsure comme une BLESSURE (voir ce mot).

III. — *RATS*

Relativement rare, mais peut arriver pourtant.

Le rat transmet à l'homme la rage, la peste, la typhoïde, la salmonellose, et un grand nombre d'autres maladies.

Appelez le médecin.

IV. — *CHEVAL, MOUTON, ANE*

Il y a risque de tétanos. Vérifiez les dates de vaccination de l'enfant mordu. Si vous avez des doutes, le médecin fera un sérum antitétanique. (Il est permis d'avoir des doutes sur la valeur de bien des vaccins, mais en ce qui concerne le tétanos, le vaccin antitétanique est indéniablement un gros progrès.)

MUGUET

Celui-ci ne fleurit pas seulement le jour du 1er mai sur tous les corsages. Il a élu domicile dans la bouche de vos chers petits lorsqu'ils sont encore au sein ou au biberon.

A QUEL SIGNE LE RECONNAITREZ-VOUS ?

Petits points blancs, très nombreux, qui ont élu domicile dans la bouche, sur les gencives et la langue du nourrisson.

C'est un champignon : l'*Endomyces albicans*, qui, par sa présence, gêne la tétée. Il est le signe d'un mauvais état général, ou la conséquence des antibiotiques donnés à la mère (qui passent au bébé à travers le lait).

QUE FAIRE EN URGENCE ?

A. — Tout repose sur l'hygiène. Bien faire bouillir les tétines ou nettoyer le sein avec une solution de Dermatol (1 cuiller à café dans une tasse d'eau tiède [1]). Après la tétée, désinfecter la bouche de l'enfant : entourez votre doigt de gaze que vous imbiberez soit de jus de citron, soit d'une solution de bicarbonate à 5 pour 1 000 et frottez-en tout l'intérieur des gencives. La contagion est extrême. Soyez vigilante.

1. Laboratoires d'aromatologie appliquée, 15, rue du Panorama, 95370 Montigny-lès-Cormeilles.

B. — *Traitement par l'homéopathie :*
Celle-ci traitera à la fois les symptômes et le terrain : *Borax 4 CH*, si bébé pleure pendant la tétée.

Nitricum acidum 4 CH, si les boutons ont tendance à saigner.

Mercurius cyanatus 4 CH, si l'enfant est très abattu et que le muguet se présente en plaques.

C. — *Traitement par les plantes :*
Cueillez au jardin des roses et préparez une infusion de pétales. Vous y ajouterez du miel et vous nettoierez toute la bouche avec ce mélange.

Vous pouvez aussi utiliser de temps en temps le jus d'un citron ou une décoction de feuilles de buis (*Buxus sempervirens*). L'application en est difficile tant cela est amer.

D. — *Traitement par l'argile :*
Des cataplasmes sur le bas-ventre amélioreront l'état général. Vous pouvez associer des lavements à l'huile d'olive (1 cuiller à soupe), car il est urgent que l'enfant évacue, même s'il s'alimente peu, pour nettoyer tout le tube digestif.

MYOPIE (voir YEUX)

N

NAEVUS (voir GRAIN DE BEAUTÉ)
NAUSÉE
NÉPHRITE
NERVOSITÉ (voir ANGOISSE)
NYLON

NAEVUS (voir GRAIN DE BEAUTÉ)

NAUSÉE

Lorsque l'enfant parle bien, il est capable de vous dire : « J'ai mal au cœur, j'ai envie de vomir. » Allongez-le, avec une cuvette à portée de la main, et cherchez la cause de la nausée : Voyez CHALEUR, DIARRHÉE, CONSTIPATION, INDIGESTION ET EMBARRAS GASTRIQUE, FOIE, MAL DES TRANSPORTS...

NÉPHRITE

Cette inflammation aiguë ou chronique des voies urinaires est très sérieuse. Il n'est pas question de la soigner vous-même. Vous trouverez ci-dessous les symptômes généraux des néphrites.

1. — NÉPHRITE AIGUE INFECTIEUSE

Chez l'enfant la néphrite aiguë vient très souvent à la suite d'une maladie infectieuse (après une scarlatine, une angine — voire un rhume — une infection intestinale, une pneumonie, un érysipèle... n'importe quelle infection). Bref, le microbe chassé d'un organe descend s'installer dans les reins.

Vous remarquerez :

— Que l'enfant n'a plus d'*urines* (ou que celles-ci sont de couleur sombre, avec du sang, et troublées) ;

— Qu'il a un *œdème*, c'est-à-dire un gonflement, qui commence aux paupières et se continue par les chevilles, puis le corps entier ;

— Qu'il a une très *forte fièvre* (40°), des courbatures, des frissons, des douleurs aux reins ;

— Qu'il a *mal à la tête* ;

— Et de l'hypertension artérielle, avec un *pouls accéléré* ;

— Si vous faites une analyse d'urine, vous trouvez de l'*albumine*.

QUE FAIRE EN URGENCE ?

Appelez immédiatement le docteur, homéopathe, acupuncteur ou aromathérapeute, naturopathe. Ils ont les moyens de soigner une néphrite.

En attendant le médecin :

Mettez l'enfant au lit, et posez-lui sur les reins des cataplasmes chauds d'*oignons crus* hachés. Renouvelez toutes les heures. Mieux encore, frottez les reins (avant le renouvellement du cataplasme) avec de l'huile essentielle de *genévrier* (*Juniperus communis*).

Donnez à l'enfant de petites cuillerées de *jus d'oignon cru* (obtenu dans une centrifu-

---

geuse ou un moulin à légumes), et quelques gouttes d'*essence de genévrier* sur un sucre, ou dans très peu d'eau (petite cuiller).

Répétez ces traitements toutes les heures. (Le genévrier et l'oignon sont les deux plantes spécifiques des maladies de reins.)

II. — *NÉPHRITE AIGUE TOXIQUE*

Encore plus grave que la précédente, celle-là n'est pas due à un microbe, mais à un empoisonnement, qui se porte sur le rein. Un assez grand nombre de toxiques peuvent déclencher une néphrite aiguë chez l'enfant : mercure, arsenic, plomb, certains médicaments courants comme pyramidon, sulfamides, phénacétine, des sérums, et même des vaccins...

A quoi la reconnaître ? Mêmes symptômes que l'autre néphrite, en plus grave. L' « anurie » ou absence d'urine, en est le symptôme le plus alarmant, elle entraîne la mort rapidement. Le rein est bloqué !

Prévenir un médecin de toute urgence (voir EMPOISONNEMENT).

En attendant, appliquez le traitement décrit plus haut à base de *genévrier* et d'*oignon*.

III. — *NÉPHRITE CHRONIQUE*

A partir de 4 ans, elle n'est pas rare. C'est souvent le prolongement d'une néphrite aiguë. On y retrouve les signes classiques : œdème, urines troubles, tension élevée, maux de tête, fatigue. L'état général n'est pas très brillant.

Appelez le médecin, qui ordonnera une série d'analyses, à la suite desquelles il prescrira un traitement approprié au genre de néphrite. Ici aussi, n'oubliez pas l'*oignon* et le *genévrier*.

L'homéopathe, l'aromathérapeute, ou le naturopathe ordonneront peut-être aussi des cures thermales, et en tout cas un régime.

NERVOSITÉ (voir aussi ANGOISSE)

Les petits nerveux sont légion. En fabriquerions-nous plus que par le passé, dans ce siècle de survoltage ? De toute façon nous pouvons y remédier par un traitement de fond approprié plutôt que par le recours aux tranquillisants (extrêmement dangereux — et qui ne soignent pas).

A QUOI LA RECONNAITREZ-VOUS ?

L'enfant agité, qui ne tient pas en place, qui a du mal à s'endormir, qui bouge sans arrêt ; qui supporte difficilement les longues stations assises à l'école ; qui change sans arrêt d'occupation, qui réagit mal à la vie en société et qui vous dérange. Faites aussi un petit examen de conscience : est-il vraiment aussi nerveux que vous le dites ou ne supportez-vous pas son besoin essentiel de mouvement et de détente ?

QUELLES EN SONT LES CAUSES ?

A. — *Le tempérament* : Il existe un tempérament nerveux, généralement héréditaire, sur lequel vous pourrez agir par un traitement de fond, par une vie saine et équilibrée, une ambiance calme et désangoissante.

B. — *Les conditions de vie* : L'enfant partage nos conditions de vie au sein d'une civilisation à 100 000 volts. Que l'on songe aux départs en classe : course à l'habillage, puis course pour attraper le métro ou le bus, c'est toujours le vite-vite-vite, dépêche-toi, qui rythme la vie de l'enfant dès son plus jeune âge. Il ne vit pas dans un monde spécialement rassurant ; la télévision a remplacé les contes de fées (qui pour être souvent dramatiques n'en finissaient pas moins de façon heureuse).

C. — *Les petits soucis de l'enfance* sont aussi cause de nervosité : poussées dentaires chez les plus petits, oxyuroses, crises d'urticaire, etc.

TRAITEMENT

A. — Evitez tous les sédatifs ou tranquillisants, même prescrits par votre pédiatre. N'enclenchez pas le cycle sédatifs-antidépresseurs. C'est l'avenir de votre enfant que vous engagez. Le tranquillisant masque le problème de fond de l'enfant et en crée d'autres.

B. — *Par l'homéopathie* : *Chamomilla 7 CH,* 5 granules tous les huit jours ; *Sédatif PC,* 2 granules tous les jours.

C. — *Par les oligo-éléments* : *Manganèse, iode,* 1 ampoule par jour, en alternance.

D. — *Par les plantes.* Au choix : infusion de *tilleul* (*Tilia sylvestris*), de *fleurs d'oranger* (*Citrum aurantium*), de *camomille* (*Camomilla matricaria*), de *menthe poivrée* (*Mentha piperata*), d'*aubépine* (*Crataegus oxyacanta*), ou un mélange d'*angélique,* de *narcisse,* d'*olivier,* de *marjolaine* et de *valériane* (préparé par votre herboriste).

E. — *Par l'hygiène :*

— Efforcez-vous d'organiser pour votre enfant une vie calme, régulière, sans inutile bousculade ;

— Couchez-le après une période de repos, n'exigez pas qu'un enfant se couche immédiatement après un jeu violent ;

— Evitez le bruit ;

— Equilibrez loisirs et travail. Une bonne santé, équilibrée sur le plan nerveux, naîtra de l'équilibre entre travail musculaire et travail intellectuel. Le corps a autant que l'esprit besoin d'exercice. Ne signez pas à tort et à travers des mots d'excuse pour les cours de gymnastique. Dans les réunions de parents d'élèves, faites-vous entendre : dites bien haut que l'enfant qui rentre chez lui en sortant de l'école n'a aucun besoin de travail du soir ; de toute façon, celui-ci ne profite guère, parce que l'enfant est fatigué. Il a surtout besoin de détente. Beaucoup de parents n'ont pas encore pris conscience du problème (voir FATIGUE).

NYLON (voir ALLERGIE, BRULURE, INFECTION et VÊTEMENTS)

O

OBÉSITÉ
OCCLUSION INTESTINALE
ŒDÈME
OLIGO-ÉLÉMENTS
OLIGO-THÉRAPIE
ONGLES
OPÉRATIONS
OPHTALMIE (voir YEUX)
ORCHITE (voir TESTICULES)
OREILLES
OREILLONS
ORGELET
OSTÉO-MYÉLITE (voir TUBERCULOSE)
OTITES
OURSIN

OBÉSITÉ

Jadis, dans les pays arabes, on appréciait les femmes grassouillettes, voire obèses : elles évoquaient l'idée de luxe, de prospérité...

Bien des mères occidentales ont cette optique un peu « arabe » : gaver l'enfant pour que le petit « profite » et qu'il soit le plus gros possible.

...Malheureusement, la graisse n'est pas un signe de bonne santé chez l'enfant. Elle est plutôt le signe d'un mauvais fonctionnement glandulaire, ou d'un forçage alimentaire.

Consultez un médecin, ne laissez pas traîner cette obésité : la santé future de l'enfant risque d'être gravement compromise.

OCCLUSION INTESTINALE

Dernier épisode, dramatique d'une constipation opiniâtre, qui peut survenir en cas d'appendicite, de hernie étranglée, de pancréatite.

L'enfant ne peut survivre sans évacuation intestinale aucune.

A QUELS SIGNES LA RECONNAITREZ-VOUS ?

Douleurs vives comme des coliques, vomissements répétés et intempestifs. L'enfant n'évacue plus ni selles *ni gaz*. Le blocage est complet.

Il y a parfois de la fièvre, mais pas toujours.

QUE FAIRE EU URGENCE ?

— Appelez le médecin : le traitement chirurgical s'impose.

— En attendant, et pour soulager l'enfant, plongez-le dans un *bain tiède* pendant un quart d'heure ; mettez-lui des *compresses chaudes* (ou des bouillottes) sur le ventre.

— Donnez-lui *Nux vomica 7 CH*, 1 dose, *Opium 5 CH*, un quart d'heure après, et enfin, encore un quart d'heure après, *Plumbum 9 CH*, 1 dose.

TRAITEMENT PRÉVENTIF

Ne laissez jamais s'installer une constipation.

Faites attention au régime (voir CONSTIPATION). L'homéopathe et l'acupuncteur vous donneront un traitement.

ŒDÈME

Un œdème est une enflure anormale (aux paupières, aux mains, aux pieds, partout...). La peau est gonflée, boursouflée. L'œdème indique un très mauvais état général, qu'il faut de toute façon traiter, ou une maladie gravissime.

Lorsque l'œdème commence par les pieds, c'est une maladie de cœur.

Lorsqu'il commence par le ventre, c'est une maladie de foie, et par les paupières, c'est une maladie du rein (NÉPHRITE, par exemple, voir ce mot).

TRAITEMENT D'URGENCE DES ŒDÈMES

— Donner à l'enfant, à jeun : *Serum equi 5 CH*, 5 granules matin et soir (toutes les demi-heures dans un cas grave).

— *Apis 4 CH*, 2 granules matin et soir.

— Si l'enfant souffre d'urticaire, lui donner en plus : *Urtica urens 4 CH*, matin et soir, et lui donner à boire le plus de *jus d'oignon* possible.

ŒDÈME AIGU DU POUMON

Vous ne verrez pas l'enflure à l'extérieur puisqu'elle atteint le poumon. Cette forme très grave d'œdème survient au cours d'une grippe, d'une néphrite aiguë, d'une broncho-pneumonie, d'une rougeole, d'une maladie cardiaque... Vous le reconnaîtrez aux signes suivants : l'enfant a de grandes difficultés à respirer, il a les lèvres bleues (et même le visage, voire le corps tout entier). Il tousse, et bave une mousse sanguinolente et rose, écumeuse.

QUE FAIRE EN URGENCE ?

— Appelez le médecin au plus vite. En l'attendant :

— Il faut pratiquer une *saignée*, et tirer un quart de litre de sang.

— L'opération consiste à ouvrir la veine au pli du coude. Le docteur vous expliquera au téléphone comment faire. Mais s'il ne peut venir tout de suite, il faut le faire : ce n'est pas très difficile, et sauvera la vie de l'enfant : la vie ou la mort sont dans ce cas à quelques minutes près.

— *Homéopathie* : En urgence, *Ethyl-sulfur-dichloratum 5 CH, Phosphorus triiodatus 5 CH,* 5 granules, à jeun, toutes les heures ou demi-heures si c'est grave. *Antimonium tartaricum 4 CH, Ammonium carbonicum 5 CH, Apis mellifica 5 CH,* 55 granules de chacun toutes les demi-heures.

ŒDÈME DE LA GLOTTE

Il s'agit ici d'un gonflement de la glotte et du larynx (gorge) qui empêche l'enfant de respirer. Il a de la fièvre et étouffe, c'est gravissime.

QUE FAIRE EN URGENCE ?

Appelez le médecin, Police-Secours ou les pompiers. Le gonflement peut être causé par différents facteurs :

— Une *guêpe* ou une *abeille,* voir PIQURE (et médicament d'urgence ci-dessus, traitement général des œdèmes, ci-dessus).

— *Si l'enfant a avalé une arête ou une épingle* plantée dans la gorge : *Biothérapique pyrogénium 5 CH*, 5 granules toutes les deux heures, plus traitement général des œdèmes ci-dessus (voir INGESTION DE CORPS ÉTRANGERS).

— *Réaction après une piqûre de sérum : Serum equi 5 CH,* 5 granules, *Arsenicum album 4 CH, idem,* à jeun.

— *Œdème sans aucune cause connue de vous : Serum equi 5 CH, Apis 4 CH, Kali iod 4 CH, Urtica urens 4 CH,* 2 granules de chacun toutes les heures.

ŒDÈME DE QUINCKE

Les lèvres et les paupières de l'enfant se mettent soudain à enfler, parfois aussi la langue, la gorge, etc. Cela dure quelques heures ou quelque jours. C'est une forme grave d'ALLERGIE (voir ce mot).

L'allergène est ici un médicament, un vaccin ou un aliment.

En attendant le médecin homéopathe ou naturopathe ou aromathérapeute : donnez le traitement d'urgence de l'œdème (voir plus haut, œdème sans cause connue), avec en plus : *Poumon-histamine 5 CH.*

OLIGO-ÉLÉMENTS (voir première partie)

OLIGO-THÉRAPIE (voir première partie)

ONGLES

Avez-vous mis au monde un onychophage ?... Non, ce n'est pas un animal sauvage vivant au fond des forêts d'Afrique, mais un enfant qui se ronge les ongles !

Cette mauvaise habitude vous dérange : c'est laid, c'est sale, vous y voyez le signe d'un déséquilibre nerveux.

Les punitions ne servent à rien, les moqueries ne font qu'aggraver davantage cette manie : il se ronge les ongles de plus belle... C'est décourageant. Alors, que faire ?

CAUSES

On a parlé du manque de calcium, d'anxiété diffuse...

L'enfant a sûrement une raison pour agir ainsi : à vous de trouver ce qui ne va pas. Soyez indulgente : l'enfant qui se ronge les ongles ne le fait pas toujours volontairement (certains le font même en dormant !).

Peut-être l'enfant traverse-t-il une période difficile dont vous avez peu conscience (adaptation à l'école, ambiance familiale tendue, naissance d'un bébé qui capte votre attention à son détriment...).

356

TRAITEMENT DE FOND

A. — *Par l'homéopathie :*
Cuprum oxydatum 9 CH, 1 dose ; *Baryta carbonica 7 CH*, 1 dose dix jours après.

Renouveler tous les dix jours, jusqu'à guérison.

Badigeonnez les ongles de *teinture-mère d'aloès :* le goût très amer décourage l'enfant vorace... Mais le problème psychologique de fond réapparaîtra sous une autre forme.

B. — *Par un régime alimentaire :* Donnez des *fruits* et des *légumes crus :* l'enfant manque de vitamines. Mais ne donnez pas celles-ci sous forme de médicament.

C. — *Par une psychothérapie* (que vous pouvez souvent faire vous-même), en rassurant l'enfant. Rassurez votre petit rongeur, calmez ses angoisses, montrez-lui qu'il vous intéresse et que vous l'aimez. Essayez de l'intéresser à fond dans une activité sportive ou artistique.

Si c'est une petite fille, faites appel à sa coquetterie...

OPÉRATIONS

Quelle qu'elle soit, elle est toujours un événement important dans la vie de l'enfant. Aidez-le à en garder bon souvenir.

FAUT-IL OPÉRER ?

Evitez absolument l'opération en cas de mauvais état général. Le choc opératoire en serait aggravé.

Une opération est toujours un risque : certains tempéraments supportent mal l'anesthésie générale.

N'ayez pas une attitude interventionniste à tout crin. Ne croyez pas qu'une opération résoudra comme par miracle tous les problèmes. Les parents font souvent opérer leurs enfants pour se rassurer eux-mêmes et tranquilliser leur conscience : « J'ai fait tout ce que l'on pouvait tenter. »

Demandez l'avis de plusieurs spécialistes avant de prendre une décision.

Quand cela est possible, laissez faire la nature, attendez : le temps arrange bien souvent les choses, surtout chez un jeune enfant. Les guérisons spontanées surviennent parfois, à la surprise des médecins... !

ROLE PSYCHOLOGIQUE DES PARENTS ET DE L'ENTOURAGE

— *Pour un tout-petit* : ne lui parlez de rien avant le jour même. Inutile de l'affoler avec des explications qu'il ne peut comprendre.

— *Pour un plus grand* : entre 2 et 6 ans, ne mentez pas. Sans dramatiser, ne déguisez pas la réalité, même si elle est douloureuse. Prenez le temps d'expliquer à votre enfant en quoi consiste l'opération. Sans entrer dans trop de détails, fixez-le sur ce qui va se passer chronologiquement. Cela lui évitera un affolement inutile. Donnez-lui des renseignements sur ce qu'il va voir : l'hôpital, si différent de la maison, les infirmières nombreuses et changeantes, le chariot, l'ascenseur, la salle d'opération. Dites-lui ce qu'on va lui faire : tous les enfants sont intéressés par le fonctionnement de leur corps. Insistez surtout sur le résultat positif que vous attendez de l'opération : guérison et fin d'un état de souffrance.

VOS DROITS DE PARENTS
EN FACE DE L'HOPITAL

Demandez à coucher à côté de votre enfant. Surveillez le régime alimentaire. Eventuellement, complétez-le. Exigez de savoir ce qui a exactement été fait : c'est votre droit légal de parent. Vous avez le droit d'accepter ou de refuser un médicament. Ne vous laissez pas impressionner par l'arbitraire des infirmières. Demandez qu'on vous communique le résultat des analyses. Renseignez-vous sur la durée de l'hospitalisation.

Dites-vous bien que seul le médecin traitant est juge du traitement. Mais vous avez le droit de l'accepter ou de le refuser.

En sortant, vous avez le droit d'emporter le dossier médical de votre enfant (examens, radios, etc.) qui sont votre propriété, et non celle de l'hôpital.

Il existe une association prévue pour vous aider, vous conseiller, vous aider à défendre vos droits et ceux de votre enfant hospitalisé :

Association de défense des malades hospitalisés, Siège social interdépartemental : Da Viken, Les Genêts, 49140 Baune — Tél. : 80-23-87.

PRÉPARATION HOMÉOPATHIQUE AVANT
ET APRÈS LES OPÉRATIONS

Demandez à votre médecin homéopathe un traitement préparatoire qui mettra l'enfant au mieux de sa force avant l'opération, évitant ainsi les complications et accidents (traitement anti-hémorragique, traitement anti-infectieux, désintoxication et désintoxination).

Après l'opération, un traitement qui hâte le pro-

cessus de cicatrisation, supprime les risques d'hémorragie et diminue la fatigue du choc opératoire. La
médecine classique, et les hôpitaux ignorent l'existence de ces traitements, pourtant éprouvés et efficaces. La plupart des médecins que vous rencontrerez
à l'hôpital nient les thérapeutiques qu'ils n'ont pas
apprises en faculté... Ne vous laissez pas impressionner : seule compte la santé de votre enfant.

OPHTALMIE (voir YEUX)

ORCHITE (voir TESTICULES)

OREILLES (voir OTITE, OREILLONS, SURDITÉ, DENTS, INGESTION DE CORPS ÉTRANGERS)

OREILLONS

(Ne pas confondre avec... l'oreillon blanc, et
l'oreillon mélanotis... qui sont des oiseaux. Ni avec
l'oreillard, qui est une chauve-souris !)
Les oreillons sont une maladie contagieuse et
infectieuse, dont la contagion se fait en principe
par contact direct. Il est préférable de les avoir
lorsqu'on est petit, la maladie étant bien plus dou-

loureuse à l'âge adulte. J'en ai fait la triste expérience, lorsque, soignant mon fils aîné (6 ans), et souhaitant soigner les trois autres en série, je me suis tristement retrouvée la tête en forme de poire !

A QUOI LES RECONNAITREZ-VOUS ?

Le diagnostic est facile : le signe caractéristique est une douleur derrière les oreilles, et d'un seul côté, à l'endroit de la glande salivaire appelée parotide. Si le gonflement est unilatéral, il s'agit d'un abcès. Si l'autre joue commence à gonfler aussi, en général deux jours plus tard, n'hésitez plus dans votre diagnostic : ce sont les oreillons !

La fièvre monte à 38-39°. Chez les enfants, le mal au ventre est rare ; cette complication est réservée aux adultes.

QUE FAIRE EN URGENCE ?

— Mettre l'enfant au chaud et à la diète pendant deux jours (pas d'aliments solides, mais eau et *tisane de thym* à volonté).

— Vous pouvez très bien soigner le petit malade sans faire appel au médecin.

— Evitez de le sortir, et ne lui donnez pas d'aspirine.

— Les complications des oreillons sont rarissimes chez les petits (en revanche, après la puberté, elles sont redoutables : inflammation des organes génitaux entraînant des lésions définitives, ou méningite) !

TRAITEMENT CURATIF (au choix)

A. — *Par l'homéopathie :*
Déguisez votre enfant en poupée russe : nouez sous le cou un joli foulard qui maintiendra du coton chaud et humide imbibé de *teinture-mère de Belladonna*.

Belladonna 4 CH, 2 granules le matin et 2 à 4 heures.

Pyrogénium 5 CH, 2 granules à midi.

Mercurius cyanatus 5 CH, 2 granules le matin et 2 à 19 heures.

Pulsatilla 5 CH et 1 dose de *Sulfur* 5 CH.

B. — *Traitement par les plantes :*
A une seule condition, c'est que l'enfant soit capable de rester sagement une journée sans trop bouger. Un casque de *feuilles de chou*, maintenu par un foulard, apportera beaucoup de soulagement (à maintenir pendant huit heures).

Frictions légères à l'*onguent d'angélique* (*Angelica archangelica*) (marque Weleda).

Désinfection de la chambre : gouttes d'*huile essentielle d'eucalyptus*, de *thym* ou de *lavande*, sur les ampoules électriques allumées.

C. — *Régime alimentaire : Diète* pendant la fièvre, puis régime lacto-fruité, sans viande, ni poisson, ni charcuterie.

LES OREILLONS ET LA LOI

Déclaration facultative. L'enfant pourra réintégrer l'école quinze jours après le début de la maladie.

VACCINATION

On n'en parle pas encore...

ORGELET

Céréale non comestible, ce mini-grain d'orge prend un malin plaisir à pousser sur le bord des paupières, à la base des cils. Il appartient à la triste famille des furoncles. Il est dû à un mauvais état général.

A QUOI LE RECONNAITREZ-VOUS ?

Le bord de la paupière, ou le coin interne de l'œil, rougit. Votre enfant se gratte et se plaint. L'orgelet se présente comme un petit abcès rouge qui suppure, jusqu'à ce qu'il perce et meure.

COMMENT LE SOIGNER IMMEDIATEMENT ?

Empêchez l'enfant de se gratter (si vous y arrivez !), en lui expliquant qu'il risque de réensemencer la mauvaise graine, et de se retrouver avec un chapelet de grains d'orge...
Il s'agit de réduire l'inflammation. Vous choisirez les traitements calmants et émollients pour faire mûrir la fâcheuse céréale. Au choix :
A. — *Par les plantes :*
Choisissez celles que vous avez sous la main :
Sureau (*Sambucus nigra*), cataplasme de fleurs : 100 g de fleurs par litre d'eau, à faire infuser. Imbibez-en une compresse à poser sur les yeux.
Camomille (*Matricaria, Camomilla*), *bleuet*

(*Centaurea cyanus*) pour les yeux bleus, *plantain* (*Plantago major*) pour les yeux foncés, *reine des prés* (*Spirea ulmaria*), *guimauve* (*Althaea officinalis*) ; faites infuser à peu près deux cuillers à soupe par litre d'eau et imbibez-en les compresses.

Egalement l'*eau de rose*.

Frottez l'orgelet naissant avec une *gousse d'ail* bien lavée, un *oignon* coupé en deux.

B. — *Par le sel,* « tisane de larmes » : Une cuillerée à café de *gros sel gris* marin, dans un demi-litre d'eau. Le traitement demande de la douceur, du doigté..., l'œil étant particulièrement délicat. Expliquez à l'enfant que son œil ne craint pas la noyade, et apprenez-lui à se servir du petit récipient appelé « œillère », pour les bains d'yeux.

C. — *Par les métaux :*

Au tout début de l'orgelet, passez une alliance (ou un autre objet rond) en *or* sur le bouton. Le fabuleux métal aura parfois raison de l'orgelet, grâce à ses propriétés bactéricides.

Si l'orgelet récidive, donnez des métaux sous forme d'oligo-éléments : *cuivre-or-argent, soufre*, une ampoule ou deux par jour, en alternance.

TRAITEMENT DE FOND

A. — *Par le régime alimentaire :*
Donnez à l'enfant pendant les repas de la *levure de bière* (s'il aime).

Et aussi des *vitamines D naturelles :* flocons d'avoine, pain complet biologique, poissons, cervelles, petits-suisses. (Pas de vitamines synthétiques.)

B. — *Par l'homéopathie :*

Nettoyez l'œil avec quelques gouttes de teinture-mère d'*arnica* diluées dans un verre d'eau bouillie et chaude. Ensuite faites avaler, au choix :

Hépar sulfur 5 CH, 2 granules si la douleur est aggravée par l'air, à jeun.

Pulsatilla 4 CH, 2 granules, si l'œil est très sensible au toucher.

Staphysagria 4 CH, 2 granules deux fois par jour, si l'orgelet suppure

OSTÉO-MYÉLITE (voir TUBERCULOSE)

OTITE

Maladie très fréquente chez les jeunes enfants, surtout jusqu'à l'adolescence. Elle est due à l'inflammation des tympans.

Si vous la négligez, vous serez obligé d'avoir recours à la paracentèse (percement extrêmement douloureux du tympan). L'otite est souvent une maladie chronique, consécutive à un rhume ou à une angine mal soignée. Traitez l'otite avec soin, dès les premiers symptômes : vous éviterez l'opération.

A QUOI LA RECONNAITREZ-VOUS ?

L'otite peut se confondre avec un début d'oreillons ou une mastoïdite. Chez un tout-petit, appuyez sur l'oreille : si vous déclenchez des pleurs et des cris, vous avez affaire à une otite. Un enfant plus grand saura vous dire qu'il a mal à l'oreille. La douleur s'accompagne de fièvre, de vomissements, parfois d'un léger suintement dans l'oreille, qui coule. Regardez l'intérieur de celle-ci : elle est rouge. (Plus difficile à repérer, il faut une lampe, et l'enfant n'a pas envie de se laisser examiner !).

QUE FAIRE EN URGENCE ?

A. — *Par l'homéopathie :* Dès les premières manifestations, un remède souverain, qui peut stopper l'otite : une dose d'*Oscillococcinum 200* du Dr Roy, suivie une heure après d'*Arsenicum 5 CH* et de *Pyrogénium 5 CH*.

Autre traitement : une dose de *Biothérapique paratyphoïdinum B 9 CH*.

Nettoyez le nez avec la pommade *Homéoplasmine*, et versez quelques gouttes de *Mucorhine* chaude (mais non bouillante) dans l'oreille, ou de *glycérine boratée*. Maintenez avec un peu d'ouate.

B. — *Par la chaleur :*
Une *bouillotte d'eau chaude* sur l'oreille sera bénéfique. Veillez à ce que l'enfant ne prenne pas froid, c'est très important.

Evitez tout risque de courant d'air sur l'oreille en lui mettant une cagoule.

C. — *Par les plantes :*
Mettez une racine de *plantain* (*Plantago major*) dans l'oreille, après l'avoir lavée et épluchée (la racine, pas l'oreille...).

Cela soulage... mais on ne sait pas pourquoi !

Du *jus de citron* (non traité) dans l'oreille fera le plus grand bien. Nettoyez l'oreille avec une décoction de *sarriette* (*Satureia hortensis*), 50 g par litre d'eau, ou une goutte d'huile essentielle de cette plante diluée dans une petite cuiller d'eau.

Faites boire à l'enfant des *tisanes de thym et d'eucalyptus*.

D. — *Traitement par acupuncture* : Très efficace, à condition d'agir rapidement.

TRAITEMENT DE FOND

A. — *Par les oligo-éléments : Manganèse* et *cuivre-or-argent*.

B. — *Par le régime alimentaire : Diète* tant qu'il y a de la fièvre. Donnez à boire au petit malade de l'*eau citronnée* et de l'*eau argileuse*. (Une cuiller d'argile verte dans un verre. Le goût est agréable.)

C. — *Traitement par l'argile* : Outre l'argile par voie interne, donnée ci-dessus, mettez à l'enfant un *cataplasme d'argile verte* sur la nuque et derrière les oreilles.

OURSIN

Pauvre Toto ! Il a mis le pied sur un oursin qui le guettait sous l'eau, comme une vilaine châtaigne.

Enlevez le piquant du pied (avec une pince à épiler, ou une aiguille flambée). Faites saigner un peu. Ensuite, voir PIQÛRE.

P

PANARIS (MAL BLANC)
PARACENTÈSE (voir OTITES)
PARALYSIE (voir POLIO)
PEAU (voir BOUTONS et BLESSURES)
PELADE (voir CHEVEUX)
PÉRITONITE (voir APPENDICITE)
PEUR (voir ANGOISSE)
PHIMOSIS
PHYTOTHÉRAPIE
PIPI (voir URINE)
PIPI AU LIT (ÉNURÉSIE)
PIQURE D'INSECTES
PISCINE
PLAIES OUVERTES
PLEURÉSIE (voir POUMONS)
PNEUMONIE (voir POUMONS)
POINT DE COTÉ
POISON (voir EMPOISONNEMENT)
POISSONS VENIMEUX
POLIOMYÉLITE
POUCE (SUCCION DU)
POUMONS
POUX
PROPRETÉ
PSORIASIS
PSYCHOTHÉRAPIE

PANARIS (MAL BLANC)

A QUOI LE RECONNAITREZ-VOUS ?

Triste spectacle d'un petit doigt enflammé, rouge, douloureux... Après quelques jours de rougeur, apparaît le « mal blanc », espace de peau blanche et tuméfiée. L'enfant le sent battre comme un pouls.

A QUOI EST DU LE PANARIS ?

C'est une porte de sortie inhabituelle des déchets toxiques, insuffisamment éliminés par les voies naturelles. Le panaris correspond généralement à un mauvais état général, associé à une cause locale (piqûre, coupure, corps étrangers provoquant une infection).

QUE FAIRE EN URGENCE ?

A. — *Traitement par l'argile :*
L'enfant supportera d'autant mieux un petit pansement qu'il aura très mal. L'argile aidera le pus à trouver naturellement une porte de

371

sortie, sans que vous soyez obligée de presser sur le panaris. Choisissez de l'*argile verte*, que vous délayez dans un peu d'eau, appliquez-la en pâte épaisse sur le doigt. Posez un pansement dessus ; laissez une heure, puis nettoyez avec de l'eau propre, et recommencez. L'argile soulage beaucoup la douleur, et évite une vilaine cicatrice.

B. — *Traitement par les plantes* (au choix, par l'une ou l'autre) :

Ecrasez au rouleau à pâtisserie (ou avec une bouteille), une feuille fraîche de *chou*, ou une feuille de *vigne*, dont vous entourerez le doigt.

Hachez de l'*oignon cru*, posez cette purée sur une compresse, et emballez le petit doigt, de la même façon.

La compresse peut se faire aussi avec des fleurs de *bouillon blanc* (*Verbascum thapsus*), bouillies un quart d'heure dans du lait.

Ou encore : plongez le doigt dans une décoction chaude de *camomille* (n'importe quelle espèce).

Utilisez le célèbre « *Baume des Moines* » appelé « Dermarome » par le Dr Peron-Autret [1], qui contient des huiles essentielles antiseptiques. N'enfermez pas le doigt dans un pansement hermétique. L'air doit passer à travers le sparadrap (choisissez celui-ci en coton, évitez le plastique).

C. — *Traitement par l'homéopathie* (absorber par voie interne) :

Comme dans les autres cas d'infection : *Biothérapique pyrogénium 5 CH,* 5 granules cinq fois par jour.

---

1. *101 trucs de médecine naturelle,* Hachette .

Hepar sulfur 5 CH, 5 granules une heure après.

Lachesis 7 CH, 2 granules toutes les deux heures pour faire mûrir.

D. — *Traitement par les oligo-éléments :* *Cuivre-or-argent* en ampoules, une par jour, à jeun, tous les jours.

PARACENTÈSE (voir OTITE)

PARALYSIE (voir POLIO)

PEAU (voir BOUTON et BLESSURE)

PELADE (voir CHEVEUX)

PÉRITONITE (voir APPENDICITE)

PEUR (voir ANGOISSE)

PHIMOSIS

Petite anomalie congénitale essentiellement masculine : la peau du prépuce, trop étroite, ne permet pas de découvrir le gland. L'enfant est gêné pour uriner et il peut y avoir des risques d'infection (la toilette ne pouvant être faite aisément).

TRAITEMENT

Ne négligez pas la toilette de votre enfant et prenez l'habitude, dans son bain, de décalotter sa petite verge. Si vous y parvenez très difficilement et que cela ne s'améliore pas avec le temps, consultez un médecin.

Celui-ci vous conseillera soit un simple décalottage (qui se pratique souvent à l'occasion d'une autre opération), soit une opération sous anesthésie générale.

C'est bénin et seulement douloureux la première fois qu'il refera pipi. Désinfectez pendant huit jours à l'*Homéoplasmine* et maintenez un pansement propre.

Sur le plan psychologique, n'en faites pas une affaire. Expliquez à l'enfant que c'est dans un but hygiénique que l'opération est pratiquée. Evitez les moqueries des frères et sœurs à ce sujet... Ils y sont malheureusement enclins.

PHYTOTHÉRAPIE (voir première partie)

PIPI (voir URINE)

PIPI AU LIT (ÉNURÉSIE)

Mouiller son lit n'est que naturel jusqu'à 3 ans.
Après, quelques statistiques : 10 % des enfants
connaissent ce désagrément.

Parmi ceux-ci, on trouve une proportion de 70 %
de garçons !

Quant à nos conscrits, 1 % sont énurétiques !

Alors, que faire si c'est le cas de votre fils ?

COMPRENDRE LES CAUSES

A partir de 4 ans, demandez-vous si votre enfant
ne présente pas d'autres troubles : phimosis, tempérament arthritique, ou très déminéralisé, faiblesse
nerveuse.

Pour un enfant en parfaite santé physique, pensez
à rechercher des causes psychologiques. C'est souvent une manière pour l'enfant de rappeler sa mère
à l'ordre : il a l'impression qu'elle ne fait pas assez
attention à lui. Le pipi au lit peut aussi réapparaître
chez un enfant propre, à l'occasion de la naissance
d'un petit frère, d'un déménagement, d'un divorce
des parents, de toute modification du rythme de vie.

Pour d'autres, ce serait l'affirmation symbolique
de la sexualité infantile, ou la marque d'une oppo-
sition au milieu ambiant, ou encore une tendance
à un repli sur soi, dû à un manque de confiance.

TRAITEMENT DE FOND

A. — *INDISPENSABLE*. *Traitement psychologique* :

Ne pas dramatiser. Penchez-vous sur les difficultés de votre enfant, parlez-lui, écoutez-le : il est capable de dire quelque chose !

Ne vous moquez jamais de lui. Cherchez avec lui quel est son problème.

Renoncez à lui mettre des couches quand ce n'est plus de son âge. Evitez la fessée intempestive qui ne résout rien et sera oubliée par l'enfant dans son sommeil.

Au besoin, faites faire une analyse graphologique (écriture ou dessin) qui vous éclairera sûrement.

B. — *DES TRUCS UTILES*. Essayez l'un ou l'autre, au choix, jusqu'à ce que vous ayez trouvé le bon :

— Un *pot* près du lit, qui évite à l'enfant une expédition nocturne dans le froid et le noir.

— Une *veilleuse allumée*, si le noir est la raison invoquée par l'enfant.

— Le soir au dîner, *alimentation solide et sucrée* : évitez potages et fruits. Restreignez la boisson.

— *Surélevez le lit* de l'enfant, du côté des pieds (meilleure position de la vessie).

— Veillez à ce que le matelas ne soit pas trop mou.

— *Gymnastique éducative*, pour contrôler l'émission durant la journée : faire faire pipi à l'enfant, et lui demander de s'arrêter en route, puis de recommencer. Le muscle de la vessie est fortifié.

— Mettez toujours un *plastique* sous le molleton de son lit. Prévenez les gens qui l'invitent.

— Mettez-le sur le pot une dernière fois avant de vous coucher, et n'y pensez plus.

C. — *AUTRES TRAITEMENTS POSSIBLES* :

Par hydrothérapie (bains) : Donne de bons résultats. Avant de coucher l'enfant, mettez-le dans un *bain tiède* (entre 36 et 37°), bien salé au sel marin. Il urinera dans l'eau, par osmose, libérant ainsi sa vessie avant de dormir.

Par les plantes : Utilisez celles-ci en tisanes, au choix (et si l'enfant les aime). Tisane d'*achillée millefeuille* (*Achillea millefolium*), alternée avec une tisane de *millepertuis* (*Hypericum perforatum*). Une cuillerée à dessert de fleurs par litre d'eau, à laisser infuser dix minutes.

Par l'argile : Cataplasme d'*argile verte*, vingt minutes sur le bas-ventre, avant de se coucher (pour les plus grands).

Par les oligo-éléments : Renoncez à tous les pipi-stop du commerce et aux calmants divers, qui brillent plus par leur prix que par leur efficacité. En revanche, aidez-vous des oligo-éléments, qui modifient le terrain : *manganèse-cuivre* et *fluor*.

...Et beaucoup de *psychothérapie à l'usage des parents* !

Sans vous culpabiliser trop, interrogez-vous sur votre propre attitude, sur l'atmosphère familiale. Et sachez que tout a une fin, le pipi au lit comme le reste.

PIQURES D'INSECTES

Qu'ils soient aptères, coléoptères ou lépidoptères, ils préfèrent toujours la peau douce de vos enfants à la vôtre.

QUE FAIRE EN URGENCE ?

Pour soulager immédiatement une piqûre douloureuse (guêpe, moustique, puce, petit scorpion
du Midi) :

A. — *Par les plantes* : Frottez la peau avec
une demi-gousse d'ail ou d'oignon. Si vous êtes
en promenade, essayez le truc des trois herbes :
cueillez trois herbes différentes, écrasez-les entre
vos doigts, appliquez-les sur la piqûre (avec
une préférence pour le plantain, la sauge et
le noyer ; la pâquerette, le chiendent, la grande
consoude). Le mélange décongestionnera la
piqûre.

B. — *Par l'aromathérapie* : L'essence de
sarriette (*Satureia hortensis*) et de lavande
(*Lavendula officinalis*) calment la douleur par
effet analgésique (une goutte d'huile essentielle sur la piqûre), ou encore compresses imbibées de *Solvarome* [1], ou *Tégarome* [2].

C. — *Par l'argile* : Un cataplasme d'argile
verte en pâte avec de l'eau décongestionnera la
plaie. Laissez en place une demi-heure.

D. — *Par l'homéopathie* :
Piqûre à la gorge, voir plus loin et voir
ŒDÈME.

Piqûre d'abeille : compresses d'eau froide avec
20 gouttes de teinture-mère de *calendula*.

Piqûre de guêpe : retirez le dard en pressant
les bords de la piqûre et posez ensuite dessus
une compresse de 20 gouttes d'*Apis mellifica*.

Piqûre de moustique : quelques gouttes de
teinture-mère de *Ledum palustra*.

---

1. *Solvarome* : Pharmacie homéopathique de l'Europe, 31, rue d'Amster-
dam, 75008 Paris.
2. *Tégarome* : Laboratoires marins, B.P. 23, 45300 Pithiviers.

E. — *Par l'ammoniaque* : Quelques gouttes d'ammoniaque soulagent la douleur. Si vous êtes vraiment loin de tout secours végétal (par exemple, dans le grand désert de sable ou perdu sur la grande bleue à mille milles de toute terre habitée) demandez à l'enfant de faire pipi sur la piqûre (l'urine contient de l'ammoniaque).

Méfiez-vous toujours d'une piqûre à la gorge : l'enfant pourrait étouffer, en particulier s'il est allergique, la piqûre provoque une énorme enflure. Appelez le médecin ou Police-Secours et, en attendant, badigeonnez d'essence diluée de lavande le fond de la gorge. Voyez le détail à ŒDÈME.

TRAITEMENT PRÉVENTIF

A. — *Par les plantes* :

Inutile d'empoisonner avec des insecticides [1] produits par l'industrie chimique (bombe ou plaquette Vapona) à base de produits chimiques de synthèse extrêmement toxiques surtout pour les enfants. Il existe un certain nombre de recettes naturelles très efficaces et sans danger.

— Suspendez dans une chambre d'enfant des feuilles de tomates séchées, ou fraîches, des branches fraîches de géranium rosat, des bouquets de lavande. Posez un pot de basilic sur la fenêtre ou près du lit. Guêpes, mouches et moustiques prendront leurs ailes à leur cou.

— Posez sur la table de nuit un « pot pourri » : une orange piquée de clous de girofle serrés. Fermez portes et fenêtres quelques heures avant de coucher l'enfant. Mouches et moustiques feront le détour pour ne pas passer par là.

---

1. Il existe pourtant un insecticide non toxique dans le commerce : le « Pistal », à base de plantes. Vous pouvez l'employer sans crainte.

— Contre les puces : couchez l'enfant sur un matelas de feuilles de noyer séchées ou de *hièble*, appelé aussi *sureau nain* (*Sambucus ebulus*) ou encore d'*eucalyptus*. Remplissez un oreiller de fleurs de *camomille* séchées.

B. — *Par l'aromathérapie* : Versez sur les ampoules électriques allumées quelques gouttes d'essence d'*eucalyptus*, de *lavande*, de *géranium rosat*.

C. — *Précautions de bon sens* :

Si vous habitez le Midi ou le bord d'un étang grillagez finement portes et fenêtres (panneaux amovibles).

— Installez autour du berceau ou du petit lit une moustiquaire (ou fin voilage). Ne laissez pas les fenêtres ouvertes la nuit sur une pièce allumée.

— En Bretagne et dans les climats océaniques humides, les puces vivent une vie de famille très agréable dans les rainures des vieux planchers. En l'absence d'animaux domestiques, elles se contentent parfaitement des humains. Un remède radical : faites vernir vos planchers ou faites-les peindre au V 33 (laque colorée). L'eau de Javel sent mauvais et n'est qu'un traitement provisoire.

— L'été, les guêpes ont soif et viennent boire dans les flaques d'eau autour des piscines. Chaussez vos enfants de sandales. Posez quelque part une assiette avec un peu de confiture pour les attirer ou une bouteille d'eau dont le goulot intérieur est enduit de miel.

PISCINE

Une eau limpide qui reflète le ciel au milieu d'un grand jardin... le rêve de tous les enfants !

Pourtant, nous sommes assez peu enthousiastes des piscines municipales.

Nos enfants en reviennent avec des rhumes, des angines, des bronchites, des sinusites, des dartres, des « clous », des verrues (particulièrement plantaires), et les yeux rouges et larmoyants... La piscine, ce n'est pas aussi fameux qu'on le dit.

Pourquoi ?

La réglementation, très stricte, est rarement respectée tout à fait [1], faute de crédits de fonctionnement et de personnel. Beaucoup de piscines deviennent alors des bouillons de culture, l'endroit idéal pour un troc de microbes...

D'autre part, la désinfection n'est pas sans inconvénients : si elle est faite par le chlore, celui-ci irrite les bronches et les yeux fragiles (conjonctivite des piscines), dessèche la peau et déclenche des allergies.

Dans les piscines municipales couvertes, l'hiver, le niveau de bruit est souvent très élevé : c'est un facteur de fatigue.

Enfin, lors des séances scolaires, les enfants prennent souvent froid en se rhabillant, faute de surveillance.

Bref, nous n'autorisons la piscine qu'à la belle saison... et non sans avoir pris quelques renseignements sur ladite piscine.

PLAIES OUVERTES (voir BLESSURE)

1. *50 Millions de consommateurs,* voir le numéro 68, article intitulé : « L'eau des piscines est-elle propre ? ».

PLEURÉSIE (voir POUMONS)

PNEUMONIE (voir POUMONS)

POINT DE COTÉ

Après une course folle et échevelée, voilà mon Gilles qui s'effondre sur un siège en disant : « J'ai un point de côté. » Et il grimace de douleur en montrant un endroit assez vague entre les côtes et le ventre.

A QUELS SIGNES LE RECONNAITREZ-VOUS ?

Ils ne sont pas très évidents : à part une douleur ponctuelle intense, on ne voit rien du tout à l'extérieur. La douleur peut être située aussi bien à gauche qu'à droite, très haut dans le thorax ou très bas dans le ventre. Les causes en sont très variables.

QUE FAIRE EN URGENCE ?

Allongez l'enfant, demandez-lui de vous montrer exactement le point douloureux. Divers cas peuvent se présenter.

En général, ce que les enfants appellent « point de côté » survient après une marche

---

rapide, ou une course — mais une douleur de ce genre peut aussi survenir quand l'enfant ne bouge pas.

A. — *Sans fièvre :*
La douleur à droite, du côté droit du ventre, vient du foie. Elle ressemble beaucoup à une crise de colique hépatique, mais ce n'est pas l'enfant qui pourra vous le dire. Pour la calmer : *repos* allongé et *bouillotte chaude, diète* et *tisane* (*thym, menthe, lavande,* voir FOIE).

Vous avez peut-être affaire à une NÉVRAL-GIE, à une hypertrophie de la RATE, à une maladie de CŒUR, à des RHUMATISMES, à une vraie ou fausse ANGINE DE POITRINE (voir ces mots).

Dans ces cas douteux, utilisez l'homéopathie :
Douleur plus violente en bougeant, et si elle se calme lorsqu'on appuie la main dessus : 2 granules de *Bryonia 4 CH*.

Si la douleur en coup de canif, en bas des côtes, augmente quand vous appuyez la main à l'endroit douloureux, et se calme si l'enfant reste immobile, *Kali carbo 4 CH*, 4 granules.

B. — *Avec ou sans fièvre :*
A la suite d'un traumatisme, une déchirure musculaire ou une fracture.

Dans ce dernier cas, vous serez vite fixée : il apparaît sur le torse une ecchymose bleue et une enflure. Dans le cas de déchirure interne, en revanche, on ne voit rien du tout.

Traitement : 10 gouttes de *teinture-mère d'arnica* dans un verre d'eau, à boire. Radio chez le médecin (si vous craignez une FRAC-TURE, voir ce mot).

Compresses imbibées de *teinture-mère d'ar-nica*, à renouveler, sur la partie douloureuse.

La douleur à droite du ventre est peut-être un signe avant-coureur de l'APPENDICITE (voir

ce mot). Dans ce cas, pas de bouillotte chaude.
La fièvre survient si la crise se déclare.

C. — *Avec fièvre* : PNEUMONIE et PLEURÉSIE
ont comme caractéristique ce point de côté douloureux, mais il y a d'autres symptômes (voir
POUMONS).

TRAITEMENT DE FOND

Il va sans dire que si les points de côté se
répètent, il faut absolument voir un médecin : il y
a un déséquilibre à soigner, en particulier, lorsque
les points de côté sont liés à un mauvais fonctionnement du foie.

POISONS (voir EMPOISONNEMENT)

POISSONS VENIMEUX

Si votre enfant a été piqué par une vive — ou
scorpion de mer — cachée sous le sable, une raie,
une rascasse..., conseillez-lui de faire pipi sur la
piqûre, cela le soulagera. La chaleur, en effet, est
excellente pour le venin des poissons.

Dès que vous le pourrez, posez une compresse
chaude sur la piqûre. (Aussi chaude que l'enfant
pourra le supporter.)

Voyez PIQURES et BLESSURE, et, pour les poissons

très venimeux, MORSURE (dans certains cas, il faut faire un garrot, surtout pour les poissons à venin des pays chauds).

POLIOMYÉLITE

Terreur des mères et des pédiatres, cette maladie virale qui attaque le système nerveux a régressé grâce à la vaccination. Malheureusement, la protection n'est pas efficace à cent pour cent. Quant à la médecine officielle, elle ne connaît pour cette maladie aucun traitement spécifique : dans les hôpitaux, on se contente de « nurser » le malade : aspirine, rééducation, assistance respiratoire. Heureusement, les médecines naturelles disposent de plusieurs armes, dont la plus efficace est le fameux chlorure de magnésium.

A QUOI LA RECONNAITREZ-VOUS ?

Elle survient soit isolément, soit au cours d'une épidémie (l'eau d'une piscine par exemple).

Elle débute par un mal de gorge (que vous confondrez avec une angine banale), de la fièvre, des vomissements parfois ; aucune éruption (ce qui vous évitera la confusion avec les maladies de l'enfance), une répulsion pour la lumière vive.

Le signe le plus important, que détectera le médecin appelé au chevet de l'enfant, sera une raideur de la nuque, accompagnée de douleurs dans les jambes lorsque celui-ci tentera de manipuler l'enfant.

On peut également confondre avec un début de méningite.

Si c'est la poliomyélite, des signes de paralysie des membres apparaissent. Ne pas tarder à instaurer le traitement : les séquelles sont définitives deux mois après le début de l'atteinte virale.

TRAITEMENT PRÉVENTIF

A. — *La vaccination par voie buccale,* qui a avantageusement remplacé celle par voie intramusculaire. La seule contre-indication admise par le corps médical est l'allergie aux œufs et à la pénicilline (nous pensons que tout terrain allergique est une contre-indication à la vaccination : asthme, allergie, etc.). Voir VACCINATIONS.

B. — *Vous pouvez aussi adopter un régime alimentaire* destiné à fortifier le terrain. A faire de toute façon.

C. — *Cures d'argile mensuelle :* une cuiller à café dans un verre d'eau à jeun, une semaine par mois.

D. — *Assaisonnez d'ail votre cuisine,* même si vous n'êtes pas méridionale. Pensez aussi à user largement de citron (non traité), très puissant antiseptique.

E. — *Evitez toute surcharge médicamenteuse.* Ne protégez pas l'enfant de tout et à propos de tout : laissez-le se constituer des défenses personnelles, plus sûrement efficaces que les vaccinations ou les antibiotiques !

QUE FAIRE EN URGENCE ?

A. — *Par la chaleur :* Mettez l'enfant au lit. Faites un enveloppement chaud avec de l'argile sur le ventre et la nuque. Disposez l'enfant dans une bonne position, pour éviter des malformations graves.

B. — *Par le chlorure de magnésium* :

Donnez immédiatement le médicament d'attaque suivant : préparez une solution à 20 % de chlorure de magnésium desséché (20 g dans un litre d'eau minérale). Le dosage est fait suivant l'âge de l'enfant :

5 cm³ à 3 mois toutes les trois heures (voir ci-dessous) ;

20 cm³ à 1 an ;

120 cm³ à partir d'un an (un litre : 100 cm³).

Voir MESURES.

Renouvelez d'abord toutes les trois heures, puis toutes les six heures, enfin, toutes les huit heures (traitement du Pr Delbet).

C. — *Par l'homéopathie* : Au début, vous donnerez *Conium maculatum 7 CH*, 5 granules tous les deux jours, et des doses de *Cerebrinum 7 CH* et *Plumbum metallicum 7 CH* tous les huit jours.

D. — *Par les oligo-éléments* : *Cuivre-or-argent*, deux fois par jour.

E. — *Par l'eau très chaude* : Lorsque la fièvre a disparu, donnez plusieurs bains par jour à l'enfant le plus chauds possible (40°). Vous y mettez des algues (Plamersol, par exemple). Voir BAIN. Cures thermales : Lamalou, Aix-les-Bains, Bourbon-L'Archambault, Salies-les-Bains.

POUCE (SUCCION DU)

Halte-là, pouce !

Bébé s'intéresse très tôt à cet outil pratique qu'il a sous la main. C'est tolérable jusqu'à 4 ans. Après on peut parler de tic, de petite manie, de refuge pour moyen et gros chagrin.

EST-CE NORMAL ?

Absolument. Bébé a besoin de sucer dès la naissance et ce besoin se prolonge en dehors des tétées. Dès que la faim se fait sentir Bébé tète : son poing d'abord, son pouce ensuite tout prêt à l'emploi.

A partir de 2 ans, ce pouce sucé est malgré tout le signe d'une mauvaise adaptation au milieu. Entourez votre enfant d'affection, réservez-lui un moment d'attention privilégiée. N'en faites pas une affaire. Evitez d'en parler ou d'adopter une attitude de réprimande incessante : vous ne feriez que renforcer ce recours au pouce consolateur.

Remplacez par une *carotte* (biologique), bien lavée, un *croûton de pain*, un *biscuit*, un bâton de *guimauve*. (A la rigueur une sucette en caoutchouc.) Ne vous moquez pas de votre enfant, ne le baptisez pas « suce-pouce ». Laissez ce rôle à l'école qui s'en chargera à tous les coups. Il évitera alors de sucer son pouce en public et réservera ce plaisir à son intimité.

Si vous surprenez un grand enfant en train de sucer son pouce dans un coin, laissez-le : ce n'est ni bête ni méchant. Soyez patient, cela passera bien un jour.

NE VOUS INQUIETEZ PAS. L'enfant qui suce son pouce se déforme-t-il la mâchoire ? C'est rarissime ; la déformation est plutôt d'origine constitutionnelle et donc héréditaire. Le travail mécanique de la succion n'y est pour rien.

POUMONS

« Le poumon, vous dis-je ! » répétait Diafoirus à son malade imaginaire...

Tout ce qui concerne les maladies pulmonaires est grave. Vous soignerez ces affections avec le plus grand soin. Vous aurez sans doute du mal à vous y repérer dans la diversité des symptômes et ne saurez de vous-même coller une étiquette sur les manifestations morbides : ce sera le rôle de votre médecin traitant.

PNEUMONIE, BRONCHO-PNEUMONIE, CONGESTION PULMONAIRE : A QUELS SIGNES LES RECONNAITREZ-VOUS ?

Elles viennent parfois compliquer un simple rhume ou prendre le relais d'une maladie infectieuse de l'enfance.

— La fièvre s'élève brutalement, 40°, et peut durer plusieurs jours.

— Vive douleur au ventre : point de côté.

— Teint très rouge avec gêne respiratoire.

— L'enfant tousse et vomit.

QUE FAIRE EN URGENCE ?

Gardez l'enfant au lit, bien au chaud et à la *diète* pendant toute la période fébrile (*tisanes, bouillons de légumes* « bio », jus de fruits, oranges, mandarines, raisins, citrons).

389

Donnez des *bains* tièdes ou faites un *enve-loppement* à l'enfant pour faire tomber la fièvre. Un degré de moins est important. Il sera moins mal à l'aise à 39° qu'à 40°.

— *Par l'homéopathie :*

— Si l'enfant est agité et anxieux, *Aconit 4 CH*, 2 granules toutes les heures dès le début des symptômes.

— S'il est anémié et transpire beaucoup, *Ferrum 4 CH*, même dosage.

— S'il est très abattu, *Belladonna 4 CH*, même dosage.

— S'il préfère l'immobilité absolue et que le point de côté est très douloureux : *Bryonia 4 CH*, même dosage.

Si vous avez confirmation d'une broncho-pneumonie vous ajouterez aux remèdes ci-dessus du *Pulmo-drainol*, une dizaine de gouttes par jour, et du *chlorure de magnésium desséché* (voir posologie à TUBERCULOSE), sauf en cas de troubles confirmés dese reins.

PLEURÉSIE : A QUELS SIGNES LA RECONNAITREZ-VOUS ?

Elle peut revêtir plusieurs formes (sèche, séro-fibreuse, purulente), mais les signes en seront en gros les mêmes.

C'est une inflammation de la plèvre qui débute :

— Par un point de côté ;

— Par de la fièvre ;

— Par de la toux ;

— Par un épanchement au niveau de la plèvre que vous ne verrez pas mais qui apportera une gêne. Il faudra peut-être l'évacuer en pratiquant une ponction.

QUE FAIRE EN URGENCE ?

Mettez l'enfant au lit et empêchez-le de se lever. Asseyez-le souvent en l'appuyant confortablement sur des coussins. Aérez bien la chambre. Désinfectez l'air avec des essences balsamiques (*eucalyptus, pin*, etc.).

Diète liquide tant qu'il y a de la fièvre, puis retour progressif à une alimentation variée.

Cataplasmes de farine révulsive : *farine de lin* que vous appliquerez chaude sur un linge et poserez sur le poumon de l'enfant. Autrefois, on utilisait les « quatre farines résolutives » : de *fenugrec* (*Trigonella foenicum graecum*, d'*orobe* (*Ervum ervilia*), de *lupin* (*Lupinus albus*), de *fèves* (*Vicia faba*).

TRAITEMENT DE FOND

A. — *Un régime approprié* aidera l'enfant à se retaper. Assaisonnez d'*ail* votre alimentation, faites faire une *cure d'oignons*, si l'enfant le supporte, six oignons par jour crus ou à défaut cuits (plus digestes).

B. — *Donnez des tisanes variées* au *citron*, à l'*eucalyptus*, au *genévrier* que vous pouvez donner aussi en essence sur un sucre, de *thym*, de *serpolet*, de *romarin*. Si l'enfant est dégoûté des tisanes, toutes ces plantes existent en essence et vous aurez ainsi des bonbons faciles à faire, aux goûts différents (quelques gouttes d'essence sur un sucre).

Des *figues sèches* en décoction seront aussi un calmant de la TOUX (voir ce mot).

C. — *Par des préparations classiques et qui ont*

fait leurs preuves : le *sirop d'orgeat* que vous achèterez en maison de régime ou que vous fabriquerez vous-même (voir recette dans le *Guide de l'anticonsommateur* [1]). C'est à la fois pectoral et nourrissant. Se consomme mélangé à de l'eau et cela sent bon la fleur d'oranger.

Le bon *sirop Stodal*, très apprécié des enfants, reprend en partie les anciennes préparations qui ont fait leurs preuves, tel le *sirop de Dessessartz* (XVIIIᵉ siècle) composé de *coquelicot*, de *fleurs d'oranger*, de *follicules de séné*, et de *serpolet*.

D. — *Par les oligo-éléments* : Dans toutes les maladies pulmonaires, vous aguerrirez le terrain en faisant prendre régulièrement du *cuivre-or-argent* en alternance avec du *manganèse-cuivre*.

POUX

Un vent de panique et d'horreur, mêlé de honte, souffle sur la maisonnée ! Maxence a des poux ! Abomination ! Pourtant vous ne vous sentez pas coupable et vous avez l'impression d'avoir fait votre devoir : vous lavez celui-là autant qu'un autre et pourtant les tristes bestioles ont élu domicile sur son petit crâne. Et il se gratte et se regratte furieusement !

QUE FAIRE EN URGENCE ?

Vous réglerez le problème en frictionnant vigoureusement la tête de l'enfant à l'*essence de lavande*. Cela sent très bon, et ne pique pas.

---

1. *Op. cit.* p. 365.

L'*essence de thym* est également un traitement radical : aucun pou n'y résiste..., mais cela pique un peu le crâne (en soulageant bien la démangeaison).

Opérez le soir, avant de coucher l'enfant, et entourez-lui la tête d'une serviette ou d'un bonnet de coton bien serré : les affreux périront asphyxiés.

A défaut, vous ferez une *infusion de thym* très concentrée, mélangée à du *vinaigre* dont vous masserez la tête. Même enveloppement. Recommencez trois jours de suite. Le quatrième, passez les cheveux au peigne ultra-fin. La place doit être nette.

TRAITEMENT D'ENTRETIEN

Si les bestioles ont fait la malle, on ne peut en dire autant des lentes (œufs), petites particules blanches accrochées le long du cheveu. Vous ne vous en débarrasserez pas aussi facilement et elles peuvent rester en place un bon mois. Vous les ferez disparaître à chaque coupe de cheveux.

PROPHYLAXIE

Les autres membres de la famille se gratteront peut-être. C'est très psychique et cette grattouille, à la simple évocation de l'invasion, ne veut pas dire présence de poux. Mais, en la matière, on n'est jamais trop prudent : parfumez-vous à l'*essence de lavande* et faites à chacun une petite friction.

PROPRETÉ

Tout acharnement des parents dans ce domaine nous semble excessif. Il révèle surtout une incompréhension du développement naturel de l'enfant. Bébé sera sûrement propre un jour : rien ne sert d'obtenir ce résultat avant l'heure.

A partir d'un an, vous pouvez commencer à y songer. Bébé vous connaît bien et souhaitera attirer votre attention sur ces problèmes, à mesure qu'il en prend conscience. La relation s'établit « autour du pot ». Présentez-lui cet ustensile comme un objet personnel (on en fait de ravissants à tête de canard ou de cygne) que vous lui apprendrez peu à peu à remplir quand le besoin se fera 'sentir. Petit à petit il fera l'association pipi-pot et comprendra son utilité.

Ne vous lassez pas si votre training manque de « suivi » : c'est un peu comme avec un jeune chiot. Vous vous découragez peut-être devant le peu de résultats de vos colères, de vos coups de savates, de vos mises à la niche... Et puis un beau jour, le problème est réglé. Bébé-chien est devenu grand : il est propre.

Sans vouloir comparer votre merveille à un petit à quatre pattes, cela se passera un peu en suivant ce schéma : il faut tenir compte de la maturité motrice et affective de l'enfant.

Vers un an et demi, bébé s'intéresse franchement à ses fonctions intestinales. Trop souvent, car c'est parfois un élément de jeu ! Il sera fier de s'exécuter sur le pot et vous fera partager sa joie en vous prévenant du résultat de sa performance.

Ne prenez pas l'habitude de laisser l'enfant indéfiniment sur le pot : cela devient un jeu, il se déplace avec et peut sans rien faire y passer la matinée.

Vers deux ans, l'enfant doué du sens de l'imitation voudra calquer sa conduite sur celle des frères et sœurs. Laissez-le aller au « grand » cabinet, aidez-le à se déshabiller et à se rhabiller : il viendra bientôt vous chercher pour tous ses problèmes de boutons et de bretelles. Viendra le jour, vers trois ans, où il vous dira « tout seul ». Le voilà grimpé d'un cran dans son évolution : la partie est gagnée, sans heurts, et sans inutiles bagarres. L'apprentissage de la vessie sera peut-être plus long : elle est plus difficile à contrôler et se remplit beaucoup plus vite que l'intestin. Soyez aussi plus indulgente avec vos garçons qu'avec vos filles. C'est typique dans le cas de jumeaux : la fille est toujours première au concours du bébé propre.

PROPRETÉ NOCTURNE

C'est encore une autre histoire. La vessie se remplit moins vite la nuit que le jour. Bébé se mouillera donc en principe moins la nuit. Mais avant deux ans et demi ne vous attendez pas, surtout chez le garçon, à une parfaite régularité.

Faites-lui faire pipi avant de se coucher ; ne lui donnez pas trop à boire le soir. Couchez-le quand il est calme et non pas après une partie de fou rire avec un père tout heureux de jouer avec lui. Préparez d'avance les conditions d'un sommeil paisible (voir INSOMNIE).

Certains optent pour la technique du réveil vers 11 heures, pour vider la vessie : cet interventionnisme nous paraît illusoire. Il évitera sans doute une couche supplémentaire à laver mais ne sera en rien éducatif pour l'enfant : celui-ci, à demi réveillé, agira en automate et ce pipi-réflexe dans une inconscience réelle n'avancera guère cette fameuse éducation de la propreté.

N'ayez donc pas d'inquiétudes avant quatre ans. Si cela durait, voir PIPI AU LIT.

Dans ce délicat domaine, qui chatouille plus l'amour-propre des mères que l'intérêt de l'enfant, nous n'adopterons pas une attitude rigide et puritaine, mais nous suivrons et guiderons cette bonne vieille nature.

PSORIASIS

Appartient à la très vaste famille des « dermatoses », maladies de peau auxquelles la médecine officielle ne connaît que peu ou pas de remèdes. En revanche, avec les médecines naturelles tous les espoirs sont permis. Cette maladie très répandue chez les adultes frappe heureusement moins les enfants.

A QUOI LE RECONNAITREZ-VOUS ?

Le psoriasis se distingue de l'eczéma par de grandes plaques sèches et blanches, qui recouvrent une lésion rouge et épaisse. Quand on gratte, le sang coule : les plaques ont l'aspect de croûtes dures, cornées, de couleur argentée. Elles se localisent aux coudes, aux genoux, au bas du dos, au cuir chevelu.

Le malade ne paraît pas en souffrir de façon aiguë, et n'a pas de fièvre. L'effet esthétique est désastreux : la peau a l'air lépreuse !

TRAITEMENT

A. — *Le traitement essentiel est dans le régime alimentaire :*

Supprimez radicalement les graisses. Le *régime végétarien* est indiqué, même chez le nourrisson.

Donnez beaucoup de fruits, de légumes verts et frais, de céréales.

B. — *Hygiène :*

Cataplasme d'*argile verte* une à deux fois par jour.

Nettoyez la peau au *savon de cade*, à *l'huile de genévrier-cade* ou bien à *l'huile d'amandes douces*.

Donnez des *bains d'amidon*, de *son*, ou d'*argile verte*.

Mettez sur les plaques des compresses aux *feuilles de noyer* (faites bouillir les feuilles vingt minutes, hachez-les, posez-les sur la peau ; imbibez les compresses avec le jus et appliquez-les sur le tout).

C. — *Homéopathie :* Consultez un homéopathe qui donnera un traitement de fond.

D. — *Cures thermales :* Moligt-les-Bains, La Roche-Posay, La Bourboule, Luchon, etc., sont assez efficaces à condition de maintenir le régime alimentaire. Le soleil, le grand air, améliorent beaucoup le psoriasis.

PSYCHOTHÉRAPIE

Soigner le corps, c'est aussi soigner l'âme. Un enfant en bonne santé est aussi celui qui vit en harmonie avec lui-même et son entourage. Le médecin ne s'attachera pas aux seuls signes cliniques ;

il s'intéressera au contexte psychologique dans lequel baigne l'enfant. Certains peuvent tomber malades après une vive contrariété, un choc émotif, une brusque perturbation du milieu familial (divorce, deuil).

Le rôle des parents est ici essentiel : s'ils savent instaurer un contact avec l'enfant, s'ils l'entourent d'attention, d'intérêt et de sollicitude, sans pour autant le « materner » inutilement, ils seront les guides et les appuis grâce auxquels la personnalité de l'enfant se forgera.

Mais il arrive que, comme dans les maladies physiques, un rouage se grippe. Rien ne va plus, ni à la maison, ni à l'école, ni en vacances. Est-ce une crise ? Que s'est-il passé ? Bien souvent les parents sont démunis et à court de ressources. Pourquoi, si cet état se prolonge, ne pas faire appel à un psychologue, à un psychothérapeute ?

Il existe dans chaque ville des centres psychopédagogiques où les consultations sont remboursées par la Sécurité sociale. Demandez l'adresse à l'école de l'enfant. Et utilisez ses structures, si nécessaire.

Vous serez reçus, votre mari, vous-même et l'enfant, et vous serez orientés vers tel type de psychothérapie, en fonction de l'âge, des difficultés en présence. N'hésitez pas à vous faire aider : ce n'est pas le constat de votre échec de parents. Il y a des moments où rien ne remplace un « œil extérieur » pour mieux juger d'une situation. Votre trop grande implication vis-à-vis de l'enfant nuit à votre capacité à l'aider.

CONDITIONS
D'UNE BONNE PSYCHOTHÉRAPIE

A. — *Que l'enfant soit d'accord :* ne l'y traînez pas de force. Un de nos enfants en difficulté avait entrepris une psychothérapie. Mais il la refusait. Son seul traitement fut le refus de s'y rendre. Chaque semaine, il prenait sa bicyclette, arrivait jusqu'à la grille du centre et faisait demi-tour. Le résultat avait malgré tout été positif : affirmation de soi, prise de position, indépendance. Mais il vaut mieux qu'il soit d'accord.

B. — *Qu'il ne considère pas cela comme une punition* ou une mesure d'exception qui le singularise des autres.

Les psychothérapies d'enfants peuvent différer de celles des adultes en ce sens qu'elles font appel :

— soit à un matériel éducatif : jeux, cubes, villages à construire, etc. ;

— soit à des jeux réalisés par un groupe d'enfants (genre psychodrame) ;

— soit au dessin (très révélateur d'un conflit, par exemple) ;

— soit à la musique.

L'enfant petit « agira » plus qu'il ne « dira ». Le résultat est le même. Il est tout entier dans son geste, plus que l'adulte.

Il existe également, à l'usage des plus grands, ce que l'on appelle la « psychothérapie de groupe [1] ». Plusieurs enfants du même âge, sous la responsabilité d'un adulte qui laisse les enfants s'exprimer en toute liberté, évoqueront tour à tour leurs difficultés et écouteront ensuite les « ressentis » des autres : ce sera un échange, une aide mutuelle dans la confiance réciproque. Le groupe est en sorte une mini-société dans laquelle on peut vivre ses difficultés, sans prendre trop de risques.

---

1. J. Durand-Dassier, *Groupes de rencontres marathon*, Ed. l'Epi.

PRINCIPALES INDICATIONS
DE LA PSYCHOTHÉRAPIE

Inquiétez-vous en cas de :
— Enurésie prolongée.
— Colères violentes, à tout propos. Sautes d'humeur brusques.
— Repli pathologique sur soi (autisme et masturbation excessive).
— Refus de s'alimenter (anorexie).
— Anxiété, avec perte de sommeil, crises de larmes.
— Kleptomanie.
— Tics importants, etc.

Si vous avez une difficulté, en tant que parent, à vous situer par rapport à l'enfant et dans votre relation avec celui-ci, aidez-vous par la psychothérapie de groupe.

R

RACHITISME
REFUS DE MANGER (voir ANOREXIE)
RÉGIME
RENVOIS (voir AÉROPHAGIE)
RESPIRATION (DIFFICULTÉS RESPIRATOIRES)
RÊVES
RHINO-PHARYNGITE (voir CORYZA)
RHUMATISMES
RHUME (voir CORYZA)
RHUME DES FOINS
ROTOTO (voir AÉROPHAGIE)
ROUGEOLE
ROUGEURS
RUBÉOLE

RACHITISME

Rares sont les enfants rachitiques dans nos pays. Malheureusement à mesure que l'on descend vers le Sud (et pourtant vers le soleil !) réapparaissent ces enfants mal venus et déformés. Le rachitisme est essentiellement une maladie de carences : en calcium, en sels minéraux, en silice, en vitamines.

A QUELS SIGNES LA RECONNAITREZ-VOUS ?

C'est une maladie osseuse généralisée ou localisée :
— à la tête, mâchoires déformées, mauvaise implantation des dents ;
— au tronc : avec déformation de la colonne vertébrale (par exemple, scoliose), c'est-à-dire colonne vertébrale tordue), côtes saillantes... ;
— aux membres : déformations, prédisposition aux fractures, jambes arquées.

TRAITEMENT PRÉVENTIF

Lait maternel (3 mois minimum et si vous avez préventivement suivi un régime « dépolluant »). Voir ALIMENTATION.

Huile de foie de morue (présentations pharmaceutiques plus agréables qu'autrefois).

Bains de mer et de soleil.

Vitamine D (Stérogyl 15 tous les 3 à 6 mois, donné systématiquement).

TRAITEMENT DE FOND

A. — *Par le régime* : Surtout dans ce domaine où il s'agit essentiellement de corriger une déficience, le régime est très important. Qu'il soit à base de produits aussi biologiques et naturels que possible : *huile d'olive vierge, citrons non traités, céréales et pain complet, légumes verts, œufs et fromages, miel, amandes, jus de légumes* (carottes, chou). La viande n'a rien d'essentiel si vous la remplacez par des céréales et des laitages.

B. — *Par l'argile* : Une cuiller à café par jour dans un verre d'eau. (Une semaine par mois.) Argile en cataplasme sur les endroits les plus atteints.

C. — *Par l'homéopathie* : Consultez votre médecin. Il vous donnera un traitement hautement personnalisé d'après le tempérament et le terrain de l'enfant.

D. — *Par les oligo-éléments* : Cures de *cuivre-or-argent, manganèse-cuivre* et *fluor*, d'après le terrain.

E. — *Par les cures thermales* : La Bourboule, Salins.

REFUS DE MANGER (voir ANOREXIE)

RÉGIME

On s'est beaucoup préoccupé de diététique, de calcul de calories, d'équilibre savant entre protéines, hydrates de carbone, glucides, lipides et vitamines, qui se tiraient la langue par-dessus les menus.

Tout ça, finalement, a surtout servi à nous compliquer la vie.

On n'avait oublié qu'une chose, une seule, une toute petite : la qualité des aliments. Or ceux-ci sont à l'heure actuelle terriblement dénaturés, et pollués par les divers « traitements » qu'on leur inflige [1].

Voici un exemple de déjeuner parfaitement équilibré du point de vue diététique :

Entrée : Carottes rapées, radis-beurre, une petite tranche de pain ;

Plat : Bifteck grillé, et salade verte ;

Fromage et dessert : Une part de crème de gruyère, une pêche.

C'est un menu type pour malade dans les cliniques et hôpitaux, menu dit « léger », « basses calories », « menu pour hépatiques » ou « convalescents ».

Bref, menu dit « de régime », parce qu'il ne contient ni viandes en sauce, ni alcools, ni charcuterie... Bref, un chef-d'œuvre élaboré par les meilleures autorités de la Faculté.

---

1. Antoine Roig : *Dictionnaire des polluants*, Ed. Cevic.

Voici, *en réalité,* comment vous devez lire ce
« menu de régime » :
— Tomates au Dichlorvos (insecticide) ;
— Carottes au Lindane (pesticide polyvalent) ;
— Radis au Dithianon (fongicide) ;
— Beurre à l'acide carminique (colorant) ;
— Pain au propionate de calcium (conservateur) ;
— Bifteck à l'auréomycine (antibiotique) ;
— Salade au Parathion (pesticide) ;
— Crème de gruyère à l'acétate d'amyle (arôme
artificiel) ;
— Pêche à l'acide 2-4D (désherbant).
Bon appétit, messieurs...
Notez : Le Dichlorvos est inscrit au tableau A
(toxiques), le Lindane au tableau C (poison très
violent), le Dithianon au tableau C... L'acétate
d'amyle est un anesthésique, l'auréomycine un ANTI-
BIOTIQUE (voir ce mot), etc.
Les optimistes diront que de tous ces poisons
violents, il ne reste vraiment rien dans notre nourriture... Voire. Il y a des gens, et fort compétents,
qui ne sont pas de cet avis ! (En particulier les
laboratoires qui analysent les produits pour les
grandes associations de consommateurs.)
Alors un régime ?
Oui, mais avant tout, un régime sans poisons.
Ceux-ci surchargent le foie (dont l'une des fonctions est la lutte antipoison). Tout régime qui,
malgré un nombre étudié de calories, continue à
surcharger le foie en nous surchargeant de poisons...
manque son but !
Il est difficile d'indiquer un régime particulier
pour tel ou tel enfant. Certains homéopathes, ou
naturopathes, s'aident du pendule pour trouver les
aliments qui conviennent ou non à l'enfant.
*De façon générale, un régime pour un enfant
malade évitera :*
— Les charcuteries (elles contiennent beaucoup de

colorants, de conservateurs divers, et les risques de manque de fraîcheur sont réels).

— Les graisses du commerce très industrialisées (margarine, huiles dites « de table » de consommation courante).

— Les excitants plus ou moins toxiques (café, chocolat, Coca-Cola...).

— Les pâtisseries du commerce, et plats tout préparés.

— Le sucre blanc, le pain blanc, les farines blanches (qui entraînent des déminéralisations).

— Les plats dont le mode de cuisson est indigeste : fritures, ragoûts gras, sauces à l'alcool...

— Bien entendu, vins, bières, bonbons à l'alcool, eaux-de-vie, etc.

— Les bonbons, chewing-gums, marshmallows du commerce.

Au début, vous serez un peu affolée ; vous vous direz : mais qu'est-ce que je vais lui donner ? Voici des idées :

— Des tisanes de plantes (il y a le choix dans notre livre !) ;

— Du miel, beaucoup ;

— Des fruits et légumes produits par l'agriculture biologique (voir ALIMENTATION) ;

— Des fromages, du lait, fabriqués biologiquement (il y en a encore, Dieu merci !). Des œufs de poules (libres ou libérées !).

— Des céréales germées, entières (riz complet, blé complet, etc.) ;

— Des poissons maigres pas trop pollués...

Pour nos enfants, nous avons expérimenté le régime végétarien modéré, c'est-à-dire avec des sous-produits animaux comme les œufs, le lait, le miel. Les enfants se portent beaucoup mieux.

Quand le poisson est tout à fait frais et pas pollué, il est bien supporté aussi.

De toute façon, enfant malade ou pas, la viande

est actuellement l'un des aliments le plus pollués qui soient (pesticides, dans les herbages, nourriture industrielle, traitement des bêtes à doses violentes d'antibiotiques et d'hormones, élevages concentrationnaires, méthodes d'abattage moyen-âgeuses qui intoxiquent la viande, emballages malsains, colorations, etc.).

RENVOIS (voir AÉROPHAGIE)

RESPIRATION (DIFFICULTÉS RESPIRATOIRES)

Si votre enfant a des difficultés à respirer, c'est peut-être le symptôme d'une maladie grave. Cela peut aller jusqu'à l'ASPHYXIE (voir ce mot).

— *S'il a du mal à inspirer l'air*, pensez à CROUI ou à FAUX-CROUP (voir CROUP), ou à l'INGESTION d'un CORPS ÉTRANGER dans le nez (voir ces mots). C'est peut-être aussi une TUBERCULOSE DES BRONCHES, ou un CANCER de ces dernières.

— *Si l'enfant a du mal à expirer l'air*, pensez à l'ASTHME (voir ce mot).

— *S'il a du mal à la fois à inspirer et à expirer*, soupçonnez un ŒDÈME AIGU du POUMON (voir ŒDÈME), un problème cardiaque, un DIABÈTE (voir ce mot). Les difficultés respiratoires sont aussi fréquentes dans les états de choc. Appelez de toute urgence le médecin.

RÊVES

Votre chérubin blond se rappelle rarement ses rêves nocturnes (vers 5-7 ans, il commence parfois à vous les raconter).

S'il fait un cauchemar, consolez-le et faites-lui raconter ses terreurs pour le rassurer (allumez la lumière, jurez-lui qu'il n'y a pas de loup-garou dans la maison, et que la porte est bien fermée !).

Des cauchemars trop fréquents indiquent un problème digestif ou affectif : repas trop lourd le soir, ou angoisses.

Cherchez à comprendre quel peut être ce problème, au besoin en demandant une analyse graphologique des dessins de l'enfant, toujours très révélateurs (voir à ANGOISSE).

Le DÉLIRE (voir ce mot) indique un état fiévreux parfois grave.

TRAITEMENT HOMÉOPATHIQUE DES CAUCHEMARS

L'homéopathie, soignant le « terrain », ou tempérament, de chaque individu, a remarqué que certains types de cauchemars correspondent à certains types de tempéraments. Si votre enfant rêve habituellement de :

— Cimetières, de morts, calmez ces cauchemars en lui donnant *Lachesis mutus 4 CH* ;

— Serpents : en lui donnant *Lac caninum 4 CH* (2 granules le soir) ;

— Meurtres : en lui donnant *Hepar sulfur 4 CH* (2 granules le soir) ;

— Noyades : en lui donnant *Arsenicum album 4 CH* (2 granules le soir) ;

— Poursuites : en lui donnant *Rhus toxicodendron 4 CH* (2 granules le soir) ;

— Sang : en lui donnant *Phosphorus 4 CH* (2 granules le soir) ;

— Viol (être mangé par un ogre ou un méchant loup) : en lui donnant *Phosphorus 4 CH* (2 granules le soir).

(D'après le Dr Michaud : *Pour une médecine différente*, Ed. J'ai Lu.)

Les rêves renseignent sur l'état pathologique de notre corps !

Pour donner à l'enfant un sommeil calme et sans cauchemars, voyez INSOMNIE.

RHINO-PHARYNGITE (voir CORYZA)

RHUMATISMES

Les rhumatismes chroniques sont très rares chez un enfant en dessous de 7 ans.

Il existe un « terrain » rhumatisant et arthritique, qui se révélera plus tard, quelquefois à l'adolescence, mais très rarement avant.

Chez les petits, ce « terrain » arthritique se manifeste par des douleurs articulaires passagères, des torticolis, lumbagos et courbatures, jamais graves.

Si l'enfant se plaint de l'une de ces douleurs, frictionnez-le à l'*huile essentielle de romarin*, à l'endroit qu'il vous montre.

Donnez-lui un *bain de lierre* (*Hedera helix*) : 100 feuilles bouillies dans plusieurs litres d'eau (dans une marmite) pendant une demi-heure. Versez ce joli jus jaune dans le bain de l'enfant. Les branches de *sureau* (*Sambucus nigra*) font le même effet, en bain, de la même façon.

RHUMATISMES ARTICULAIRES AIGUS (R.A.A.)

Bien différent du rhumatisme chronique est le terrible R.A.A.

Il est très fréquent chez les enfants de 5-6 ans, et très mauvais, parce qu'il se porte sur le cœur.

A QUOI LES RECONNAITREZ-VOUS ?

Les crises sont chroniques et s'annoncent par une angine, environ quinze jours avant la crise proprement dite.

Celle-là ne passe pas inaperçue. Elle se manifeste par de la fièvre (38°5) et des douleurs aiguës dans les articulations, qui sont rouges, gonflées, chaudes. Le rythme cardiaque de l'enfant est irrégulier, il transpire beaucoup, parfois saigne du nez : l'état général n'est pas brillant.

QUE FAIRE EN URGENCE ?

Couchez l'enfant au chaud, et appelez d'urgence le médecin homéopathe ou aromathérapeute (ou naturopathe).

RHUME (voir CORYZA)

411

RHUME DES FOINS

Mystère non éclairci. Comment les citadins, qui ne font plus les foins depuis belle lurette, qui sont incapables de distinguer un épi de blé d'un épi d'avoine..., attrapent-ils sur l'asphalte de plus en plus de rhumes des foins ?

A QUOI LE RECONNAITREZ-VOUS ?

Les crises d'éternuement sont caractéristiques : l'enfant se noie dans un océan de larmes, pleure sans arrêt, renifle, a le nez bouché (ou qui coule). Mais aucune fièvre n'accompagne ce rhume hors saison. En effet, le rhume des foins survient brusquement en mai, pour durer jusqu'à fin juin.

Il se répète tous les ans au printemps. Pourquoi ? On ne sait pas exactement. C'est un phénomène d'allergie, pas seulement au pollen, mais aussi aux poussières.

QUE FAIRE EN URGENCE ?

Si l'enfant a déjà eu une crise l'an dernier, ne vous affolez pas. L'homéopathie le soulagera très bien, mais le médicament est différent pour chaque tempérament. Aussi, dès les premiers éternuements, *consultez un homéopathe*. N'entreprenez pas de soigner vous-même l'enfant.

TRAITEMENT DE FOND

Curatif :

A. — *Par l'homéopathie :*

Celle-ci, agissant sur le terrain profond du petit malade, a souvent des résultats plus durables que la médecine classique, laquelle se contente de s'attaquer aux seules manifestations.

Sabadilla 4 CH, Euphrasia 4 CH, 2 granules de chacun tous les jours.

B. — *Traitement par les plantes :*

Chou (Brassica oleracea), véritable médecin des pauvres, tant ses indications sont nombreuses, à utiliser, soit en suc, 1 à 2 verres par jour extrait à la centrifugeuse, soit en sirop ; le *chou rouge* convient mieux (mélangé au double de son poids en miel), soit encore en décoction (60 g de chou cuit dans un demi-litre d'eau avec 70 g de miel).

Hysope (Hyssopus officinalis) ou herbe sacrée des Hébreux, à prendre en infusion (20 g par litre d'eau, 3 tasses par jour).

Cyprès (Cupressus sempervirens), en huile essentielle, 2 gouttes deux fois par jour sur un sucre.

Un mélange d'essences connu sous le nom de *Climarome* (lavande, menthe, niaouli, pin, thym), 20 gouttes sur un mouchoir.

C. — *Par l'argile :* Cataplasmes *d'argile* le long des ailes du nez.

Préventif :

A. — *Par l'acupuncture.* Elle est bien souvent excellente. A pratiquer pendant l'hiver, avant la période critique.

B. — *Par l'homéopathie : Poumon-histamine 9 CH,* en doses répétées tous les dix jours, un mois avant la date présumée du rhume des foins.

413

ROTOTO (voir AÉROPHAGIE)

ROUGEOLE

Le rouge est mis !

Cette maladie n'atteint que rarement le nourrisson, protégé en principe jusqu'à six mois par les anticorps maternels.

Ne vous affolez pas : correctement soignée, la rougeole est vraiment peu de chose (et nous parlons par expérience). En revanche, si vous la négligez, les complications sont graves : otite, conjonctivite, broncho-pneumonie, encéphalite...

A QUOI LA RECONNAITREZ-VOUS ?

Votre enfant transformé en fraise tousse, renifle, se couvre de petits boutons rouges et plats, derrière les oreilles d'abord, puis sur le visage. Les yeux pleurent et sont rouges. Enfin, vers le troisième jour, des pustules envahissent tout le corps. La fièvre peut atteindre 40°, mais redescend à mesure que disparaît l'éruption. La rougeole s'accompagne souvent d'angine, et l'enfant se plaint parfois de mal aux oreilles.

QUE FAIRE EN URGENCE ?

Mettez l'enfant au lit et au chaud.

A. — *Traitement par la couleur rouge :* Déguisez votre petit malade en chaperon *rouge* : pyjamas, draps, couvertures, coussins, rideaux, jouets et lampe de cette couleur. Ce traitement aide l'éruption à sortir et raccourcit efficacement la durée de la maladie.

B. — *Traitement par l'homéopathie :* Une dose d'*Oscillococcinum*, au début, si l'enfant a mal aux oreilles. *Belladonna 4 CH* si la fièvre est élevée.

C. — *Alimentation :* Mettre l'enfant à la *diète* au moins trois jours, avec des infusions de *thym*, de *bourrache* (*Borrago officinalis*, 20 g de fleurs par litre d'eau) et des *citronnades*.

Pas d'aspirine, pas de fébrifuges, pas de suppositoires, pas de calmants.

D. — *Prévenir l'école :* La loi exige une éviction scolaire de deux à trois semaines pour le malade, pas pour ses frères et sœurs.

En cas de complication : si la fièvre persiste après trois jours, appelez le médecin.

TRAITEMENT DE FOND (au choix)

A. — *Par les plantes :*
Désinfectez nez, oreilles, gorge, à l'*huile gomé-nolée*, et les yeux avec une *infusion de camomille* (*Anthemis nobilis*, 2 têtes par demi-litre d'eau).

Désinfectez la chambre en faisant infuser sur le radiateur des feuilles d'*eucalyptus* dans une casse-role. Ou mettez 2 à 3 gouttes d'*huile essentielle de thym* ou de *lavande* sur une ampoule électrique allumée.

B. — *Par les oligo-éléments* :
Manganèse-cuivre et *cuivre-or-argent* (1 ampoule par jour alternée. Si vous ne trouvez pas chez le pharmacien la combinaison indiquée, achetez chaque métal séparément).

C. — *Par l'argile* :
Seulement si l'enfant est très abattu, donc capable de rester immobile dans son lit. Sinon...
Cataplasme d'argile sur le ventre, deux fois par jour, pendant une heure. (Etalez la pâte d'argile verte en couche épaisse, maintenue par une compresse chaude.)

D. — *Régime alimentaire* :
Tant que dure la fièvre, régime uniquement liquide, avec des *sirops de fruits rouges* (groseille, cassis, framboise, raisin...) uniquement biologiques. Si vous ne disposez que de sirops chimiques avec colorants et conservateurs, ne les donnez pas.
Reprenez l'alimentation seulement lorsque l'enfant le demandera, en commençant par les compotes et les bouillons de légumes.

E. — *Par l'homéopathie* :
Biothérapique Morbillinum 7 CH, 1 dose, le deuxième jour. *Euphrasia 4 CH,* si les yeux pleurent, 2 granules deux fois par vingt-quatre heures. *Bryonia alba 5 CH,* 2 granules deux fois par vingt-quatre heures.

ROUGEURS (voir ALLERGIE, BOUTON, INSOLATION, FIÈVRE)

RUBÉOLE

Encore une ' invasion de rouge ! Cette maladie bénigne s'attaque de préférence aux enfants à partir de 7 ans, mais atteint parfois les plus petits à partir de 6 mois.

A QUELS SIGNES LA RECONNAITREZ-VOUS ?

La rubéole se distingue très difficilement des autres fièvres à boutons (roséole, rougeole, intoxications...). Un matin, ou un soir, votre enfant se couvrira de taches roses, sans grande fièvre, sans toux, sans nez qui coule. Il aura, en revanche, des ganglions à l'aine, dans le cou et sous les bras : c'est le seul signe qui permette de reconnaître la rubéole parmi les différentes fièvres éruptives (les médecins eux-mêmes ont parfois des hésitations dans leur diagnostic !).

QUE FAIRE EN URGENCE ?

Le seul véritable danger est la contamination des femmes enceintes que votre enfant peut rencontrer. Prévenez-les absolument, de toute urgence : les risques de malformations congénitales sont très grands pour le fœtus de moins de 5 mois. Après ce délai, il n'y a plus rien à craindre.

Pour le petit malade, aucun affolement : mettez-le au chaud, et à la diète.

TRAITEMENT DE FOND

Il n'en existe aucun de spécifique.

Diète liquide le jour où l'enfant a la fièvre, puis retour à une alimentation normale.

Contre la poussée ganglionnaire, donnez de la *scrofulaire noueuse* (*Scrofularia nodosa*), ou de la *bétoine d'eau* (*Betonica*), sous la forme homéopathique : 10 gouttes de teinture-mère, une fois par vingt-quatre heures, de chacune de ces plantes.

LA RUBÉOLE ET LA LOI

Aucune éviction scolaire, au contraire, il est souhaitable que toutes les petites filles contractent cette maladie avant d'être enceintes.

VACCINATION

Surtout aucune ! Les projets actuels de vaccination massive semblent irréalistes : à quoi peut servir une vaccination sur des gamines de 12 ou 13 ans, dont la majorité n'aura pas d'enfants avant 22 ou 23 ans ? Les garanties d'immunité sont très incertaines sur une longue période.

S

SAIGNEMENT DE NEZ
SANG (voir HÉMORRAGIES)
SCARLATINE
SEIN (voir CREVASSES et MAMMITES)
SEXUELS (voir PROBLÈMES)
SINAPISME
SINUSITE
STRABISME
SUEURS (voir TRANSPIRATION)
SURDITÉ

SAIGNEMENT DE NEZ (ÉPISTAXIS)

« C'est la mer Rouge quand il saigne », disait Cyrano.

QUE FAIRE EN URGENCE ?

Lorsque c'est le cas de votre Petit Poucet, *allongez-le vite par terre* (si c'est sur un carrelage frais, cela n'en sera que mieux). Glissez un *glaçon* sous sa nuque (à défaut, un linge imbibé d'eau froide). Mettez-lui dans les narines un petit morceau de *coton roulé*, ce qui évitera l'inondation.

Donnez-lui *China 4 CH*, 2 granules, de demi-heure en demi-heure.

TRAITEMENT DE FOND

Si cela arrive une fois, c'est peut-être dû à la CHALEUR (voir ce mot), à une émotion forte, à un

COUP (voir ce mot). Les saignements de nez accompagnent parfois les maladies infectieuses, graves ou bénignes. S'ils sont fréquents, il y a une cause de fond à traiter : anémie, hémophilie, problèmes de foie (saignement de la narine droite), sinusite, quelquefois cancer, etc.

Autrefois, dans les campagnes, les gens qui saignaient facilement du nez portaient à même la peau un objet de fer (clé en sautoir, par exemple). Et c'était efficace. Rien ne vous empêche d'essayer avec votre enfant.

SANG (voir HÉMORRAGIE)

SCARLATINE

Autrefois, c'était un épouvantail pour les mères, une maladie mortelle. Aujourd'hui, elle est très atténuée, on ne sait pas trop pour quelle raison. Prenez-la pourtant au sérieux, elle peut devenir grave si elle se complique.

A QUELS SIGNES LA RECONNAITREZ-VOUS ?

Elle touche souvent l'enfant entre 6 et 10 ans. Elle débute souvent, mais non obligatoirement, par une angine avec température élevée et par l'apparition de plaques rouges localisées au ventre (en « caleçon de bain »), derrière les genoux, aux plis du coude. La peau est rugueuse et la langue couleur framboise sur les bords, blanche au centre. Les plaques sont rouges pendant une dizaine de jours puis deviennent pâles et la peau se met à peler (desquamation).

QUE FAIRE EN URGENCE ?

— Ne négligez pas l'angine du début (voir ANGINE).

— Evitez de badigeonner la gorge, ce qui a pour seul mérite d'éparpiller les microbes ! Ne donnez ni aspirine, ni « coupe-fièvre » (antipyrines), ni antibiotiques.

— Peu de médicaments sont nécessaires : laissez la fièvre s'exprimer.

A. — *Hydrothérapie* : En cas de fièvre élevée, bains froids ou tièdes (voir BAIN).

B. — *Aromathérapie* : Donnez à boire à l'enfant 2 gouttes d'essence de camomille allemande (*Matricaria chamomilla*) dans un verre d'eau, deux fois par jour. Désinfectez la chambre : mettez sur les lampes allumées quelques gouttes d'huile essentielle de thym, eucalyptus, menthe ou cannelle, au choix, qui sont de puissants antiseptiques. L'atmosphère sera désinfectée. A défaut d'huile essentielle, faites brûler des feuilles de sauge (*Salvia officinalis*) ou bouillir des feuilles d'eucalyptus (*Eucalyptus globulus*).

C. — *Régime alimentaire* : Diète tant que la fièvre est élevée. Donnez à boire au petit malade des tisanes de thym, de romarin et d'eucalyptus, des citronnades avec des citrons non traités et, quand il commence à aller mieux, des bouillons de légumes biologiques (légumes non traités). Ne le forcez pas à manger, attendez qu'il ait faim.

D. — *Traitement par l'argile* : Faites sucer à l'enfant des petits morceaux d'argile verte, s'il aime ça. Sinon, en cas de fièvre élevée, posez un cataplasme épais d'argile verte sur le bas-ventre, pendant une heure.

E. — *Traitement par la couleur rouge* (voir ROUGEOLE).

F. — *Traitement par l'homéopathie* (voir FIÈVRE et ANGINE).

G. — *Prévenez l'école.*

LA SCARLATINE ET LA LOI

La scarlatine est très contagieuse. Sa déclaration est obligatoire. L'éviction scolaire est ici particulièrement longue : quarante jours, en principe, après le début de l'apparition des plaques (dix-huit jours pour les frères et sœurs). La médecine classique ramène ce délai à quinze jours, si l'enfant a eu des antibiotiques. Cela ne nous paraît pas très consciencieux vis-à-vis de la santé de l'enfant (les antibiotiques lui occasionnant un surcroît de fatigue).

TRAITEMENT DE FOND

— Continuez les traitements commencés le premier jour en urgence.

L'homéopathie peut aider beaucoup la guérison : *Gelsemium 5 CH*, 2 g toutes les douze heures. *Belladonna 4 CH*, *Arum 5 CH*, 2 g deux fois par vingt-quatre heures. Tisane de drainage numéro un des Laboratoires homéopathiques de France. Au deuxième jour de la maladie : *Arsenicum Album 5 CH* et *Ailanthus glandulosa 4 CH*, 2 g deux fois par vingt-quatre heures.

COMPLICATIONS POSSIBLES
DE LA SCARLATINE

Elle peut dégénérer en otite, albuminurie, néphrite, broncho-pneumonie. Si la fièvre se maintient au-delà de huit jours, c'est que la maladie évolue mal. Rappelez votre médecin.

SEIN (voir CREVASSES et MAMMITES)

SEXUELS (Problèmes)
(voir INITIATION SEXUELLE et MASTURBATION)

SINAPISME (voir première partie)

SINUSITE

Infection des sinus (cavités osseuses proches du nez), la sinusite donne des maux de tête très douloureux et chroniques.

Il y a plusieurs variétés de cette sale bête : sinusites frontales ou maxillaires, sèches ou purulentes, chroniques ou aiguës.

Vous ne pourrez pas guérir la maladie sans soigner le terrain (souvent allergique)... Et la médecine officielle ne vous y aidera guère.

A QUELS SIGNES LA RECONNAITREZ-VOUS ?

Elle survient à la suite d'un rhume ou d'un nez qui n'en finit pas de couler. L'enfant se plaint de maux de tête (sinusite frontale), de mal dans les joues (sinusite maxillaire).

Il a les traits tirés, souvent de la fièvre. Son nez continue à couler, en sécrétions épaisses, mais parfois, au contraire, il est sec et douloureux. L'enfant a mal sur les deux côtés du nez, lorsqu'on appuie dessus. Sa douleur est aggravée par le froid, l'humidité, les courants d'air. Bref, notre petit monde est très malheureux.

Il y a des cas où la sinusite passe inaperçue : l'enfant se plaint simplement d'un mal de tête. Mais, si vous êtes attentive, vous saurez distinguer un simple mal de tête passager (sans aucune des manifestations décrites ci-dessus) d'une sinusite. Si la sinusite est liée à une grippe, ou à une dent malade, soignez celles-ci (voir GRIPPE et DENTS).

QUE FAIRE EN URGENCE ?

Evitez ABSOLUMENT les antibiotiques, ou le grattage des sinus : vous risquez d'engager l'enfant dans une sinusite chronique et rebelle. Préférez :

— *L'acupuncture* : En trois séances, l'enfant peut être guéri, et définitivement (au grand étonnement de ceux qui pensent que les petites aiguilles n'ont pas d'action sur les microbes !).

— *L'homéopathie* : Si l'écoulement est très

liquide : *Kali bichromicum 5 CH*, 2 granules deux fois par jour.

Si l'écoulement nasal est épais : *Hydrastis canadensis 4 CH*, même dosage. En plus : *Pyrogénium 5 CH*, 4 granules une seule fois et *Hépar sulfur*, 2 granules deux fois par jour.

Gouttes dans le nez : *Pulviplasmine, Mycorhine*.

Par l'eau chaude : Compresses chaudes d'eau bouillante salée sur les ailes du nez, le front, les joues (si l'enfant veut bien rester immobile une demi-heure).

Par les plantes :

Les plantes bénéfiques sont le *thym*, la *lavande*, l'*eucalyptus*, le *pin*.

Donnez à l'enfant des *tisanes* chaudes de l'une ou l'autre de ces plantes (et toutes mélangées à parts égales).

Désinfectez sa chambre en faisant bouillir une casserole d'eau remplie de *feuilles d'eucalyptus* dans la pièce.

Inhalations (voir CORYZA).

Nettoyez le nez avec une *décoction de thym* que vous ferez aller d'une narine dans l'autre (il existe en pharmacie un petit instrument en verre très pratique pour cela.

Par l'argile :

Cataplasmes d'argile verte sur le foie.

Lavage du nez à l'eau argileuse (voir ci-dessus : vous remplacez l'infusion de thym par une cuillerée d'argile verte en poudre dans un bol d'eau chaude).

TRAITEMENT DE FOND

L'homéopathe prescrira un traitement approprié à l'enfant.

Les cures thermales : Challes-les-Eaux, Camoins, Eaux-Bonnes, Moligt, Le Mont-Dore, etc., sont efficaces, à condition d'être suivies trois ans de suite. Elles améliorent radicalement l'état général de l'enfant.

STRABISME

Pas de panique avant l'âge de 6 mois, Bébé ne contrôle pas encore son regard et vous aurez souvent devant vous un petit loucheur ! En revanche, après 6 mois, si cette tendance se confirme, prenez-la au sérieux.

CAUSES

Cette divergence de regard sur un objet peut être due à un tempérament nerveux, à une anémie grave, à l'hérédité. Par exemple, les enfants qui ont un tout petit nez à la chinoise, ont tendance à avoir une « coquetterie » dans l'œil : en grandissant le cartilage du nez se développe, tire sur lui la peau, et les choses rentrent dans l'ordre. Le strabisme divergent (yeux qui s'écartent) s'accompagne généralement de myopie, tandis que le strabisme convergent (yeux dont le regard se croise au-dessus du nez) va avec l'HYPERMÉTROPIE (voir ce mot).

TRAITEMENT

A. — *Opération* : Il n'y a aucune urgence. Bien des strabismes s'arrangent quand l'enfant grandit. Consultez un pédiatre ou un ophtalmologue. Renseignez-vous sur les possibilités d'une intervention chirurgicale (pas avant 7 ans). Cette opération est parfois nécessaire. Ne la craignez pas, les résultats en sont excellents. Une attitude confiante de votre part aidera grandement votre enfant, pour qui une opération est tout de même un grand choc physique et émotionnel.

B. — *Gymnastique oculaire* : Complément indispensable à toute opération, la rééducation exige beaucoup de régularité et de persévérance, c'est-à-dire absolument la participation des parents qui doivent encourager l'enfant. La gymnastique oculaire peut, parfois, suffire sans qu'il soit besoin d'une opération.

C. — *Lunettes* : En cas d'absolue nécessité, on peut en mettre aux tout jeunes enfants et même à partir de 18 mois, étant donné les progrès réalisés par les opticiens. Mais elles sont une source illimitée d'ennuis : elles se perdent et se cassent à l'école, d'où énervement des parents contre les enfants. Pour ceux-ci c'est une contrainte pénible, se sentant différents des autres, ils ont tendance à se replier sur eux-mêmes.

SUEURS (voir TRANSPIRATION)

SURDITÉ

Un enfant sourd ? Est-ce possible ? Que faire ? Tout d'abord on n'y pense pas, car cela n'est pas évident. Si la surdité est très prononcée, la mère sera sans doute la première à s'en apercevoir, devant le silence de son enfant : un enfant sourd, en effet, sera très rapidement un enfant muet.

A QUELS SIGNES EN AUREZ-VOUS CONFIRMATION ?

Bébé entend au bout de deux à trois jours, avant d'y voir. Il est très sensible aux bruits et sursaute si une porte claque ou si un frère hurle comme un coyote. Si vous ne remarquez jamais de mouvement brusque chez un tout-petit, s'il ne manifeste rien quand vous arrivez derrière lui, consultez rapidement.

Vous pourrez aussi vous inquiéter d'un enfant silencieux : Bébé gazouille très tôt, mais s'il est sourd, il arrêtera vite, ne s'entendant pas lui-même.

Chez l'enfant plus grand, un retard de l'expression orale pourra aussi être un signe de surdité.

CAUSES DE LA SURDITÉ

Elles sont multiples et nous ne les passerons pas toutes en revue. Sachez seulement que l'oreille est un organe très fragile. Ne négligez donc pas les soins locaux de propreté. Traitez sérieusement toutes les affections de l'oreille, du corps étranger aux maladies infectieuses, en pensant que le moindre rhume de cerveau a un retentissement sur l'oreille. Distinguez la surdité de naissance de la surdité accidentelle ; depuis les cas bénins : bouchon de cérumen ou léger écoulement (voir OREILLES) jusqu'aux cas plus graves : OTITE (voir ce mot), COUP SUR LA TÊTE (voir ce mot).

TRAITEMENT

A. — *Rééducation :* Elle se fera chez le spécialiste avec des méthodes éprouvées (on fait entendre à l'enfant une série de sons variés avec écouteurs dans une pièce insonorisée).

B. — *Opérations chirurgicales :* Parfois nécessaires et donnant de bons résultats.

C. — *Port d'un appareil :* Ceux-ci ont fait d'immenses progrès grâce à l'électronique : nous sommes loin des « cornets à piston » de nos grands-pères !

D. — *Par l'auriculothérapie :* En Chine, d'excellents résultats ont été obtenus dans les rééducations de l'oreille en pucturant celle-ci. Consultez un acupuncteur qui connaît l'auriculothérapie.

TRAITEMENT DE FOND

Traitez le terrain : ne négligez pas le foie, responsable de l'engorgement de certains organes (certaines surdités ont été guéries par des cures de jeûne, renseignez-vous à ce sujet). Et ne favorisez pas la boxe chez vos jeunes lionceaux !

T

TACHE DE VIN (voir GRAIN DE BEAUTÉ)

TEINTURE-MÈRE (voir HOMÉOPATHIE, première partie)

TEMPÉRATURE (voir FIÈVRE)

TÉNIA (voir VER SOLITAIRE)

TERREURS (voir ANGOISSE)

TESTICULES (Maladie des)

Chez votre petit homme, ces deux petits sacs attirent votre attention, et déjà sans doute votre fierté ! Mais, attention, certaines maladies ou malformations peuvent retarder leur développement normal.

ECTOPIE TESTICULAIRE

Bébé dès la naissance n'est pas entièrement terminé. Les testicules doivent descendre et remplir les petites bourses. Comme pour les papes, vient le moment où vous pourrez dire : « *Duas habet et bene pendentes* [1]. » Cela se passe vers l'âge de 5 ans. Si cela tardait, le développement psychologique et glandulaire de l'enfant serait perturbé.

Aidez à cette migration en plaçant chaque jour un cataplasme d'*argile verte* tiède au bas du ventre. Si le traitement restait sans effet, voyez un *chirurgien*.

TUBERCULOSE DU TESTICULE
(voir TUBERCULOSE)

ORCHITE

Inflammation des testicules dans certaines maladies de l'enfance (oreillons, grippe, typhoïde, etc.). Cela s'accompagne de fièvre et c'est très douloureux.

---

1. « Il en a deux, et qui pendent comme il faut. »

Mettez l'enfant au *chaud* dans son lit, soulevez ses bourses sur un support rembourré d'ouate. Si la douleur est très forte, mettez de la *glace* sur les testicules (entourez les glaçons d'un linge).
De toute façon, appelez le *médecin*.

HYDROCÈLE

Inflammation autour du testicule (entre le ventre et le bas-ventre).
Vous pourrez le confondre avec une HERNIE (voir ce mot). La différence est dans le fait que l'hydrocèle ne peut être réduit manuellement. Est généralement sans gravité et se résorbe de lui-même. Bien veiller à la propreté de l'enfant.
Si cela durait, voyez le *chirurgien*.

TÉTANOS

Haro sur le bacille de Nicolaïer ! Même si vous ne le connaissez pas nommément, sachez qu'il est le grand responsable de cette affreuse maladie qu'est le tétanos ; grâce à la vaccination, elle devrait avoir pratiquement disparu. Il se reproduit parmi les détritus et la terre souillée (crottin de cheval), ses spores sécrétant une toxine qui agit sur le système nerveux de l'homme.

A QUELS SIGNES LE RECONNAITREZ-VOUS ?

Il se faufile dans l'organisme par une plaie, une écorchure, une piqûre de rose même. Et l'on y pense pas immédiatement. La blessure peut être extrêmement minime et ne pas attirer votre attention.

Il faut savoir que le tétanos sera d'autant plus grave que le délai entre l'apparition des signes et l'apparition de la maladie est court.

Vous remarquerez d'abord des douleurs et des raidissements douloureux (chez le nouveau-né, il y a un tétanos souvent mortel qui entre par la plaie non cicatrisée du cordon ombilical : attention à la propreté de l'argile que vous mettez sur le nombril de bébé !).

— Puis la raideur de certains muscles : des mâchoires en particulier (trismus).

— Des contractures du pharynx.

— De la difficulté à avaler.

— Un état général fiévreux et agité. La mort est malheureusement le pronostic dans 80 % des cas.

QUE FAIRE EN URGENCE ?

— Mettez l'enfant au lit, dans le calme et la pénombre. Donnez-lui à boire si cela est possible ou réhydratez-le par des bains chauds.

— Emmenez l'enfant à l'hôpital.

— Traitement homéopathique : En attendant, donnez *Tetanotoxinum 5 CH* (si vous en avez, car n'existe pas en pharmacie) et *Pyrogénium 5 CH*.

TRAITEMENT PRÉVENTIF

La vaccination : 3 injections sous-cutanées dans le dos à un mois d'intervalle. Rappel à 1 an, à 6 ans, à 18 ans. Bien que notre opinion sur les vaccinations en général ne soit qu'à moitié enthousiaste, nous vous conseillons tout de même la vaccination antitétanique, la maladie étant tellement effroyable qu'un mauvais vaccin vaut mieux qu'un bon tétanos... D'autre part, le vaccin est relativement peu dangereux. Voyez l'homéopathe avant, pour qu'il prépare le terrain : il donnera à votre enfant un traitement qui lui permettra de supporter la vaccination sans réactions violentes.

— Ne négligez jamais la parfaite *désinfection* d'une plaie, aussi petite soit-elle (voir BLESSURE, PIQURES). Que cela devienne une habitude.

— Administration de *sérum* ou *antitoxine* devant toute plaie, en particulier si l'on n'est pas sûr de la vaccination.

TICS

Le mot a une origine italienne, *ticchio*, qui veut dire « petit caprice » : ce petit mouvement n'a ici rien de capricieux, puisqu'il est réflexe inconscient, involontaire, et dans bien des cas passe inaperçu pour son auteur.

A QUOI LE RECONNAITREZ-VOUS ?

Tout mouvement anormal et répété dans le temps : mouvement de la tête, torsion du cou, clignement de l'œil, démarche particulière, haussement des épaules, grimace déformante de la bouche ou tout autre geste laissé à l'imagination nerveuse de l'enfant.

TRAITEMENT

L'enfant de lui-même n'y peut rien. Ne le grondez pas. Il n'est pas responsable de cette manie.

Il se rencontre plus fréquemment chez l'enfant nerveux, ou celui qui reçoit une éducation stricte où la critique de son activité est monnaie courante.

— Ne le grondez pas.

— Entourez-le d'affection.

— Faites-lui mener une vie calme, avec beaucoup de sommeil, d'air.

— Trouvez-lui des occupations qui l'intéressent.

— Le soir au coucher, infusion de *marjolaine* et bain de *tilleul*.

— Donnez du *magnésium* en oligosol.

Les tics passent généralement avec l'âge.

Si cela durait, voyez le *médecin* ou le *psychologue*.

TORTICOLIS

S'il adopte à votre égard un air penché, regardez surtout sa grimace : il n'est pas à son aise !

A QUOI LE RECONNAITREZ-VOUS ?

Raideur douloureuse du cou, entraînant sa crispation d'un côté. L'enfant ne peut tourner la tête sans douleur. C'est gênant, mais sans gravité ni durée. En l'absence de fièvre ou d'angine, il y a toute chance que cette douleur soit un torticolis. Certains enfants y sont prédisposés, par un terrain arthritique et rhumatisant.

La cause peut être un coup de froid, une nuit passée dans une mauvaise position, ou encore un spasme des muscles, une courbature à la suite d'un effort violent ou prolongé.

TRAITEMENT EXTERNE (LOCAL) PAR LA CHALEUR ET LES PLANTES

Si l'on n'a rien sous la main, sachez que la chaleur est bénéfique. Essayez, au choix :

A. — *Un bon bain chaud* au *lierre* ou au *sureau* (remplissez de feuilles une marmite dans autant d'eau que vous voudrez, et faites bouillir à feu vif un grand quart d'heure ; versez le jus jaune et les feuilles dans le bain de l'enfant) ; lierre grimpant (*Hedera helix*) et sureau noir (*Sambucus nigra*).

B. — *L'air chaud* : Avec un séchoir à cheveux..., mais attention aux accidents ! (Brûlure ou électrocution.)

C. — *Les cataplasmes* : Cataplasmes de *son*, de feuilles de *chou* hachées, ou de purée d'*oignon*. Maintenez-les contre la peau avec une compresse chaude. Egalement, compresses de feuilles de *romarin*, cuites dix minutes dans du vin.

D. — *Les frictions* à l'*huile camphrée*, mélangée à de l'*ail pilé*. Ou, encore, à l'*huile essentielle de romarin*.

Si la douleur ne cède pas à l'un ou l'autre de ces traitements, allez voir un acupuncteur : soulagement immédiat.

TRAITEMENT INTERNE PAR L'HOMÉOPATHIE

Arnica 5 CH, en gouttes (10), dans un verre d'eau, tant que dure la douleur.

TOUX

« Expirations subites, courtes et fréquentes par lesquelles l'air, en passant rapidement par les bronches et la trachée artère, produit un bruit sonore et particulier ; pendant ces expirations, la glotte se ferme ou se rétrécit considérablement. La toux a pour objet l'expulsion des corps étrangers introduits du dehors, ou développés à l'intérieur des voies respiratoires... » Voilà la description d'un très vieux dictionnaire : la reconnaissez-vous ?

La *toux humide* s'accompagne de crachats, et la *toux sèche*, comme le nom l'indique, ne donne rien à cracher (horribles détails !).

L'enfant ne tousse jamais une seule fois, mais plusieurs de suite : ce sont les *quintes*.

Dans les livres de botanique et de phytothérapie, les plantes qui calment la toux ont un drôle de nom : plantes « béchiques » (ni bêcheuses ni chic... mais efficaces !).

La toux n'est pas une maladie, mais un symptôme qui signale l'existence d'une maladie. Un assez grand nombre de celles-ci s'accompagnent de toux.

COMMENT RECONNAITRE SI C'EST GRAVE ?

Essentiellement, aux autres symptômes (fièvre, diarrhée, état général, etc.). Voyez les signes des maladies suivantes : ALLERGIE, ANGINE, BRONCHITE, BRONCHO-PNEUMONIE, COQUELUCHE, CROUP, FAUX-CROUP, RHUME DE CERVEAU, PLEURÉSIE, etc.

TRAITEMENT GENERAL DE LA TOUX

A. — Il existe un excellent médicament homéopathique qui calme presque toutes les toux, c'est le *sirop Stodal* (Laboratoires Boiron). Nous l'avons souvent expérimenté avec succès, chez tous nos enfants. En plus, il est délicieux au goût..., et si le petit tousseux avale la bouteille entière, il ne risque rien (ce n'est pas le cas avec les « calmants » de la médecine classique : Théralène, Bismucônes, Campho-pneumine, Néo-codion, etc.). Ces anti-toux chimiques ne sont pas sans danger d'intoxication médicamenteuse : évitez-les.

Vous pouvez aussi très bien avoir recours à de vieilles formules à base de plantes, qui ont fait leurs preuves :

B. — *Tisane des 4 fruits pectoraux ou béchiques* : C'est une délicieuse décoction de *dattes, jujubes* (dénoyautés), *raisins de Corinthe* et *figues*. 50 g du mélange (à parts égales de chacun), à bouillir une demi-heure dans un litre d'eau.

C. — *Tisane des quatre fleurs béchiques* (ou pectorales) : *Mauve, guimauve, gnaphale, tussilage, violette, coquelicot*, uniquement les fleurs, mélangées à parties égales. Faites-en une infusion (10 g du mélange par litre d'eau),

D. — *Le sirop de coquelicot* (voir *le Guide de l'anticonsommateur*, Livre de Poche, recette à faire vous-même facilement, page 96).

E. — *Le sirop d'orgeat naturel* (*idem*, page 96).

F. — Le *miel* est aussi un calmant, ainsi que l'*eau de fleurs d'oranger*.

G. — Enfin, demandez à votre herboriste le *sirop pectoral de Dessessartz* (*ipéca, serpolet, séné, coquelicot, fleurs d'oranger*.

TOXICOSE DU NOURRISSON

Il est difficile à une mère non spécialiste de diagnostiquer cet état très grave. La toxicose sévit particulièrement en été, et dans les pays chauds, tropicaux ou méditerranéens. Votre seule chance de sauver le bébé est une extrême rapidité d'action. Si vous constatez l'un ou plusieurs des signes suivants : foie très gros, teint pâle, ou plombé, yeux cernés de noir, regard fixe, état abattu et prostré, vomissements, diarrhée (surtout verte) très liquide, peau du ventre pincée ou ridée indiquant une déshydratation rapide (perte de poids), appelez le médecin.

QUE FAIRE EN URGENCE ?

Si le médecin ne peut venir immédiatement, emmenez directement l'enfant :

A. — *A l'hôpital,* si vous êtes loin de tout secours. Et, en attendant, un médecin.

B. — *Traitement homéopathique : Biothérapique pyrogénium 5 CH,* 5 granules une fois par vingt-quatre heures, et une dose de *Biothérapique entérococcinum 9 CH.*

C. — *Traitement hydrothérapique :* Réhydrater l'enfant à tout prix : *bains chauds salés à l'argile verte ;* s'il ne peut les supporter, enveloppements humides.

Jus de carottes frais biologiques ; sinon, *diète.*

TRAITEMENT PRÉVENTIF

Si vous partez dans un pays chaud et exotique, emportez les doses homéopathiques ci-dessus ainsi qu'une réserve d'argile verte. Ne laissez pas l'enfant plusieurs jours aux soins d'une personne inexpérimentée. Renseignez-vous sur les hôpitaux locaux. Dites-vous bien que chaque heure compte : l'état de l'enfant empire rapidement.

Attention à l'eau des biberons : faites-la bouillir, à moins d'avoir une eau de source très pure et non polluée. Ebouillantez soigneusement biberons, tétines, cuillers, plats, etc.

Dans les pays chauds, on trouve souvent de très bons légumes non traités aux pesticides. Donnez-les en bouillons variés tous les jours, pour augmenter la résistance naturelle de l'enfant aux maladies intestinales. N'ayez pas peur de donner le plus souvent possible ail et oignon, sous forme de purée, d'infusion, de bouillon, etc.

TOXOPLASMOSE

Les végétariens seront épargnés d'office : cette maladie a pour agent principal un parasite, le toxoplasme, qui vit dans les viandes crues. Elle n'est véritablement grave que pour le fœtus, dont elle peut modifier tragiquement le développement (lésions oculaires ou cérébrales).

Le nouveau-né atteint est presque toujours hospitalisé ou mis en couveuse.

445

A QUELS SIGNES LA RECONNAITREZ-VOUS ?

A. — *Chez vous, pendant votre grossesse :* Maux de tête, fièvre légère, ganglions, douleurs musculaires : c'est une indisposition légère. Seul le test Sabin-Feldman (examen sérologique) vous éclairera.

B. — *Chez votre enfant :* Les symptômes graves se manifestent dès les premières semaines après la naissance : diarrhée, vomissements, toux, ganglions, fièvre élevée. Les yeux larmoyants et globuleux sont atteints, l'enfant n'y voit pas clair.

QUE FAIRE EN URGENCE ?

De toute façon, appelez le médecin au plus vite. C'est une maladie très grave chez le nourrisson.

TRAITEMENT PRÉVENTIF

Si vous attendez un enfant, éloignez votre chat, porteur du germe qui atteint tous nos animaux domestiques.

Ne mangez ni steak tartare, ni steak bleu, ni grillades crues à l'intérieur. Même les œufs crus peuvent être contaminés : ne les gobez pas.

TRANQUILLISANTS (voir ANGOISSE, ALLERGIE, TOUX, INSOMNIE)

TRANSPIRATION

Les bébés transpirent énormément de la tête :
leur oreiller est souvent trempé ! S'il fait chaud,
pensez à mettre l'enfant à l'ombre et à le réhydrater
par un biberon d'eau et un bain supplémentaire
(voir CHALEUR).

Ne l'habillez surtout pas trop, ne l'oubliez pas
dans une voiture fermée et surchauffée, même à
l'ombre (le soleil peut tourner !).

L'enfant qui transpire des pieds, et ça sent mauvais !

— Donnez-lui un petit bain de pieds chaque soir
(chaud en hiver, frais en été). Versez dedans une
décoction de prêle (Equisetum arvense), 100 g pour
un litre d'eau, à bouillir vingt minutes) ; ou une
infusion de sauge (Salvia officinalis), 50 g pour
un litre d'eau.

Ou encore, si vous n'avez rien mis dans le bain
parce que vous n'avez pas le temps ou pas les
plantes, frottez-lui sa petite plante de pied avec
quelques gouttes d'*huile essentielle de lavande.*

— Mettez-lui tous les matins des socquettes propres, et des souliers légers ou aérés. Et chaque fois
que vous le pouvez, laissez-le courir pieds nus !

— *Quand un enfant est en sueur parce qu'il a
trop couru,* ne lui donnez pas à boire tout de suite
de l'eau glacée. Préférez un quart de *citron saupoudré de sel :* ça désaltère bien mieux !

Attention aux refroidissements de l'enfant qui se
déshabille parce qu'il a trop chaud, et ensuite se
laisse surprendre par le froid.

Changez ses vêtements s'ils sont trempés de sueur,

et collent à la peau : la sueur refroidit, et ce n'est pas bon pour l'enfant.

Enfin, la transpiration est un symptôme normal qui accompagne la fièvre : dans ce cas, il est excellent que l'enfant transpire, c'est un moyen qu'a la Nature pour éliminer les toxines microbiennes ou autres.

Vous pouvez même l'encourager à transpirer en lui donnant à boire des tisanes chaudes de plantes « sudorifiques » : *bardane (Arctium lappa)*, *buis (Buxus sempervirens)*, *bourrache (Borrago officinalis)*, *sureau (Sambucus nigra)*. Les dosages ne sont pas importants, ces plantes n'étant guère dangereuses (demandez à votre herboriste ou au pharmacien). Voir FIÈVRE.

TRAUMATISME (voir COUPS)

TUBERCULOSE

Maladie vieille comme le monde, connue autrefois sous le nom de phtisie, bien souvent galopante. Qui n'a pas dans ses histoires de famille une grand-tante morte à la fleur de l'âge de consomption ou de langueur ?

Le responsable en est le bacille, isolé par le savant allemand Koch en 1882.

Maladie aux multiples avatars, elle peut malheureusement attaquer tous les organes, le plus sensible étant malgré tout le poumon.

Deux écoles s'affrontent et cela depuis le siècle

dernier où, déjà, Béchamp récusait Pasteur, discussion toujours actuelle entre la médecine classique et les médecines naturelles (homéopathes, naturopathes, phytothérapeutes, aromathérapeutes, acupuncteurs, etc.).

A. — *Pour la conception classique*, la tuberculose est une maladie contagieuse qui s'attrape par contact direct (nous serions alors tous sa proie !). En naissant, l'individu est vierge de tout microbe tuberculeux. Lorsque celui-ci s'introduit dans l'organisme, il y a primo-infection. L'enfant peut être franchement malade (maladie déclarée) ou simplement « virer sa cuti » (celle-ci devenant positive), apportant ainsi la preuve que le microbe s'est présenté et qu'il a contaminé l'organisme.

La cuti-réaction serait donc nécessaire à tous les stades comme moyen de contrôle.

Si elle est négative, on pratique le B.C.G.

Si elle est positive, on ne fait plus rien.

Si elle a été positive et qu'elle redevient négative, il faut refaire le B.C.G.

B. — *La conception homéopathique* est bien différente. L'homéopathe considère avant tout le terrain, plus que le seul microbe. La contagion n'est pas aussi essentielle : ne sera tuberculeux que l'individu qui n'aura pas constitutionnellement les capacités de se défendre.

Si le sujet est en parfait état, il opposera une réaction positive à la cuti, manifestant ainsi son agressivité au microbe, sans pour autant avoir jamais été en contact avec lui.

Si, en revanche, le sujet est « tuberculinique » (longiligne, maigre, facilement fatigué, sans appétit, souvent très fragile des voies respiratoires, intoxiné héréditairement), sa réaction à la cuti pourra fort bien être négative par impossibilité à se défendre contre la toxine.

Cet enfant perpétuellement négatif, à qui l'on

refera périodiquement des tests, pourra contacter une primo-infection artificielle.

Disons avec le Dr Michaud [1] que nous citons : « Cuti-réaction négative veut dire en général mauvaise défense organique, et non pas absence de contact avec le bacille de Koch. Cuti-réaction positive veut dire en général bonne défense organique, et non pas sensibilité vis-à-vis du bacille de Koch. »

PRÉVENTION

La prévention classique est constituée par le B.C.G. (voir VACCINATION) et sa vérification par les cuti-réactions ainsi que par l'isolation du milieu contaminant. Les médecines différentes préfèrent préparer et modifier le terrain, d'une part, stimuler les défenses naturelles, d'autre part.

TRAITEMENT DE FOND

A. — *Par les plantes* : Une cuillerée d'argile chaque jour dans de l'eau, ou une cuiller à café d'huile d'olive mélangée à du citron, ou encore une cuiller à soupe de tisane de fenugrec. Il faut maintenir le foie en bon état : sur celui-ci, localement, mettre des cataplasmes de son et de feuilles de lierre grimpant (*Hedera helix*), tisanes de fleurs de sureau (*Sambucus nigra*), huile essentielle de girofle (*Syzygium aromaticum*) sur du sucre, la girofle contient de l'eugénol, puissant antiseptique.

B. — *Par un régime approprié* : Avec fruits, légumes, fruits secs, céréales, jus de légumes, ail et citron. Ne vous croyez pas obligée de suralimenter l'enfant, ni de le gaver de viande.

1. *Pour une médecine différente, op. cit.*

C. — *Par le chlorure de magnésium desséché :*
Une cuiller à soupe (20 g) dans un verre d'eau
pendant une semaine (traitement de choc héroïque,
parce que c'est très amer).

D. — *Par les oligo-éléments :* Alternez *manganèse-cuivre* et *cuivre-or-argent*.

E. — *Par l'homéopathie :* Consultez votre médecin qui prescrira les remèdes d'après le tempérament
de l'enfant.

F. — *Par les cures d'air en altitude.*

Sans parler ici du traitement des diverses tuber-
culoses que vous ferez traiter par votre médecin,
nous vous indiquons, pour mémoire, les diverses
formes que peut prendre la maladie tuberculeuse,
afin que vous y pensiez éventuellement.

— *Tuberculose intestinale :* Assez rare chez l'enfant, elle accompagne généralement une atteinte
pulmonaire. Les signes en sont : les douleurs de
ventre, la diarrhée, la fièvre et surtout confirmation par la présence du bacille dans les selles.

— *Tuberculose osseuse et articulaire :* Tumeur
blanche du genou qui se traduit par des douleurs,
un œdème de la rotule, un raccourcissement de la
cuisse et, enfin, la présence d'abcès.

Coxalgie : Fatigue en marchant, légère claudica-
tion puis atrophie musculaire, enfin des abcès.

Mal de Pott : Douleur aiguë de la colonne vertébrale, accompagnée de raideur.

Ostéomyélite : Douleurs vives généralement au
tibia, puis inflammation apparente et suppuration
osseuse.

— *Tuberculose pulmonaire :* La plus fréquente.
Vous en serez informée par une cuti positive, une
radio éloquente. Parfois il y aura une manifestation
apparente du type ÉRYTHÈME NOUEUX (voir ce mot)
ou BRONCHO-PNEUMONIE (voir ce mot) tuberculeuse :
température élevéee, pouls rapide, pâleur, état général très abattu, vomissements, diarrhées, toux.

— *Tuberculose rénale* : Vous pourrez la soup-
çonner s'il y a de la CYSTITE, de la COLIBACILLOSE
(voir ces mots).

— *Tuberculose du testicule* : Douleurs dans le
bas-ventre, gonflement des bourses, tuméfaction du
TESTICULE (voir ce mot).

TYMPAN (voir OREILLE, OTITE)

U

URINE
URTICAIRE

URINE

Normalement, elles sont d'un joli jaune clair et doré. Leurs variations de consistance et de couleur sont, en général, un symptôme de maladie.

COMMENT S'Y RECONNAITRE ?

— Des *urines foncées* indiquent la FIÈVRE (voir ce mot).

— Très *pâles*, il y a probablement un déséquilibre du sucre (voir DIABÈTE).

Faites-les analyser chez le pharmacien.

— *Rouges :* Elles ne contiennent pas forcément du sang : la coloration peut être due à une plante (rhubarbe, séné, safran...) ou à un médicament.

Apportez-les au pharmacien. Si l'analyse révèle du sang, appelez le docteur (NÉPHRITE, HÉMORRAGIE INTERNE, CANCER, etc.).

— *Urines troublées :* Avec du pus, etc. Voir d'urgence le pharmacien.

— *Urines en grande quantité :* Cela dépend de la quantité de boisson. Si l'enfant a très soif en même temps, pensez au DIABÈTE.

— *Absence d'urine* : Très grave, entraîne la mort. Appelez le médecin, et voyez le traitement d'urgence à NÉPHRITE AIGUË.

COMMENT S'Y PRENDRE
POUR UNE ANALYSE D'URINE

Tous les pharmaciens en font, ce n'est ni cher, ni long, ni difficile. Préparez un récipient parfaitement propre : s'il reste une trace d'un autre produit, mal rincé, l'analyse s'en ressentira... Par exemple, un ex-bocal à confiture vous donnera une urine riche en sucre !...

Vous pouvez demander une analyse d'albumine, d'acétone ou de sucre. Avant une opération, un vaccin, au début d'une maladie, il faut faire une analyse d'urine. On ne vaccine, on n'opère que si tout est normal.

L'enfant ne veut absolument pas uriner ?

Faites couler de l'eau, le bruit le stimulera. Un bain de pieds froid aussi. Ou confiez-lui le pot, en lui expliquant pourquoi : il sera intéressé, et vous apportera lui-même le pot rempli !

URTICAIRE

Les dermatologues ont du pain sur la planche... et plus ça ira, plus ils en auront (tant qu'on fera massivement appel à la chimie de synthèse) ! Encore une réaction allergique, fréquente chez les petits hépatiques et les jeunes nerveux, cette maladie de peau survient brutalement. Essayez d'en déterminer la cause.

A QUELS SIGNES LA RECONNAITREZ-VOUS ?

Brusque apparition de grands placards rouges en relief, ressemblant à des piqûres d'orties. Ils sont soit localisés, soit étalés sur une large surface. Le pauvre enfant, à la torture, ne cesse de se gratter furieusement pour calmer ses démangeaisons aiguës.

CAUSES

Le plus souvent, ce sera une réaction allergique alimentaire. Gare aux fraises, aux crustacés, aux œufs, au gibier, aux conserves, à la viande de cheval. Repérez le coupable et évitez d'en donner à l'enfant. Vous pouvez tenter une désensibilisation progressive en en faisant absorber à l'enfant à dose homéopathique (minuscule morceau de fraise ou d'œuf tous les jours). Mais ce peut être aussi une allergie à un médicament, à un produit de lessive, à certains parasites (oxyures, ascaris), ou une sensibilité particulière au soleil. L'urticaire peut survenir aussi après un choc nerveux.

QUE FAIRE EN URGENCE ?

Soulagez l'enfant : les démangeaisons peuvent être intolérables. Appliquez sur les boutons des compresses imbibées d'une décoction de camomille et de sureau. Vous pouvez également préparer un bain dans lequel vous verserez une décoction de pensée sauvage (*Viola tricolor*) et de fumeterre (*Fumaria officinalis*) ; 4 poignées de chacun pour quatre litres d'eau, à bouillir un quart d'heure. Frottez la peau avec un oignon cru.

TRAITEMENT DE FOND

A. — *Le régime alimentaire :* Diète à l'eau au début de la crise. Donnez à boire de l'hydroxydase, des bouillons de légumes. Supprimez les aliments cités ci-dessus.

B. — *L'homéopathie :* Consultez un médecin homéopathe qui établira un traitement spécifique d'après la nature de l'urticaire. Sinon, essayez *Urtica urens 4 CH* ou *Apis mellifica 4 CH*, 2 granules deux fois par jour.

C. — *Les oligosols :* Le *manganèse* et le *soufre* (une ampoule de chacun en alternance).

V

VACCINATIONS

L'obligation scolaire ne soumet pas les parents à faire vacciner leurs enfants. Elle sert de contrôle aux vaccinations, c'est-à-dire que les parents doivent faire la preuve que l'enfant *a été* vacciné ou en *a été* dispensé pour contre-indication médicale.

Ceux qui ne sont pas en règle se voient interdire l'accès à un établissement d'enseignement (mais peuvent suivre un enseignement par correspondance).

L'obligation légale qui prévoit des sanctions pouvant aller jusqu'à la prison est indépendante de la fréquentation d'un établissement scolaire, l'exigence à ce niveau étant encore une contrainte supplémentaire.

QUELS SONT LES VACCINS LÉGALEMENT OBLIGATOIRES ?

L'information concernant le vaccin anti-variolique est périmée : seule en Europe, la France maintient l'obligation de 2 rappels obligatoires (ailleurs il n'y a jamais eu de rappels).

B.C.G. obligatoire à partir de 6 ans sauf pour les enfants placés en crèche ou en nourrice.

Contrôle tuberculinique tous les 5 ans pour les vaccinés. En cas de réaction négative après vaccination un nouveau B.C.G. est pratiqué.

Après 2 B.C.G. si le test tuberculinique reste négatif le sujet est considéré comme en règle avec la loi.

Diphtérie, tétanos, polio :
Vaccination avant 18 mois. Un rappel l'année suivante (les autres rappels ne sont pas obligatoires).

A QUEL MÉDECIN VOUS ADRESSEREZ-VOUS ?

A. — *Le médecin classique :* Il applique la loi et refuse, généralement, d'admettre les dangers des vaccinations. Sa responsabilité légale n'est pas engagée, il est à l'abri de toute poursuite et vous aussi, mais votre enfant peut courir de grands risques, parfois mortels (voir statistiques plus loin).

B. — *Le médecin homéopathe :* Son point de vue est radicalement différent. Pour lui il est d'autres moyens de se protéger des malades infectieuses. Une vaccination est toujours dangereuse car c'est modifier artificiellement un terrain et l'on ne peut indifféremment vacciner n'importe qui n'importe quand. S'il n'existe pas à proprement parler de vaccins homéopathiques, il existe des « biothérapiques » spécifiques en cas d'épidémies : vaccinotoxinum pour la variole, diphtérotoxinum pour la diphtérie, etc. Le médecin homéopathe tiendra compte du terrain de son malade, de ses antécédents héréditaires et il refusera de procéder à une vaccination s'il la juge particulièrement contre-indiquée ; il vous expliquera pourquoi et n'hésitera pas à vous faire courageusement un certificat de contre-indication (beaucoup d'homéopathes admettent toutefois le vaccin anti-tétanique).

C. — *Le médecin de médecine naturelle,* plus indépendant encore à l'égard de la médecine officielle, refusera probablement d'infliger à vos enfants cette agression supplémentaire qu'est une vaccination.

Il est souhaitable que la législation sur les vaccinations

soit révisée ; vous avez le droit d'être libres en ce qui concerne la santé de vos enfants. Vous vous devez de prendre position à cet égard.

QUE PENSER DES DIFFÉRENTS AUTRES VACCINS ?

Chaque année nous apporte de nouvelles « victoires » de la science sous forme de nouveaux vaccins contre grippe, rougeole, oreillons, hépatite virale, méningite, rubéole, etc. Mais cette surprotection fait parallèlement apparaître des générations d'individus dont les capacités d'autodéfense sont singulièrement diminuées. « Là est la raison essentielle qui doit faire condamner une méthode dépassée par les conceptions biologiques actuelles. » (Dr J. Michaud).

LES ACCIDENTS DUS AUX VACCINATIONS

Aucune statistique officielle n'étant publiée en France, le rideau de fumée est complet : on ne sait rien pour ce pays. Mais on peut s'en référer aux statistiques étrangères des pays qui ont le courage de donner une information : en matière de vaccins, les pouvoirs publics français agissent avec une remarquable légèreté : ils exigent la vaccination obligatoire sans exiger également la déclaration des accidents postvaccinaux. La presse elle-même se fait complice de cet état de fait par son silence.

Ainsi notre liberté de parents est un vain mot en ce domaine. On ne nous laisse pas en fait le choix de refuser une vaccination dangereuse ou inopportune. Il faut savoir que les accidents vaccinaux sont souvent graves : encéphalites, méningites, bécégites, accidents allergiques, etc.

STATISTIQUES CONCERNANT LA VARIOLE

Allemagne :
1 vaccination sur 500 cause un accident ;
1 vaccination sur 5 000 laisse un enfant infirme à vie ;
1 vaccination sur 8 000 tue l'enfant[1].

France : En l'absence de statistiques valables, on peut retenir un taux d'ENCÉPHALITES (voir ce mot) de 1 pour 5 000. Étant donné le nombre de vaccinations pratiqué, on peut faire une simple règle de trois qui donne le triste chiffre de 200 encéphalites par an :

$$\frac{1\ 000\ 000 \times 1}{5\ 000} = 200$$

Ce chiffre est bien lourd pour que ne soit pas repensé le problème de la vaccination antivariolique.

STATISTIQUES CONCERNANT LE TÉTANOS

Celui-ci tue autant de monde qu'il y a cinquante ans. Avec environ 300 cas par an, la France, seul pays européen où la vaccination soit obligatoire, ne semble pas être en passe de résoudre ce problème ! Il faudrait chercher ailleurs que dans la vaccination le moyen de se débarrasser du tétanos.

1. Extrait de *Gesundes Leben*, février 1973.

STATISTIQUES CONCERNANT LE B.C.G.

Ici encore pas de statistiques indiquant les méfaits d'une vaccination généralisée. Personnellement, notre expérience nous met très souvent en présence de malades chroniques « accidentés » à la suite d'un vaccin.

On peut simplement remarquer que la tuberculose décroît régulièrement depuis 1890. La vaccination obligatoire à partir de 1950 ne peut être la cause du recul de la maladie. Et, malgré la vaccination, la France a un taux de mortalité de 8, 2 pour 100 000 en 1970, tandis que les Pays-Bas, où il n'y a pas de vaccination obligatoire, ont un taux de mortalité beaucoup plus bas : 1, 2 pour 100 000 habitants.

VAGINITE et VULVO-VAGINITE

Infection de la vulve et du vagin causée par un manque d'hygiène, la présence de vers intestinaux dans les selles ou la prolifération de gonocoques.

A QUELS SIGNES LA RECONNAITREZ-VOUS ?

Vous serez immédiatement alertée par les culottes tachées de jaune de votre petite fille. Ne la grondez pas : elle n'y est vraiment pour rien. Elle sera gênée, aura des démangeaisons vives, sa vulve sera même très irritée.

QUE FAIRE EN URGENCE ?

A. — *Par l'hygiène* : Nettoyez toujours parfaitement votre petite fille. Donnez-lui l'habitude du bain de siège quotidien lorsqu'elle sera plus grande. Vous pouvez, par manque de soins, être parfaitement responsable de ce genre d'irritation qui se transformera en infection. Prenez aussi la précaution de toujours laver son linge au savon de Marseille.

Veillez aussi à la propreté des water-closets. Il faut les désinfecter au moins une fois par semaine. Apprenez à vos enfants à se laver les mains en en sortant, à ne pas promener avec délice leurs petits doigts sur n'importe quelle cuvette de cabinet. Les enfants sont très rarement dégoûtés !

B. — *Par les plantes* : Bain de siège au *Calendula TM* (une cuiller à café par litre d'eau), ou encore avec une *décoction de son* additionnée d'une infusion *d'écorce de chêne* et de *feuilles de noyer* (un morceau d'écorce et deux feuilles de noyer pour un litre d'eau).

Localement vous nettoierez bien la vulve avec un savon acide, vous talquerez à l'*argile verte en poudre* de préférence aux talcs du commerce et si les rougeurs persistent vous pourrez appliquer une pommade faite d'*argile* et d'*huile d'olive* (que vous mélangez en pâte).

C. — *Par l'homéopathie* : Pour stopper l'écoulement (leucorrhées) vous donnerez *Hydrastis 4 CH*, *Pulsatilla 4 CH*, 2 granules tous les jours et tous les quinze jours des doses alternées de *Thuya 7 CH* et de *Gonotoxinum 7 CH*.

VARICELLE

On l'appelait au XVIIIe siècle : « variolette » ou « petite vérole volante », pour indiquer qu'elle se manifeste par de petites pustules. C'est une maladie infectieuse très contagieuse, et généralement sans gravité.

A QUELS SIGNES LA RECONNAITREZ-VOUS ?

L'incubation dure quinze jours, avec rhume accompagné d'une légère fièvre. Puis apparaissent sur tout le corps les pustules en question, remplies d'eau. Ce liquide se transforme bientôt en croûtes foncées qui ont l'inconvénient de démanger terriblement. Les cicatrices sont malheureusement indélébiles. La maladie dure de huit à quinze jours. Les complications sont rares.

QUE FAIRE EN URGENCE ?

Prévenez l'école. Ce n'est pas obligatoire, mais c'est plus gentil !

Vous pouvez très bien soigner une varicelle vous-même.

Il n'y a pas grand-chose à faire, sinon attendre que ça se passe !

Contre les démangeaisons : saupoudrez les pustules avec de l'*argile sèche*, de la *poudre d'amidon* ou du *talc au calendula*.

Chez le bébé que vous ne pouvez raisonner,

---

mettez des manchettes en carton pour l'empêcher de se gratter.

Repos au lit, au chaud, avec un régime
alimentaire léger (ni viande ni charcuterie).

Habillez l'enfant de *vêtements rouges*, mettez-
lui des draps, une couverture, des coussins et
des jouets rouges dans son lit, une ampoule
rouge pour éclairer la pièce. Le traitement
par les radiations rouges raccourcit considérablement la maladie.

TRAITEMENT DE FOND
ET PRÉVENTIF

A. — *Par l'homéopathie :*
A titre préventif, en cas d'épidémie, donnez
2 doses de : *Malendrinum 200* à huit jours d'inter-
valles ; *Rhus toxicodendrum 4 CH*, 2 g trois fois
par jour.

Si les boutons suppurent : *Pulsatilla 4 CH*, 2 g
trois fois par jour.

Démangeaisons : *Dulcamara 4 CH*, 2 g trois fois
par jour.

En fin de maladie : *Sulfur 5 CH*, qui drainera les
toxines.

B. — *Par les plantes :*
Pour les bébés, pas de nourriture solide, uniquement du *jus de carottes* (biologiques absolument)
coupé d'eau de Vals, ou du jus de fruit rouges
frais et biologiques (*raisin, groseilles, cassis, framboises...*) ; jus de pommes l'hiver (pommes biologiques).

Pour les enfants plus grands : diète aussi, mêmes
boissons.

Purgez-les en leur donnant à boire des *follicules
de séné (Cassia)* : un follicule par année d'âge.

Vous le mettez dans une tasse d'eau froide le soir, l'en retirez le lendemain, et faites boire l'eau à l'enfant.

A boire : *infusion de plantain* (*Plantago major*), 100 g de feuilles sèches ou fraîches, dans un litre d'eau, à laisser infuser une demi-heure. Le petit malade peut en boire trois tasses par jour.

Infusion de bourrache (*Borrago officinalis*), 20 g de fleurs sèches ou fraîches pour un litre d'eau, à infuser une demi-heure. A boire à volonté (ça n'a aucun goût, sinon celui du miel que vous aurez mis dedans pour le sucrer).

VÉGÉTATIONS

Petites « mauvaises herbes » qui prospèrent allégrement dans les fosses nasales des enfants, hélas en toutes saisons, et jusque vers l'âge de 10 ans ! Ces excroissances ont la triste particularité de s'infecter de façon chronique et répétitive.

A QUELS SIGNES LES RECONNAITREZ-VOUS ?

Au bruit : Bébé ronfle, dort la bouche ouverte ; plus tard il parlera du nez, aura la lèvre courte, respirera par la bouche. Rhumes, otites, maux de tête seront monnaie courante, avec une tendance à une petite température le matin.

Le résultat à atteindre est de les éliminer : les interventionnistes proposeront la chirurgie ; nous tenterons de les faire se résorber plus naturellement, sans choc opératoire.

QUE FAIRE EN URGENCE ?

— Nettoyer quotidiennement le nez soit à l'*eau* salée, soit à l'*eau argileuse*, soit encore à l'*eau citronnée* mêlée d'*huile d'olive vierge* (vinaigrette nasale) ou à l'*Homéoplasmine* (en pharmacie). Ce nettoyage ne sera pas seulement instauré par mesure d'hygiène, il amènera la résorption des végétations. Mais c'est long. N'ayez recours à la chirurgie qu'après avoir tenté cette méthode et jamais avant 4 ans. (Vérifiez qu'il y ait vraiment une gêne pour l'enfant.)

TRAITEMENT DE FOND

A. — *Par l'homéopathie* : Consultez l'homéopathe qui indiquera le traitement.

B. — *Par les plantes* : Vous donnerez, outre une bonne tisane pour le foie (organe qu'il faut toujours stimuler, voir FOIE), une infusion à base de *souci* (*Calendula officinalis*), *menthe* (*Menta piperata*), *réglisse* (*Glycyrrhiza glabra*), *romarin* (*Rosmarinus officinalis*), 30 g de chaque espèce que vous ferez infuser un quart d'heure.

C. — *Par les oligo-éléments* : *Manganèse* et *cuivre* alternativement.

D. — *Par la cure thermale* : La Bourboule.

VENTRE (voir MAL AU)

VENTS (voir GAZ)

VER SOLITAIRE

La vraie sale bébête. Les deux espèces les plus courantes sont le *Taenia solium* (8 à 10 mètres, et le *Taenia saginata* (12 mètres). Horrible.

La contamination se fait par la viande de porc et de bœuf insuffisamment cuites. Partez en guerre contre les steaks « tartares » et cuisez bien les autres. Ou alors mettez vos enfants au régime lacto-végétarien pendant un certain temps. Comme cela, vous êtes sûr que l'enfant n'attrapera jamais cet abominable parasite.

A QUELS SIGNES LE RECONNAITREZ-VOUS ?

Votre enfant a continuellement une faim dévorante, un appétit d'ogre, et pourtant, il maigrit, il ne « profite » pas. Il est nerveux, a mauvaise mine. Regardez ses selles, vous y découvrirez à l'œil nu des anneaux blancs, genre nouilles plates immobiles (alors que les oxyures se repèrent par leur mouvement).

Si vous avez dés doutes, demandez à votre médecin de faire pratiquer une analyse sanguine : la présence d'un ténia perturbe la composition du sang, avec un excès de certains globules blancs).

TRAITEMENT DÉCISIF

A ne pas faire : ne donnez aucun vermifuge du commerce à l'enfant. Ces produits tuent le ver et empoisonnent l'enfant. Préférez une méthode naturelle, sans danger pour lui.

Tout un rituel s'impose pour chasser l'infâme.

A. — *Par les plantes* : La veille, jeûne complet. Distractions à prévoir ! Le jour « J » : faites absorber 25 g de graines de courge (*Cucurbita pepo*), notre joli potiron, efficace et non toxique, pilées et mélangées à 20 g de miel et à une cuiller à soupe d'eau (réduire à 15 g pour les bébés).

Purgez ensuite à l'huile de ricin (1 à 2 cuillers à café) en se bouchant le nez. Pas très agréable.

Les plus grands peuvent avantageusement manger une salade de pourpier aux noix (en saison, sinon des carottes), assaisonnée de 50 g d'huile de noix, plusieurs soirs de suite. La bête n'aime pas cela. Ne donnez pas d'écorce de grenadier, très efficace aussi, mais dangereuse.

Le lendemain, attendez le fauve avec les précautions d'usage : installez l'enfant au-dessus d'un vase rempli d'eau tiède (37°, température du corps humain). Ce détail est important, car si l'eau est froide, le ténia se rétracte, et laisse sa tête dans l'intestin. Dans ce cas, il faudrait tout recommencer ! Vérifiez donc bien qu'il est là, tout entier, tête comprise !

B. — *Par l'homéopathie* : Donnez-leur du *Taenia saginata 9 CH*, 3 doses à quinze jours d'intervalle. Le traitement homéopathique renforce le traitement précédent, mais ne suffit pas à lui tout seul.

VERS INTESTINAUX

Animaux rampants, dit le dictionnaire, qui vivent dans les bois, les étoffes, les fromages, les fruits et le corps humain. Il y en a de toutes sortes : ver assassin, ver coquin, ver luisant... Ceux qui parasitent l'enfant sous nos climats sont de trois sortes :
Les ascaris : Ressemblent à des vers de terre de 10 à 20 cm de long.
Les oxyures : Petits filaments blancs de 1 cm environ.
Le ver solitaire (voir plus loin).

SIGNES

Votre enfant grogne, s'agite, dort mal, se gratte le nez, tousse, a les yeux anormalement cernés. Il y a de fortes chances qu'il soit parasité : vous en aurez confirmation si vous les repérez directement dans les selles (faciles à voir parce qu'ils remuent).

TRAITEMENT

Evitez les vermifuges (Povanyl, en particulier), inutiles, inefficaces et surtout toxiques. S'ils le sont pour les vers, ils ne peuvent que l'être également pour vos enfants. Il est difficile de se débarrasser de ces parasites, et le traitement demande patience et constance. Veillez à une hygiène rigoureuse de toute la famille car la contagion est extrême, plus particulièrement pour les oxyures. Coupez les ongles de vos enfants, lavez-leur les mains avant les repas et après les selles.

Individualisez leurs gants de toilette (main éponge) et serviettes. Changez-les très souvent. Choisissez l'un des traitements suivants :

A. — *Par les plantes :* Donnez de l'ail, soit en décoction, (1 à 2 gousses que vous ferez bouillir vingt minutes dans de l'eau), soit finement haché ou mouliné et mélangé aux purées de légumes ; donnez également de l'absinthe (*Artemisia absinthium*) ou herbe aux vers, excellent vermifuge naturel, malheureusement au goût amer qui doit être masqué par du miel. Pour ceux qui n'aiment pas l'ail, remplacez par du chou cru finement haché, du pourpier en salade, de l'ananas, des grenades en saison et dans le Midi. Faites boire matin et soir une décoction de thym !

B. — *Par l'homéopathie :* **Cina 7 CH**, en doses renouvelées tous les huit jours ou un traitement isothérapique.

C. — *Par l'acupuncture :* Si vous connaissez un acupuncteur, prenez rendez-vous juste avant la nouvelle lune pour une efficacité maximale. Il piquera l'extrémité externe des petits orteils.

VERRUE

Ne sont malheureusement pas considérées comme des grains de beauté ! S'attrapent en prime dans les piscines, en même temps que les médailles de natation... en particulier verrues plantaires, les plus douloureuses. Les autres apparaissent sur les mains ou les genoux. Désagréables à voir, souvent contagieuses parce que dues à un virus filtrant, ce sont, en fait, de petites tumeurs. Elles obsèdent l'enfant, qui les gratte pour s'occuper, jusqu'à les écorcher.

TRAITEMENT

Ne jamais brûler la verrue à l'acide (nitrate d'argent). La verrue a sa raison d'être : si vous la contrez de manière brutale, elle se vengera ! Ne la grattez pas, ne la coupez pas vous-même. Choisissez :

A. — *Par les plantes :*

— Frottez avec une gousse d'ail ou un oignon cru, ou appliquez du jus de citron, du suc de figuier, du brou de noix vert.

— Du suc jaune de chélidoine (*Chelidonia majus*), plante très répandue sur les vieux murs et les décombres.

— Suc d'euphorbe épurge (*Euphorbia lathyris*), plante moins répandue. Frottez toutes les heures, la verrue disparaît en deux jours.

— Appliquez quotidiennement de l'huile de ricin.

— Ou encore du lierre (*Hedera helix*) macéré dans du vinaigre.

Dernier recours : des pétales pilés de souci (*Calendula*) en application sur l'objet de votre souci..., qui disparaîtra très vite.

B. — *Par l'homéopathie :* Un traitement interne est nécessaire, les verrues étant liées à des problèmes psychologiques et à un terrain particulier. Donnez à l'enfant du *Thuya 7 CH* en granules, du *Nitricum acidum 7 CH*, en granules, 5 de chaque médicament, tous les dix jours en alternant, et *Thuya* en teinture-mère en application journalière.

Si tout échoue, dénichez un rebouteux qui ait le « don », fréquent à la campagne, quelques médecins classiques l'ont aussi sans toutefois oser l'avouer... Nous en connaissons. Et ça marche !

C. — *Par l'acupuncture :* autour de la verrue elle-même !

VERTIGE

Votre derviche tourneur s'en donne à cœur joie, se sent toupie, et se croit toton ! « Maman, j'ai la tête qui tourne, je n'y vois plus rien ! » Tout cela n'est pas grave : le tournis s'arrête de lui-même quand le jeu prend fin.

Autre chose est le vertige qui commence spontanément. L'enfant a l'impression que le ciel tourne autour de lui, entraînant les objets dans sa course folle. Il a légèrement mal au cœur, avec une sensation de chaleur.

TRAITEMENT

Il n'y a pas grand-chose à faire : couchez l'enfant et gardez-le au repos pendant un moment. Cela évitera qu'il ne tombe et se fasse mal, si le vertige est vraiment important.

Voyez le médecin : le vertige n'est pas une maladie, mais un symptôme.

Ce peut être tout bêtement un bouchon de cérumen (voir OREILLE, celle-ci étant l'organe de l'équilibre), ou les suites d'une otite ou d'une maladie infectieuse (oreillons, par exemple). Il faut voir s'il y a d'autres symptômes (fièvre, douleurs, etc.).

Faites pratiquer un examen du fond d'œil, de l'oreille, peut-être une radio du crâne. Pensez ensuite que ce peut être une réaction à un médicament (antibiotique, streptomycine).

476

VÊTEMENTS (Maladies et problèmes dus aux)

Certains enfants gardent un souvenir de cauchemar de leur enfance : Maman nous habillait comme des ploucs, et tous les copains à l'école se moquaient de nous !

D'autres ont d'affreux souvenirs de pauvreté (ou d'avarice) des parents : l'unique paire de chaussures qui leur donnait des ampoules tout l'été... ou les galoches trop serrées qui transformaient l'hiver en supplice à cause des engelures...

HYGIÈNE VESTIMENTAIRE

Relisez de temps en temps ce chapitre, et voyez si tout va bien pour votre enfant :

A. — *Attention aux vêtements trop étroits, mal commodes ou mal ajustés,* en particulier pour les chaussures. Si elles sont trop serrées, voir ENGELURES, CORS, AMPOULES, changez-les. L'enfant doit avoir au moins deux paires de chaussures pour la saison, et en changer souvent, pour se défatiguer le pied. Les chaussures de faux cuir (matière plastique) sont malsaines aux pieds. Les bottes de caoutchouc souvent aussi, car elles empêchent l'aération. Il vaut mieux avoir le pied léger... et mouillé, que botté... et mouillé également (soyez sans illusion : l'eau finit toujours par rentrer dans la botte de caoutchouc, ce qui assure à l'enfant le bain de pieds permanent) !

B. — *Attention aux vêtements qui déclenchent des allergies :* Tissus synthétiques, nylon, tissus de mauvaise qualité avec des colorants qui déteignent, faux cuirs, faux daims, fausse fourrure en plastique ou en fibres artificielles (voir ALLERGIES).

C. — *Vêtements dangereux :* Ceux qui prennent feu (tutu en nylon) ! Les vêtements amples qui s'accrochent partout. Ceux qui attirent mouches et guêpes (robes à fleurs rouges l'été). Ceux qui risquent d'étouffer ou d'étrangler l'enfant (écharpes qui se coincent dans les roues du vélo ou une portière — ainsi mourut Isadora Duncan, étranglée par son écharpe) !

D. — *Faut-il habiller chaudement l'enfant, ou pas trop, pour l'aguerrir ?* En ce qui concerne bébé, faites très attention de ne pas le couvrir trop chaudement : comme il est incapable de se déshabiller tout seul s'il a trop chaud, il risque de transpirer beaucoup et de se déshydrater (voir CHALEUR).

Quant à l'enfant plus grand, les avis sont partagés sur les causes de la frilosité. Cela dépend du « terrain », c'est-à-dire du tempérament de l'enfant. Il est certain que les appartements de ville, les écoles souvent, sont trop chauffées... Mais le jour où l'on arrête le chauffage, tout le monde attrape une angine. Alors ? Essayez d'aguerrir vos enfants lorsqu'ils sont à la campagne, mais en ville intervient sûrement une question de pollution qui affaiblit les gens. Essayez de chauffer moins, si vous le pouvez. Et, en tout cas, d'ouvrir toujours la fenêtre la nuit pour dormir, quel que soit l'âge et la saison.

TOTO CHEZ CARDIN

L'élégance, pour certains enfants, est toute une histoire. Ils sont d'un difficile ! En réalité, aucun enfant n'y est indifférent.

— Offrez de temps en temps un vêtement neuf à la petite dernière qui hérite toujours des vêtements des aînés.

— Résistez à la folie consommatrice, aux modes voyantes. L'enfant, et c'est normal, a horreur de se singulariser à l'école. Il veut être habillé *exactement* comme les copains. Achetez donc les vêtements avec lui, en respectant son idée autant que possible, mais vous n'êtes pas obligée de vous aligner sur le copain milliardaire... C'est rendre mauvais service à l'enfant que de lui donner trop de vêtements et de luxe.

— Ne lui mettez pas des vêtements trop élégants qu'il n'a pas le droit de salir : il lui faut beaucoup de salopettes à toute épreuve dans lesquelles il pourra jouer en toute liberté, et sans crainte de se salir.

— Attention : n'oubliez pas que la couleur EST une thérapie si elle est utilisée de façon harmonieuse. Un enfant agité se calmera si on l'habille en bleu tandis que le rouge ne fera que le déstabiliser. Cependant, le rouge peut au contraire, en cas de fièvre infectieuse, aider à « faire sortir » la maladie en accélérant les processus naturels.

Le vert en général est considéré par Edgar Cayce comme « guérisseur », en particulier un beau vert émeraude. Observez l'enfant : voyez s'il a meilleure mine dans une couleur précise, si elle lui « va bien » (dans ce cas, la couleur est adaptée à son aura, que vous ne voyez pas toujours, mais qui existe pourtant). Si la couleur ne lui « va pas », attention. Demandez-lui aussi son avis, dans quelle couleur il se sent le mieux. Certaines couleurs mal choisies peuvent rendre malade la personne qui les porte.

— Quant au désordre (aux socquettes et aux pull-overs qui traînent partout)... affaire de tempérament, de milieu. L'enfant petit qui range trop bien est un anxieux. L'ordre vient en général assez tard ! Armez-vous de patience !

VOMISSEMENTS

Horribile visu... et sentu !
Pourtant, le vomissement est une soupape de sécurité

prévue par la Nature, qui évite ainsi à l'enfant des ennuis plus graves.

Ce n'est pas une maladie, mais un symptôme, dont les causes sont extrêmement diverses.

LES VOMISSEMENTS DU NOURRISSON

A. — *Bébé crachouille, régurgite...,* mais *il a l'œil vif,* aucune fièvre, les réflexes normaux, et un très bon état général. Sans importance, et sans lendemain, le vomissement est dû à un mouvement un peu brusque.

B. — *Bébé allait bien puis se met à vomir vraiment, plusieurs fois de suite.* Il n'a pas de fièvre, mais éventuellement la diarrhée. Il y a tout à parier que vous avez fait une erreur dans son régime : un changement de lait, une nouveauté mal supportée. Mettez bébé à la diète, reprenez l'ancien régime, et essayez de trouver ce qui ne passe pas. Tout rentrera normalement en ordre au bout de quelques jours.

C. — *Bébé est malade :* Fièvre, diarrhée, boutons, mauvais état général ; ça pleure, ça crie et ça vomit. Les vomissements sont un symptôme d'une maladie qu'il faut trouver : appelez le pédiatre.

D. — *Bébé vomit « en jet », violemment,* et un certain temps après le repas (plus fréquent chez un garçon) ; si l'affaire se répète, le pauvre bout-de-chou a peut-être une « sténose du pylore », malformation congénitale qu'il faut opérer. Consultez le pédiatre.

LES VOMISSEMENTS DE L'ENFANT DE 2 A 7 ANS

A. — *Vomissements accidentels, sans fièvre :* Ils sont dus à une émotion violente, ou à une intolérance digestive ; parfois aussi, le réflexe de vomir évite l'empoisonnement :

champignons, viandes avariées, etc., coquillages... (voir EMPOISONNEMENT). Si cela n'arrive qu'une fois et si aucun autre symptôme de maladie ou d'intoxication n'apparaît dans les heures qui suivent, l'affaire est terminée.

B. — *Vomissements répétés :* Si cela arrive une seconde, une troisième fois en quinze jours, c'est que quelque chose ne va pas. Consultez le médecin, mais très souvent, il s'agit d'une erreur de diététique : l'enfant, fragile du point de vue digestif, hépatique ou intestinal, ne supporte pas un aliment qu'on s'obstine à lui donner régulièrement.

C. — *Vomissements avec fièvre, diarrhée, angine, rhume, mine cernée, mauvais état général, boutons, etc.* Dans ce cas, le vomissement est le commencement d'une maladie, peut-être grave. Observez alors soigneusement les autres symptômes, et appelez le médecin.

QUE FAIRE EN URGENCE ?

— De toute façon, diète absolue. Si l'enfant a soif, donnez-lui à boire de l'eau, en très petite quantité. La diète dure au moins douze heures.

— Ne donnez aucune aspirine ni suppositoire calmant pour faire dormir, ni lavement, ni rien !

— Donnez seulement 2 granules de *Nux vomica 4 CH.*

— Lavez l'enfant, éventuellement dans un bain chaud, habillez-le de propre et couchez-le dans son lit.

Si vous voyez d'autres symptômes, fièvre, diarrhée, appelez le médecin.

TRAITEMENT PRÉVENTIF

— Mettez une cuvette sous le lit de l'enfant. Expliquez-lui que vous souhaitez qu'il vomisse dans cette cuvette plutôt que sur le lit ou sur les tapis. Il comprend très vite (une cuvette, à portée de main, ne lui demande qu'un tout petit effort de contrôle).

— *Régime lacto-végétarien ou végétarien :* Vous éviterez de cette façon la plupart des troubles digestifs qui causent habituellement les vomissements. D'autre part, prenez la peine d'acheter légumes, laitages, céréales et fruits non traités aux pesticides, c'est-à-dire biologiques.

vaut la peine (expérience vécue par les auteurs de ce livre !).

YEUX

YEUX

Avoir « bon pied, bon œil ». Le dicton nous assure qu'un œil en bonne santé est signe d'un état général satisfaisant. L'œil est le miroir de notre organisme et plus d'un praticien utilise le procédé de l'« iriscopie » pour dépister les maladies.

Il faut distinguer les déficiences fonctionnelles et les maladies oculaires.

DÉFICIENCES FONCTIONNELLES

I. — ASTIGMATISME

C'est un défaut de la courbure de la cornée : l'image qui se forme est floue. Vous n'en saurez rien tant que le spécialiste ne vous l'aura pas précisé, à moins que l'enfant lui-même puisse le remarquer. Mais sans élément de comparaison, c'est difficile. L'ophtalmologue prescrira sûrement le port de lunettes : il s'agira ici de verres cylindriques.

II. — MYOPIE

Si vous remarquez chez l'enfant une tendance à plisser les paupières fréquemment, même en l'absence de soleil, il peut tout simplement être en train d'accommoder pour y voir mieux. Ne négligez pas ce premier signe, surtout si vous en remarquez d'autres : l'enfant met son livre d'images sous son nez ; il a peut-être aussi des maux de tête au moment de l'apprentissage de la lecture. Voyez le médecin qui vous expliquera que l'image se forme en avant de la rétine et que des verres grossissants et concaves seront nécessaires. Il vous renseignera sur le degré de myopie (mesuré en dioptries).

III. — HYPERMÉTROPIE

L'image ici se forme en arrière de la rétine. Nécessité de porter des verres convexes, sinon il faut accommoder sans arrêt, d'où fatigue.

IV. — STRABISME (voir ce mot)

V. — DALTONISME

Rien à voir avec une quelconque appartenance au club des frères Dalton ! C'est une facétie de l'œil qui intervertit les couleurs, et voit en rouge ce qui est vert et inversement. Bloque tout accès aux carrières suivantes : conducteur de poids lourds, pilote ou marin.

TRAITEMENT GÉNÉRAL
DES PROBLÈMES OCULAIRES

Nous pensons qu'il n'y a pas urgence. On voit des bébés minuscules affublés de lunettes. Laissez donc faire la nature et ne les habituez pas trop tôt à ces aides extérieures. Il sera grand temps lorsqu'ils seront scolarisés pour de bon.

A. — *Par l'acupuncture* : Un traitement suivi donne d'excellents résultats en redonnant du tonus aux muscles oculaires. (Les pilotes sont nombreux à s'entretenir ainsi la vue en parfait état.)

B. — *Par la gymnastique oculaire corrective* : La rééducation des yeux est possible, tout autant que celle d'un autre muscle ou organe. Des méthodes ont été élaborées (méthode Bates). Les enfants trouvent généralement cela fastidieux, mais c'est souvent absolument nécessaire.

MALADIES OCULAIRES

I. — *LA CONJONCTIVITE*

Due à une invasion microbienne (streptocoques, virus), elle se manifeste par une coloration rouge de la conjonctive (la cornée rougit) et par un écoulement purulent. Très infectieuse, elle atteint généralement les deux yeux.

TRAITEMENT

A. — *Par les plantes* : Un cataplasme de *persil* (*Apium petroselinum*), du jus de *citron* (ça pique, mais ça tue le vilain microbe), des compresses à l'infusion de *plantain*, un nettoyage à l'eau de *camomille*.

B. — *Par les oligo-éléments* : Alternez *manganèse-cuivre* et *manganèse*.

II. — *LES OPHTALMIES*

Elles peuvent avoir plusieurs causes.

Un courant d'air froid, du sable ou des poussières, un excès de soleil (ophtalmie solaire) ou de réverbération sur la neige par exemple, une allergie à une poussière invisible. Les yeux sont douloureux, pleurent, coulent, et se collent. Il faut les nettoyer matin et soir, puis les soigner.

A. — *Par les plantes* :
Cataplasmes de feuilles de *cerfeuil* (*Anthris cuscerefolium*) ou de feuilles de *géranium sauvage* (*Erodium cicutarium*).

Nettoyage à l'*eau de bleuet* pour les yeux bleus, de *camomille* pour les autres.

III. — *LA CONJONCTIVITE DU NOUVEAU-NÉ*
(origine blennorragique)

Elle apparaît immédiatement après la naissance : vous remarquerez un gonflement des paupières, un écoulement séreux, parfois même sanguinolent. Nettoyez-les tous les jours à l'*eau distillée* et mettez quelques gouttes de *jus de citron*.

IV. — *ORGELET* (voir ce mot)

V. — *CORPS ÉTRANGERS DANS L'ŒIL*
(voir INGESTION DE CORPS ÉTRANGERS)

Z

ZÉZAIEMENT OU ZOZOTEMENT
ZIZI (voir INITIATION SEXUELLE, MASTURBATION,
PHIMOSIS, TESTICULES)
ZONA

ZÉZAIEMENT ou ZOZOTEMENT

N'est-ce pas charmant, cette façon de parler avec un cheveu sur la langue de bébé ? Il en est attendrissant, jusqu'au jour où, devenu grand, il s'attire les moqueries de ses petits amis de la maternelle.

Du coup, vous ne trouvez plus cela drôle du tout, et votre enfant peut s'assombrir.

QUE FAIRE ?

Est-ce un tic ? Une mauvaise habitude ? Une implantation dentaire défectueuse ? Ce peut être aussi l'expression d'un problème psychologique : l'enfant regrette l'époque où il était bébé, choyé, et où vous vous occupiez bien davantage de lui.

Essayez de vous pencher sur ses problèmes. Reprenez-le sans jamais vous fâcher, et si vous n'êtes pas d'un naturel patient, confiez-le à une orthophoniste.

ZIZI (voir INITIATION SEXUELLE, MASTURBA-
TION, PHIMOSIS, TESTICULES)

ZONA

La médecine classique ne connaît actuellement
aucun médicament radical contre le zona. Seules les
médecines naturelles savent le soigner.

Maladie plus rare chez l'enfant que chez l'adulte,
et un peu moins douloureuse (mais enfin, tout de
même !...). Elle est due à un virus filtrant, le même
que celui de l'herpès et de la varicelle, et n'est pas
contagieuse.

A QUELS SIGNES LE RECONNAITREZ-VOUS ?

Le mot vient du latin « zona » = ceinture, parce
que c'est autour de la taille qu'apparaissent le plus
souvent les boutons. Ils ont une forme de cloque
(vésicules) disposés en ligne, le long du trajet d'un
nerf, et, en général, sur une moitié du corps seulement. Ils surgissent aussi parfois sur les cuisses, le
visage, entre les côtes...

Un jour ou deux avant l'éruption, l'enfant a de
la fièvre, manque d'appétit, et ressent des picotements. Il a des ganglions (cou, aisselle, aine) du
côté malade.

A soigner tout de suite, sinon les vésicules peuvent s'infecter, et devenir purulentes. Normalement, si tout va bien, au bout d'une ou deux semaines, elles se dessèchent, forment une croûte, et tombent en laissant une trace blanchâtre (provisoire).

QUE FAIRE EN URGENCE ?

Au choix :

A. — *Par le chlorure de magnésium :* Diluez un sachet de 20 g dans un litre d'eau et lavez les boutons avec. Imbibez-en des compresses que vous laisserez une demi-heure (à renouveler).

B. — *Par les plantes :*
Localement, appliquez du *Solvarome* ou du *Tégarome* (voir adresses, page 378).

La *saponaire* est spécifique du zona. En usage externe : cataplasme de feuilles et de fleurs hachées sur la partie douloureuse. Si dans votre pharmacie vous avez une réserve de racines de *saponaire* (*Saponaria officinalis*), faites-en bouillir 125 g dans un litre de petit lait. Laissez bouillir un quart d'heure (cité par le Dr Valnet : *Phytothérapie*, page 650). Faites-en un cataplasme également. Cette plante se trouve chez tous les herboristes, ou se ramasse au bord des chemins et dans les prés humides : vous la reconnaîtrez, l'été, à ses fleurs roses à cinq pétales. Elle est très courante.

C. — *Par l'argile :* Cataplasmes renouvelés toutes les trois heures, dès l'apparition de la douleur (*argile verte* en poudre ou concassée).

D. — *Par l'homéopathie :*
Talc au *Calendula* ou *poudre TKC*. A défaut, badigeonnez de *teinture-mère de Calendula*.

En traitement interne, 15 granules toutes les heures de *Ranunculus bulbosus 4 CH* le premier jour ; ensuite, quatre fois par jour. *Rhus toxicodendron 4 CH*, même dosage.

E. — *Par l'acupuncture* : Le résultat en est parfois spectaculaire.

E. — *Par les oligo-éléments* : *Manganèse-cobalt* et *soufre*, une ampoule par jour de chacun.

TRAITEMENT DE FOND

Les *cures thermales* débarrasseront l'enfant du zona, et préviendront les rechutes. Eaux sulfureuses : Amélie-les-Bains, La Bourboule, Lamalou, Plombières, etc.

ZONA OCULAIRE ou OPHTALMIQUE

Très douloureux et grave, risque de conduire à la paralysie oculaire, à la kératite, etc. Les boutons se trouvent autour des yeux. Consultez au plus vite un acupuncteur, un ophtalmo-homéopathe.

Bibliographie

POUR EN SAVOIR PLUS...

AROMATO ET PHYTOTHÉRAPIE
(plantes et huiles essentielles
de plantes aromatiques)

Dr Valnet : *l'Aromathérapie. La Phytothérapie. Traitement des maladies par les légumes, les fruits, les céréales.* Éd. Maloine et Livre de Poche. Très vivant et facile à lire : une mine d'informations pratiques.

Edward Bach : *la Guérison par les fleurs.* Éd. Le Courrier du Livre. Inoubliable par son optimisme et son élévation spirituelle.

HOMÉOPATHIE

Louis Pommier : *Dictionnaire homéopathique d'urgence.* Société Industrielle d'Imprimerie, 1, place de Lattre-de-Tassigny, 93206 Levallois-Perret. Très complet, mais pour « habitués » de l'homéopathie.

Dr Voisin : *En attendant le médecin.* Éd. Gardet, Annecy. Classique.

R.P. Jean Jurion : *Thérapeutiques naturelles.* En trois tomes (Homéopathie et conseils pratiques, Radiesthésie médicale, Médecine préventive infantile). Éditeur : C.I.R., 102, rue la Boétie, 75008 Paris. Le R.P. Jean Jurion écrit dans un style facile pour le lecteur non spécialiste.

Dr A. Maury : *Dictionnaire familial d'homéopathie.* Éditions du Jour.

Dr Claude Binet : *l'Homéopathie pratique.* Éd. Dangles, Paris.

495

ACUPUNCTURE

J. Lavier : *l'Acupuncture chinoise*. Marabout.
Dr Claude Le Prestre : *les Lieux du Corps*. La Table Ronde.

TECHNIQUES DE MASSAGE
ET ACUPUNCTURE SANS AIGUILLES

Jacques Staehle : *Effacer vos douleurs*. Jean-Pierre Delarge.
Clara Truchot : *Do-In et Shiatsu*. Le Courrier du Livre.

NATUROPATHIE ET MÉDECINES NATURELLES

H.M. Shelton : *le Jeûne*. Courrier du Livre. Un grand classique très instructif.
Robert Masson : *Soignez-vous par la nature*. Albin Michel. *Folie et sagesse des médecines naturelles*. Idem. *Plus jamais d'enfants malade*. Idem.
Jeannette Dextreit : *Des enfants sains*. Éditions Vivre en Harmonie. *L'Argile qui guérit*. Idem.

AURICULOTHÉRAPIE

D. Nogier : *Précis d'auriculothérapie*. Éd. Maisonneuve, Lyon. Pour les lecteurs qui ont déjà des notions médicales.

HYDROTHÉRAPIE

M. Cerisier : *Le Guide Marabout de la France thermale*. Marabout.

ALIMENTATION

Dorothée Koechlin de Bizemont et Martine Grapas : *Guide de l'Anticonsommateur*. Éd. Seghers, Livre de Poche, Robert Laffont en 1981.
Hugues de Bonardi : *300 recettes de cuisine écologique*. Mercure de France.

PLANTES : POUR LES RECONNAITRE
ET LES RAMASSER VOUS-MÊME

Larousse des plantes qui guérissent. Petit dictionnaire très bien fait.

Secrets et vertus des Plantes médicinales. Sélection du Reader's Digest. A Paris : 216, bd St-Germain, 75008 Paris. A Bruxelles : 12 A, Grand-Place, 1000 Bruxelles. Au Québec : 215, av. Redfern, Montréal, Québec, H. 3Z2V9. Ces deux guides sont bien présentés, avec des photos, des recettes ; ils sont éminemment pratiques et utiles aux mères de famille pour la vie quotidienne.

Les Jardins de Findhorn. Pour apprendre l'amour de la nature à vos enfants. Éditions Le souffle d'or, BP 3, 05300 Barret-le-Bas. Roland de Miller : *« Nature, mon amour » « les noces avec la Terre ».* Éditions Scriba, 2, rue Raspail, 84800 L'Isle-sur-Sorgue.

Dr Pradal : *Guide des Médicaments usuels.* Livre de Poche. *Le marché de l'Angoisse.* Éd. Le Seuil.

QUELQUES LIVRES
PARTICULIÈREMENT LUMINEUX
SUR LES PROBLÈMES
MÉDICAUX ACTUELS

Dorothée Koechlin de Bizemont : *L'Univers d'Edgar Cayce.* Robert Laffont, 1985.

Jess Stearn : *Edgar Cayce, le Prophète.* Sand-Tchou, 1985.

William Mac-Garey : *Les remèdes d'Edgar Cayce.* Éditions Du Rocher, 1984.

Fernand Delarue : *L'Intoxication vaccinale.* Le Seuil.

Simone Brousse : *On peut vaincre le cancer.* Édinat, BP 61, 83502 La Seyne-sur-Mer Cedex.

Monique Couderc : *J'ai vaincu mon cancer.* Belfond.

Janie Maurice : *Bruno, mon fils.* Stock. Histoire d'un petit garçon cancéreux atrocement massacré par les hôpitaux. Des choses à savoir...

Ségolène Lefébure : *Moi, une infirmière.* Stock. Ici, aussi, ce livre qui fit l'effet d'une bombe lors de sa parution, révèle des

vérités peu connues sur l'hôpital. Les médecines douces éviteront à vos enfants cet univers concentrationnaire...
Dr J.-Cl. de Tymowski : *Une autre médecine*. Éditions Robert Laffont, 1984.

PSYCHOTHÉRAPIE.
POUR AIDER L'ENFANT
A TROUVER SON ÉQUILIBRE

Maria Montessori : *L'Enfant*. Gonthier. *De l'enfant à l'adolescent*. Desclée de Brouwer. Un classique.

Gaston St Pierre et Debbie Boater : *Le massage métamorphique*. Éditions Le souffle d'or, BP 3, 05300 Barret-le-Bas.

Jean-Louis le Moigne : *Jusqu'à la lie*, témoignage d'un alcoolique guéri. Éditions Robert Laffont, 1981. Ce livre aidera bien des familles qui affrontent ce problème. A conseiller aux adolescents, car le style très vivant est facile à lire.

Rudolf Steiner : *Bases spirituelles de l'éducation*. Triades. Le point de vue anthroposophique. *L'enfant et le cours de la vie*. Idem.

CONTRACEPTION ET NAISSANCE « DOUCES »

Louise Lacey : *Lunaception*. Librairie de Nature et Progrès, voir l'adresse plus loin, et Éditions de l'Étincelle, Montréal, Canada.

Dr Odent : *Bien naître*. Éd. du Seuil.

Dr Leboyer : *Pour une naissance sans violence*. Éd. du Seuil.

Jenny Jordan : *Avant que de naître*. André Bonne.

Jean Toulat : *Contraception sans violence*. Pygmalion. Gérard Watelet, éditeur, 70, av. de Breteuil, 75007 Paris.

REVUES ET ASSOCIATIONS
QUI VOUS AIDERONT A DÉFENDRE
LA SANTÉ DE VOS ENFANTS

L'Impatient : 9, rue Saulnier, 75009 Paris, tél. (1) 42.46.43.01. Mensuel de défense et d'information des consommateurs de soins médicaux. Un journal qui s'efforce d'informer le grand public des dangers qu'on lui cache — et des nouveaux espoirs de guérir.

Nature et Progrès : 14, rue des Goncourt, 75011 Paris, tél. 47.00.60.36. L'Association organise des marchés biologiques sérieux (avec des producteurs contrôlés), où vous pourrez acheter des produits vraiment naturels pour vos enfants. (Label Nature et Progrès, Association Européenne d'Agriculture et d'Hygiène Biologiques).

Nature et Progrès organise chaque année à Paris le *Salon Marjolaine,* où l'on peut s'informer de tout ce qui concerne médecines douces et alimentation biologique. Nature et Progrès - Belgique : Chaussée de Namur, 43 B 5971 Roux-Miroir, Tél. (010) 88.85.86.

Ligue Nationale pour la liberté des vaccinations : 4, rue Saulnier, 75009 Paris, tél. (1) 48.24.43.60. Nos lecteurs et nos lectrices savent bien quelles réserves nous émettons quant aux vaccinations (les accidents post-vaccinaux n'étant pas rares). La Ligue vous informera de ce que vous pouvez faire vis-à-vis des obligations légales, pour épargner des risques à vos enfants.

F.I.P.I.A.D. (Fondation internationale de prophylaxie pour l'information et l'autodéfense). Sous ce titre, vraiment peu simple, se cache une équipe de gens dynamiques et courageux. Présidée par Simone Brousse, la F.I.P.I.A.D. se charge de défendre les cancéreux et de les informer des immenses possibilités de guérison offertes par les médecines douces. Si l'un de vos enfants était atteint de cancer, adressez-vous à la F.I.P.I.A.D. : vous retrouverez l'espoir, car il y a actuellement beaucoup de succès par de nouvelles thérapies peu connues. Secrétariat : Mme Suzanne Vieil, 7, allée Guy de Maupassant, BP 67, 77420 Champs-sur-Marne. Permanence à Paris : le mardi après-midi, 31, rue d'Enghien, 75010 Paris, tél. (1) 45.23.49.84.

L'œil ouvert, (Association de défense des intérêts des consommateurs de produits de l'agriculture biologique), 9, rue Cels, 75014 Paris. Petite revue agréable à lire, animée par une équipe qui croit à ce qu'elle fait et le fait bien — s'efforce d'aider les consommateurs (et les mères de famille) à se défendre et à mieux se nourrir.

Le Navire Argo, Association qui se donne pour but de faire connaître les enseignements de Cayce sur la santé, la psychologie et la parapsychologie. 38, avenue Gabriel, 75008 Paris.

L'Enfant et la Vie, trimestriel. 76, rue du Trie, 59510 Hem. Tél. 20.75.71.47. Conseils utiles pour les parents des tout-petits.

Combat-Nature : revue des associations écologistes et de défense de l'environnement — acquise à « médecines douces ». BP 80, 24003 Périgueux. Tél. 53.08.29.01. Intéressant parce que la défense de la nature et de notre environnement a des répercussions directes sur la santé de nos enfants.

Le Pigeon Voyageur : bimestriel, 4, rue F. Le Dressay 56000 Vannes, tél. 97.42.53.57. A publié un dossier intéressant sur la santé, et un autre, très courageux, sur la vivisection (méthode barbare qui nuit au consommateur, car les réactions des animaux ne sont pas applicables à l'homme. Un médicament peut être inoffensif pour le rat, le lapin ou le cobaye... et désastreux pour l'homme !).

Thérapeutiques Naturelles, EPSO, 7, rue Larrey, 31000 Toulouse, organe du *G.N.O.M.A.* Association de radiesthésistes et guérisseurs sérieux (qui d'ailleurs souvent collaborent avec les médecins), 12, rue de la Grange-Batelière, 75009 Paris. Tél. (1) 47.70.36.70.

Ces adresses vous permettront de trouver à la fois une information et des adresses de médecins de médecine douce. Vous pouvez aussi vous adresser :

au *Centre Européen de Recherches et d'Applications Médicales* (C.E.R.A.M.), adresse : la Plantade, Saint-Bauzille-de-Putois, 34190 Ganges. (Association — loi 1901 — d'usagers désireux d'être conseillés et informés pour assumer la responsabilité de leur santé, et qui ont choisi l'usage des produits homéopathiques dans la vie courante).

à la *Confédération Nationale des Associations d'Acupuncture :* 8, av. Franklin D. Roosevelt, 75008 Paris.

à la *S.M.B.* (Société médicale de Biothérapie), 51, av. Victor Hugo, 75016 Paris. Société homéopathique à laquelle on peut écrire pour demander des renseignements et l'adresse d'un médecin utilisant les biothérapiques.

● *Une pharmacie branchée sur les médecines douces :*
   Pharmacie Dufour-Festy
   89, avenue de Wagram, 75017 Paris, tél. (1) 47.63.28.69.

● *Une bonne adresse de massage :*
   Maître Massao Yamazaki (shiatsu doux)
   chez Lucette Payot, 10, rue St-Roch, 75001 Paris, tél. (1)
   42.60.02.18.

● *Se soigner au naturel :*
   Institut Alain Rousseaux
   39, rue de Châteaudun, 75009 Paris, tél. (1) 45.26.83.33
   qui donne également un enseignement très complet en
   naturopathie — ainsi que toute une gamme de soins.

● *Des huiles essentielles absolument naturelles :*
   Henri Viaud. *Cie du Soleil, Laboratoire de Combe d'Ase*
   St-Vincent-sur-Jabron, 04200 Sisteron, tél. 92.61.27.27.

   Lavande 1100
   Maurice Fra, Lavondiculteur, 84400 Lagarde d'Apt.
   Indispensable dans la maison (contre les piqûres d'insectes,
   les parasites humains et animaux, les insomnies — utile en
   eau dentifrice, en bains calmants, comme déodorant, etc.),
   une huile essentielle de lavande d'une extraordinaire
   qualité.

● *Et comment savoir si la maison est saine, et le lit de l'enfant
   bien placé ?*
   *Institut de recherches en radiesthésie et médecine géody-
   namique :*
   Devirad : 20, rue Givet, 68130 Altkirch
   Louis Viel : 45, rue Blanche, 75009 Paris.
   Rémi Alexandre : S.O.S. Maisons Saines, Le Penet
   d'Uriage, 38410 Uriage, tél. 76.89.72.08.

Index

DANS LA MÊME COLLECTION

N° d'éditeur: CNE section commerce
et industrie Monaco 19023
Dépôt légal: Avril 1986